U0439919

林慶彰　總策畫

民國時期稀見期刊彙編

第一輯

哲學科研究年報④

臺北帝國大學研究年報

第十冊

臺北帝國大學文政學部

哲學科研究年報

第四輯

臺北帝國大學
文政學部 哲學科研究年報 第四輯

目次

時間・空間及辨證法

——「辨證法的存在論と其立脚地」續篇として——

岡野留次郎

（筆者は昨年の「哲學科研究年報第三輯」に於て、極めて粗笨ながら「辨證法的存在論と其立脚地」を論じ存在論としての哲學の一般的外廓を明にしやうと試みたのであるが、其基礎概念たる時空及辨證法に關しては、更に粗雜なる一般的敍述に終つた爲め、其續稿として本第四輯に於て思想的に最も關係の深いアリストテレス、ヘーゲル、ベルグソン、ハイデッガー等の時空論を批判的に論究し粗雜なる敍述に多少合理的なる根據を與へんことを企圖したのであつたが、恰も本年四月開催さるべき哲學會春期公開講演會に講演する必要に迫られ、右續稿を表題の如く別箇獨立の形に改めた結果、敍述の內容形式共に前篇の續稿として甚だ相應はしからぬものとなつた。內容も多く批判的敍述に終り、深く批判を徹して積極的に自己の見解を充分展開し得なかつたことは、一は自己の無力にもよるが、甚だ遺憾である。續稿としては改めて執筆するを穩當と考へるが、締切の目睫に迫る今日、暫らく此論稿——甚だ意に滿たないものであるが——を以て未完の前稿の續篇として、一應この序論的敍述を完了し度いと思ふ。（昭和十二年三月末）

1

アリストテレスが時間を主として其プュシカに於て論じたと云ふことは、彼に於て時間の本質が自然存在論の領域に於て把握されたことを示す。彼に於ては、時間は常に本質的に物理的な場所や運動と共に立つてゐるのであつて、彼の存在論一般が自然的存在に差向けられた存在論であることと本質的な內面的聯繫を持つであらう。彼がその時間論の冒頭に擧げたアポリアがこのことを示すばかりでなく、これに對して彼が與へた解決も本質的には此場面を離るゝものではない。何者、時間が分割的と考へられ幾何學的空間的に表象せらるゝと共に、數へるものとしてのヌースと聯關せしめられる限りに於ては、現在は既に過ぎ去つた、そして在らぬところの部分(τὸ μὲν γὰρ αὐτοῦ γέγονε καὶ οὐκ ἔστιν)と將に來らんとする、そして未だ在らぬところの部分(τὸ δὲ μέλλει καὶ οὔπω ἔστιν)との限界をなす幾何學的な點(στιγμή)に歸著する外なく、從つて「今」(νῦν)は、其存在性を失ふばかりでなく、過去も未來も其存在性を失ひ、しかも時間は之等の部分から成立つものとして、存在せざるものの合成物となり、實在性を分享することが不可能と考へられねばならないであらうから。 にも拘らず時間は存在しなければならぬ。 然るに可分割的であるに拘らず、その部分が存在性を持ないと考へられることは一つのアポリアではあらうが、それは時間が、過去の部分、未來の部分から成立つと考へられ、現在は時間を構成する部分と見られ得ないためであるからして、そしてかく部分と見られない理由が「今」を尺度として時間を計量し得ないことに基く故に——何者、部分は計量するものであり、全體は部分から構成されなくてはならないから——過去と未來とを限界づけると思はれる「今」が、何等かの地盤に於て時間計量の尺度となることが可能とならねばならぬ。此「今」は常に同一に止まると考へても、或は常に他のものに轉移すると考へても、解き難いアポリアを伴ふのも、此地盤を缺くがためであり、時間を可分割的な直線的推移と考へ、過去と未來の限界としての「今」が、直線的に移動するとする見解に基くことは明である。(1) 然るにアリストテレスのこれに與へた解答は、かのよく知られて居る時間の定義「前と後とに從つての運動の數」(ἀριθμὸς κινήσεως κατὰ τὸ πρότερον καὶ ὕστερον) なのであるが、果してこれによつて「今」が時間計量の尺度となり得る地盤が獲得されたであらうか。先づアリストテレスによれば時間は運動ではないが運動なくしてはあらぬもので、運動と密接な聯關に持來されてゐる。所で運動がプラトンの如く單に天體の運動(τὴν τοῦ ὅλου κίνησιν)と考へられ、或は個々の事物の變化運動(ἑκάστου μεταβολὴ καὶ κίνησις)と考へられることは、運動を純客觀の領域に持來すことであつて、此視點からのみでは時間の問題は解決され得ない。況んやピュタゴラス派の如く天體そのもの(τὴν σφαῖραν αὐτήν)を時間と見、運動とさへ引離して時間を考察する見解は一顧の價値なきものとならう。それ故にアリストテレスに取つては、運動乃至變化は、單純に客觀的・自然的と考へられないでプュシケーのヌースと連關せしめられる限りに於て、時間と密接な聯關に立つ。このことを保證するものは彼の定義に現はれてゐる數(ἀριθμός)である。何者、彼の云ふが如く(2)、數へるものが居なければ何等か數へられ得るもの(ἀριθμητόν)はあり得ないし、從つて數のあり得ないことは明であり、數へることがプュシケー乃至プュシケーのヌースの本性に外ならぬとすれば、プュシケーなくしては時間があり得ないことは明であるからである。人はこゝに、後にアウグスチヌスによつて深められた時間の主觀的解釋の源流に溯り得ると考へるかも知れない。しかしアリストテレスの時間論は自然・存在論の領域に動くものとして、純主觀的な時間解釋では固よりなく、それは寧ろ主觀的・客觀的なる時間解釋として、存在論的に志向せるものと見らるべきであらう。即時間はプュシケーの數へることによらないでは現實的・顯勢的にならないにしても、基體的・潛勢的には客觀的自然的存在の運動に於て存在しなければならぬ。否更に適切に云へば、彼は時間の本質をそれの潛勢的基體たる運動とそれをして現實的・顯勢的ならしむるヌースとの存在論的聯關に求めたと解すべきである。それ故にアリストテレスの時間が實在論的であるか觀念論的であるかの問は、的を逸するものと云ふべきであらう。さればこそ彼はクロノスとプュシケーとが如何なる聯關にあるかを考察することを意義あることと考へ、クロノスが地にも海にも天にも有ゆるものに於て存在すると考へられる理由を、運動の數としての運動の狀態(πάθος)乃至屬性(ἕξις)に求めたのであり、その數がヌースと密接な聯關に立つ上は、プュシケーなくしては時間はあり得ないとも云ひ得るが、時間の潛勢的基體として、の運動はプュシケーなしにもありとも考へられ、只それが現實的時間となる爲には常にプュシケーによつて數へられることが必要となる。それ故ヌースと聯關に持來される運動は種々の運動であるにしても、特殊のそれではなく、それが運動である限りに於てゞあり、連續的な運動と考へられる限りに於てゞある。所で運動乃至變化(μεταβολή)は、それが生成(γένεσις)にせよ、壞滅(φθορά)にせよ、成長(αὔξησις)にせよ、消耗(φθίσις)にせよ、はた叉質的變化(ἀλλοίωσις)にせよ、終局に於ては位置變化(φορά)に歸著せしめられる故に——何者、凡てのものはそれが場所に在る限りに於て運動が可能であらうから——運動が運動として考へられる限り、その運動は位置運動を意味するであらう。しかも平衡的な規則正しい天體の圓環運動(ἡ κυκλοφορία ἡ ὁμαλής)がその數の最もよく知られたものとして勝義に於ける尺度となる(3) 卽アリストテレスに於ては時間の基體としての運動は天體の圓環的位置運動が意味されて居たことを知るのであるが、それが現實的な時間となる爲には數へられることが必要である。換言すれば時間が時間として現實的に成立つ地盤は天體の圓環的位置運動とヌースとの存在論的聯關の中に横はる。

併し運動が只數へられると云ふだけでは時間は成立しない。運動は空間的な秩序に於ても數へられることは可能であらう。時間が時間として數へられる爲には、運動が前と後とによつて限界づけられることが必要である(τῷ πρότερον καὶ ὕστερον ὁρίζοντες)。そして運動を前と後とによつて限界づけると云ふことは、前と後とを二つの異つた「今」と考へ、それ等の中間に之等と異つたものを區別することを意味し、此「今」によつて限界づけられたものが時間となる(τὸ γὰρ ὁριζόμενον τῷ νῦν χρόνος εἶναι δοκεῖ)。それ故「今」が一つであり運動に前後の區別がないならば時間は成立たない。即「今」は基體的(ὅ ποτε ὄν)には運動に於ける前後として常に同一であるが、本質的概念的(τὸ εἶναι, τῷ λόγῳ)には常に異る。更に云へば「今」は質料的潛勢的には未だ規定を受けないものとして運動に於ける前後として見られるが、此前後が形相的顯勢的に規定を受け來るとき、即ヌースによつて數へらるゝとき、現實的な時間の前後として立現はれる。 即前後が數へられるとき「今」が成立ち(ἡ ἀριθμητὸν τὸ πρότερον καὶ ὕστερον, τὸ νῦν ἔστιν) 前後が數へられる限りに於て「今」は時間を計る尺度となり得る(τὸ δὲ νῦν τὸν χρόνον μετρεῖ, ᾗ πρότερον καὶ ὕστερον)。

かくて「今」は基體的・潛勢的には運動に於ける前後として、形相的・顯勢的には數へられたる前後として、現實的な時間を構成するであらう。「時間なくしては「今」はなく「今」なくしては時間はないであらう」(φανερὸν δὲ καὶ ὅτι εἴτε χρόνος μὴ εἴη, τὸ νῦν οὐκ ἂν εἴη, εἴτε τὸ νῦν μὴ εἴη, χρόνος οὐκ ἂν εἴη)(4) と云はれるのは此爲である。 しかし「今」が數へられた前後として現實的な規定を受けると云ふことは一體何を意味するのであるか。 アリストテレスに於て「今」は點(στιγμή)と聯關して考へられ、點が長さを結合すると共にこれを境介づけ一方の始をなすと共に他方の終りをなすやうに「今」は時間を境介づけ、夫々兩部分の始終をなすと共にこれを結合するとも考へられる。しかしかやうな點としての「今」は、常に同一なる點として、それが數へられることによつて時間は成立ち得ない。 時間を構成する「今」は寧ろ運動を構成する運動體(τὸ φερόμενον)と密接な聯關を持つと考ふべきである。 何故なら運動體が運動することによつて運動を前後に於て規定するやうに、そしてそれが基體的には常に同一に止まり運動の統一と連續を可能ならしめると共に、夫々の位置に於て現實的に規定されたものとしては、常に異つたものとして考へられねばならぬやうに、「今」は時間を境介づけまたこれを結合する點であるとしても、單なる點なのではなく、過ぎ去れる時の終りであり、來らんとする時の始として、恰も圓が同一體に於て凸凹の二面を持つが如く、時間の過去と未來を境介づける點として、常に異つて規定されたものとして立現はれなければならないからである。卽「今」は現實的には形相的な規定を受けた個物(τόδε τι)として初めて數へられ得る前後の性格を帶びるのである。「今」はかくして過去と未來を境介づける限界(πέρας)であり、しかも此限界たるや單なる點の如く動かざるものではなく、運動體の如く常に異つた規定を受くるものとして、其限り前後として數へられ時間を成立せしめると云ふべきである。

かやうに考察し來るときは、「今」は基體的には運動の前後として常に同一に止まるとは云へ、形相的には數へらるゝ前後として常に異つた規定を受けたトデ・ティとして、同一であると共に異る理由が明となり、時間がかやうな「今」によつて成立する限り、在らざる過去、在らざる未來によつて成立つものでないことが明であり、從つて最初に打立てられたアポリアは一應解決されたものと見られるであらう。

併し更に飜つて考へるならばこれによつてアウグスチヌスの所謂 istuc implicatissimum aenigma たる時間に纒ひつくアポリアを根本的に解決し得たと云ひ得るであらうか。數へらるゝ前後として常に異つた規定を受ける「今」とは抑〻如何に解すべきであるか。既にハイデッガーも說く如く、(5)アリストテレスの時間に與へた定義は時間そのものを說明すると云ふよりは時間を時間によつて定義するとも云ひ得るであらう。何故なら「今」を時間成立の現實的地盤たらしめるものは、「今」そのものにあるのでなくして却つて「今」を現實的に規定する「前後」の地平であるとも考へられるからである。從つて此根源的な時間の地平が形而上學的に明にせられない限り、アリストテレスの與へた解答も本質的な光を齎し得ないと云ひ得る。

2

時間のアポリアを自然哲學の領域に於て根本的に解決することの困難な他の事例を、ヘーゲルに於ても見出し得ると信ずることは誤であらうか。既にハイデッガーも詳論して居るやうに、(6)彼の時間解釋は、根本方向に於て、テリストテレスの傳統を追ふものである。こゝでは時間は空間・場所・運動と密接な聯關に於て取扱はれて居る。空間はヘーゲルによれば自然の最初の或は直接的な規定であり、その自己外存在(Außersichsein)の抽象的一般性として、媒介なき無記性(vermittelungslose Gleichgültigkeit)を意味する。全く觀念的な併存(Nebeneinder)として、全然抽象的で、何等一定の差異を自己の中に含まないことによつて連續的なのであるが、その空間を否定するところの點(Punkt)が、自己外存在の領域に於て線・平面等の規定を辨證法的に發展せしめるやうに、その同じ自己外存在の領域に於て、對自的に自己を立するとき、しかも靜的な併存に對して無記なるものとして現はれるとき、それは時間となる。それ故に時間は空間と同じく抽象的・觀念的であり、只空間の第一直接態、並にその否定的限定が共に卽自態を離れないのに對して、これを對自態に止揚することによつて形成される、しかも空間と同じく依然自己外存在の領域を離れない否定的統一に外ならぬ。ヘーゲルは此存在を das angeschaute Werden の言葉を以て示さうとする。其意味はそこに定立される差異は全く瞬間的なもの、卽他の言葉で云へば、直接的に自己を止揚し行く差異には相違ないが、しかも、空間の直接的な外面性(unmittelbare Äußerlichkeit)を持つものではなくて、自己自身に對しての外面的差異に外ならぬと云ふことである。時間とは das Sein, das, indem es ist, nicht ist, und indem es nicht ist, ist である。(7)

此ヘーゲルの時間解釋によつて我々は一應時間のアポリアを解決し得るかに思はれる。何故なれば、こゝでは時間は直接的な存在形態に於て把握されんとする代りに、存在から非存在への移行の形態に於て、卽生成に於て却つてその眞の存在性が把握されるとする主張が爲されて居るからである。そしてこゝにこそ時間のアポリアの發生する源泉が横はつて居たのであり、此解決を可能ならしめるものが辨證法そのものであると考へられるからである。確に辨證法こそ時間のアポリアを根本的に解決する有力な武器であらう。只此場合我々の注意すべき點は、ヘーゲルが時間を存在と非存在との辨證法的生成に於て理解しやうとしたに拘らず、これを das angeschaute bloße Werden, das reine Insichsein als schlechthin ein Außersichkommen と呼び、空間と同じく感性の乃至直觀の純粋形式と見て居る點である。固より彼に於てはカントの場合と異り此直觀(Anschauen)は客觀性と之に對する何等かの主觀的意識との區別を基礎として、時空を主觀的だと云ふのではない。寧ろ空間は抽象的客觀性、時間は抽象的主觀性と呼ばれるのが適當であらう。卽時間は純粋自己意識の das Ich=Ich の原理と同樣とも考へ得るであらうが、只その全然外面的な抽象性に於て存在するものと謂はるべきなのである。このことはヘーゲルに於て時間の本質が具體的な主體的存在の辨證法的事態に卽して把握されて居ないことは勿論、純粹自己意識の具體的な自覺的原理の本質的構成としてすら取上げられず、空間の止揚としての點が自己を卽自態より對自態へ發展せしめた結果として把握されて居ることを示す。直觀の純粹形式とは此抽象性・外面性を意味するに外ならないのである。そしてこのことは彼の時間解釋の本質がアリストテレスを原理的に離れないことを示すものでなければならぬ。何者併存としての點が卽自態から對自態へ止揚せられるとのことは前後(Nacheinander)に於ける點、卽「今點」として把握されることを意味するに外ならないからである。單なる空間の卽自態に於ける無媒介的無記的點が否定を媒介とすることによつて、自己自身に外的な對自的外面性・差異性を本質とする das angeschaute Werden に、否更に限定すれば「今」としての現在に止揚せられるとする場合の「今」はアリストテレスの所謂過去する時間と未來する時間(τὸν χρόνον τὸν παρελθόντα καὶ ἐσόμενον)を結ぶところの時間の聯結(συνέχεια χρόνου)、或は時間の限界(πέρας χρόνου)としての「今」、始端に屬すると共に終末に屬するものとして、止まるところの點と類似に於て考へられながらしかも異つて見られ(οὐχ ὥσπερ ἐπὶ τῆς στιγμῆς μενούσης φανερόν)、潛勢的には、時間を分割するものであり、其限りに於て互に相異るに拘らず、それが結合する限りに於ては常に同一であるとせられる「今」[8]と本質的に異るものとは考へられ得ないからである。只異なるところは後者に於て點より「今」への移行は、潛勢より顯勢への反對對立間の連續的發展であるに對し、前者のそれは、否定を媒介とする矛盾對立間の不連續的飛躍・辨證法的止揚である點——固より此差異は決して輕視すべきではないが——に止まる。さればこそヘーゲルは時間の次元(Dimensionen)としての過去・現在・未來を外面性そのものの生成と考へ、無への移行としての存在、存在への移行としての無の差異の中に融解する生成として把握し、この差異が直接的に個別性(Einzelheit)の中に消失したものを「今」としての現在となし、それが個別性である限りに於て、他を排するもの(ausschließend)であるが、又同時に他の要素の中に連續的に縛がるものとして、夫自身自己存在を無に消失し、無を自己存在の中に消失するものであるとしたのである[9]。

かやうにしてヘーゲルの時間解釋が其本質に於てアリストテレスの傳統を離れないといふことは、一面に於てそれが時間の本質を自然存在論の領域に於て見出さんとし、時間を「今點」の繼續的推移として理解して居ることを示すと共に、他面に於て時間が行爲的主體から抽象され、これとの本質的な聯關に於て考へられて居ないことを暴露する。固よりヘーゲルに於てはアリストテレスに於てのやうに、數へられる運動の數と、これを數へるプュシケーとが體系的に何等の必然的聯關なしに定立せられ居るとは異り、時間と精神とは體系的な聯關を持つ。ハイデッガーの所謂「否定の否定としての、精神及時間に於ける形式的構造の同一性」(10)が此聯關を示すとも云ひ得る。即精神及時間が自己を疎外するところの最も空虛な形式的存在論的抽象性が、此兩者の類緣性を打立てるものなのである。かくてヘーゲルに於ては「精神は必然的に其本質上時間に於て現象する」(11)と云ひ得ないではないが、この場合の時間を、決して人が時間に於て凡てが生起し且つ消滅すると云ふ場合に意味するやうに、時間を滿すところの凡てのものが抽象し去られても依然として殘るところの空虛な時間として、或は恰も流れ行く河流にあつて其中に置かれる凡てのものが奪はれ運び去られ下流へと押し流されるやうに、凡てのものがその中に於て流される何等かの容器(Behälter)の如きものと考へてはならない(12)。時間に於て凡てが生起し、消滅する譯ではない。此生成・此生起消滅そのものこそ時間に外ならないのであり時間とは存在するところの抽象(das seiende Abstrahieren)であり、凡てを生み且其胎兒を破壞するクロノスなのである。それ故に精神が時間に於て現象すると云ふことは、精神が時間内に於て生起消滅變化することではない。時間こそ das Reelle 或は das Endliche と異るに拘らず、其本質に於てこれと同一なもの即夫自體制限されたものなのである。他者を自己の否定の爲に外的に要求する有限的存在は、自己に於て自己を外的に規定することによつて自己存在の矛盾を含み、此矛盾及此矛盾の不安定の抽象的外面性こそ時間そのものに外ならぬ。有限的存在が時間に於て生滅するのでなく、有限者そのものが時間的、生滅的なのであり、從つて全體的否定性(die totale Negativität)としての「概念」たる精神に對する時間の關係は、時間が此全體的否定性をその一般的本質として自己の中に持つに拘らず、それと本質的に合一し得ず、一面的であると云ふことによつて、云はゞ時間が自己を支持し成立せしめる力(Macht)に對する關係の如きものである。概念とは frei für sich existierende Identität mit sich, Ich=Ich として絕對的否定性であり、自由であり、時間が概念の力なのでなく、概念としての精神が時間の力であり、從つて概念が本質的に時間的であるとか、時間に於て在るとは云ひ得ない[13]。それが時間に於て現象することとは、その抽象的な一面性に於て現象することを、精神が自己の純粋な概念を把握しない限りに於て、にも拘らずその形式的類縁性に基いて本質的に時間に於て現はれることを意味する。換言すれば、時間とは概念そのものが定有として空虚なる直観として意識に現はれる限り、外的に直観された、未だ自己自身によつて把握されない純粋自己、即只直観されたに過ぎない概念 (der nur angeschaute Begriff) と考へられねばならぬことを示す。(14) それ故に世界歴史が一般に精神の時間に於ける Auslegung であるとの意味は、絶對的否定性の有限に於ける自己展開であり、かのプラトンの時間を「永遠者の運動する摸像」となすものと軌を一にすると云はなければならぬ。併し時間をかく精神との聯關に於て解することは、時間が凡て有限的存在の生滅變化の外面的抽象性として、das Reelle 一般を覆ふべきであり、殊に時間は精神の歴史に於ける自己實現の抽象的外面性として把握されねばならず、自己に於て完了しない精神の運命 (Schicksal) であり、必然性であり、即自然の直接性を運動に持來し、内面的なものとしての即自態を實現する必然性として理解せられるからして、時間は單に或は主として自然哲學に於て空間的無記的點の止揚として、又具體的點(der konkrete Punkt)たる場所 (Ort) 及其直接的時間的定立たる運動に止揚せらるべきモメントとしてのみ把握せらるべきではないと云はねばならぬ。即時間はヘーゲルに於て先づ das angeschaute Werden として主として自己外存在の領域に於て抽象的外面性として理解せられて居るとは云へ、そのことによつて時間の本質が明にされるものではなく、却つて時間は精神との内面的聯關に於て、本質的に明にされねばならぬことを知るのである。時間が單に自然に於ける場所や運動との聯關に於てのみ考へらるべきではない。却つて歴史との聯關に於て、より本質的なる解決が要求せらるべきである。このことを根本的に遂行することからヘーゲルを妨げたものは、恐らくはプラトン、アリストテレスの時間論への顧慮と、カントの時間説に對する關心とであつたであらう。カントの純粋直觀としての時間が先驗感覺論に於て空間に對立して占める重要なる意義が、後に圖式論に於て純粋直觀と純粋悟性概念とを媒介する際の形式的外面性を將來したとも見得るであらうからである。

3

かのアウグスチヌスを殆んど絶望的と思はるる迄深刻な思索的苦問に追ひ詰

めたものは、正しく時間に纏ひつくこの形而上學的謎の深淵であつた。彼の有名な si nemo ex me quaerat, scio; si quaeranti explicari velim, nescio と云ふ言葉は率直にこの苦悶を表現するものと理解し得るであらう。しかもアウグスチヌスは、この時間に纏ひつくアポリアの根本的解決は自然存在論の領域に於て求め得らるべきでなく、animus への深き沈潛によつて、彼の所謂「記憶の廣大な宮殿」(lata praetoria memoriae)(15) に於て求め得べきことの確信に到達したのである。此驚歎すべき廣大な領域と又偉大な力とを持つた記憶――それこそ人間精神の肉體に結びつけられた皮相な感覺的生活を更に深く堀り下げた自我の秘奥の姿であるが、こゝに於てこそ、日常性に於ては最も明であり普通な事柄がしかもその深く隱された祕義に於て新しく發見せられ解明せらるべき鍵が横つて居るのである。

こゝでは時間に伴ふアポリアが比類なき深刻さに於て取上げられる。即過去存在・未來存在が、存在として既に在らず、未だ在らざる以上、過去と未來の二つの時間形態が哲學的思索の難點を形くること、しかも現在の時間的形態も、それが常に現在であり、過去に推移するものでないならば、それは時間ではなく、永遠であらねばならないこと、それ故に現在が時間であり得る爲には過去に推移することによつてゞあらねばならず、かやうにして時間に纒ひつく根本的なアポリアは、その存在の原因が存在しないであらうことに(cui causa, ut sit, illa est, quia non erit)、時間が在ると眞實に語り得るのは、それが在らざらむとするところ以外に求め得ない (non vere dicamus tempus esse, nisi quia tendit non esse)ことに存する事實が深刻に自覺せられて居る。(16)

かくて時間に伴ふ根本的なアポリアは、現在そのものに潛む形而上學的祕義に屬する。然らば現在とは抑々何か。人は永い過去或は永い未來などと云ふ。しかし過去は既に過去りて在らず、未來は未だ來らずして在らず、何を以て人はこれを永いと云ひ得るのであるか。そこには最早永くあり得るもの (quod longum esse posset) がなく、在ることを止めたものは同時に永く在ることも止めるであらう。然らば永く在り得るものとして、只現在のみが殘されるのであるか。永き現在とは譬へば百年の現在を意味するか。百年とは果して現在たり得るか。過ぎ行く初の一年は現在でもあらう。しかし未だ來らざる九十九年は現在ではあり得まい。過ぎ行く第二年目が現在とすれば、既に過ぎ去れる初の一年は過去であり、他は未だ來らざる未來に屬するであらう。かやうにして人は一年すらもこれを月に分割することにより、更に月は日に、日は更に時間に、時間は更に逃れ行く細片に(fugitivis particulis) 分ち得ることによつて、現在は最早や如何なる最少な瞬間的部分にも分ち得ない時間の部分と呼ばるべきであり、しかもそは未來より過去へと須臾迅速に飛去りゆくものとして、須臾の遲滯延長をも許すものではない。このことは現在が可分割的でないこと何等spatiumを持たぬことを意味しなければならぬ。何者、現在が空間的な擴がりを持つことは、それが更に小なる部分に分たれ得ることを意味し、過ぎ行く現在を更に狹小なる範圍に限定を余儀なくされるであらうから。然らば我々が永いと呼ぶ時間は一體何處に在るのであらうか。過去は既に在らず、未來は未だ在らず、現在亦何等擴がりを持たない場合に我々が時間の間隔(intervalla temporum)を知り、その長短を測るとは何を意味するであらうか。恐らくは在らざるものを測り得ると云ふ大膽さを持たない限り、人は時間を測るとは云ひ得ないのではないか。時間に纒ひつくアポリアはかくて現在を追求しても依然解き難き謎として殘るかに見える。

　だが更に飜つて考へやう。過去はなく、未來もない只現在のみと云ふが、人は何故に在らざる過去を語り、來らざる未來を豫言し得るぞ。過去未來について語ることの眞實であるならば、そして只現在のみが在ることも拒み得ない眞實とすれば、過去も未來も、それが現在である限りに於て、この存在性を保つと云はなければなるまい。即眞實には未來や過去が在る譯ではなく、又正當には過現未の三つの時が在ると云ふべきではなく、過去の現在(praesens de praeteritis)現在の現在(praesens de praesentibus)未來の現在(praesens de futuris)が在ると云ふべきである。即我々が現在のみ在り過去・未來はないと云ふ場合の現在は、眞實には過去と未來とを自己の中に含み得るところの現在であり、決して過去と現在を空間的に區切る幾何學的點の如きものと考へらるべきではない。それ故に時間が空間的な擴がり(spatium)を持たぬと云ふことは、却つてそれが過去と未來を自己の中に包容し得る可能性を許すことになるであらう。併かし過去と未來とを自己の中に含み得る現在とは如何なる地盤に於て可能であらうか。アリストテレスが爲したやうに、天體の運動が時間の基體的な地盤であらうか。物理的な時間の測定に於ては、天體の運動は不可缺の規定要素でもあらう。併し一般の形而上學的時間成立の可能の地盤を考へる場合に人は天體の運動に赴くことは可能であらうか。天體の光(caeli lumina)が消え失せ、陶工の車輪(rota figuli)が廻轉する時、人は其廻轉を測る時間がないと云ひ得るであらうか。　我々の知らうとするところは時間そのものゝ本質並に本性(vim naturamque temporis)であつて、それは物體の運動(corporum motus)から來るものではなく、却つて物體の運動がこれによつて測らるゝ當のものである。　若し時間そのものゝ本質が天體の運動、例へば太陽の運動に基くものとすれば、太陽の運動そのものが時間であるか、乃至はその運動が完成せられる限りの時間の經過そのもの(mora ipsa, quanta peragitur)が時間なのであるか、或は又此兩者が時間を構成するかであらう。　太陽の運動が時間であることは、太陽の不變な等速運動を時間測定の基準とし得る場合に於てのみ云ひ得ることで、太陽の運動そのものゝ遲速が却つてそこに於て規定され得るやうな時間ではあり得ない。　運動の完行と密に聯關した時間の經過も天體の運動そのものが、それ自體不變でなく、遲速が可能である限り、却つてそれが可能となるべき場面としての時間が豫想されねばならない。天體の運動とその運動完行の時間的經過の兩者を併せ考へる場合も、事態は少しも變らない。　何故なら天體の運動はこゝでは時間的經過と密に結びつき運動の遲速によつて時間的經過そのものも變ずると見られ、運動そのものゝ停止が時間的經過の消滅を期待せしめるに拘らず、運動の遲速が可能なる爲には却つて時間そのものが豫想せられ、運動そのものゝ停止に拘らず、時間は不斷に流るゝと考へられねばならないからである。それ故に人は最早や日と呼ばるゝところのものは何であるかと問ふべきでなくして時間そのものが何であるかを問ふべきなのである。

かやうにして我々は時間が可能なるべき地盤を天體の運動、乃至一般に物體の運動に求め得ないとすれば――何故なれば一般に物體の運動が時間なのではなくて、運動そのものが却つて時間に於て動く(in tempori moveri)ものであり、物體の運動と、それの quamdiu が却つて測られるところの時間とが別個のものであることは天體の運動に限定された場合と別に異ならないであらうから――これを何れに求むべきであるか。時間のアポリアは既に述べた如く「現在」の謎に纏ひつくものであり、時間成立の地盤は現在が現在でありながら過去及未來を自己の中に包容し得る可能性の根據と通ずるものとすれば、我々は現在に含まるゝ祕義の根本的解明を目指さなければならぬ。時間は spatium を持たないに拘らず測られ得る限り何等かの意味に於て distentio を持たねばならず、現在は現在でありながら過去及未來を包容しなければならぬと云ふ如き矛盾を可能ならしめる場面は、最早や自然的なる世界の物理的なる運動に求め得ないとすれば、アウグスチスに取つては、これを我々の精神(animus)に求める外はなかつた。「おゝ我精神よ。汝に於て私は我が時間を測る。……私は云ふ、汝に於て私は時間を測るのである」(In te, anime meus, tempora mea metior. ……in te, inquam, tempora metior.)[17]。

今や我々は時間のアポリアを、現在に纒ひつく祕義を、明らめるべき鍵を見出した。時間がspatiumを持たないに拘らずdistentioを持ち得るのはそれが精神のそれであると解しないでは只不可解と云ふ外なからう。過去は實は過去の現在であり、未來は實は未來の現在であることは、前者が記憶(memoria)として、後者が豫期(expectatio)として、注視(contuitus)としての現在と共に精神の中に横はると謂はなければならない。誠に精神こそは自我そのもの(ego ipse)に外ならず、深くそして無限な複雜さ(profunda et infinita multiplicitas)[18]を示す、驚異否寧ろ畏怖を感ぜしめるとも云ふべき未知の力(nescio quid horrendum)、偉大なる記憶の力に外ならない。それは多樣多態を極めた卓れて廣大な生(vita)である。何人もその奧底を窮めることの困難な廣大無邊なる內祕(penetrale amplum et infinitum)[19]とも云ひうるであらう。此生の營み——記憶の作用に於て、時間は其アポリアから解放されなければならない。こゝに於ては過去は單なる過去として既に在らざるものではない、限りなく自己を增大し行く現在であり、未來は單なる未來として未だ在らざるものでなく、期待せられる限りに於て現實の生に生くるものである。 現在は現實の生の注視(contuitus)として、不斷に擴大し行く過去を背後に含み、不斷に減少しまた消盡され行く(minuitur aut consumitur)(20)未來を前方に包容するものと云ひ得やう。 かやうにして現在は一瞬にして消え去りspatiumを持たぬと考へられるに拘らず、現實の生の營みの持續する限り(perdurat attentio)永遠に今として、現在たらんとするもの(quod aderit)が、非現在へと逃れゆく(pergat abesse)經過點を形づくるであらう。 こゝでは最早や人は現在を物質的空間的な意味に於て長く或は短く、廣く或は狹く表象すべきではない。何故なれば現實の生の營みのあるところ、そこは常に現在であり、現在の流れそのものが時間に外ならないからである。 現在が時間に於て測られるのではなく、現在の生が却つて時間の成立を可能ならしめるからである。 こゝに於ては人はまた過去を單なる過去として語ることは出來ない。 それは常に過去の現在として、現に生きつゝある過去として——何者逆說的ではあるが現在にあらざる過去とは眞に過去であり得るであらうかが疑はれるから——語られ、從つてその長短は記憶のそれとして未來も亦現に期待に於て生きつゝある現在未來として語られ、從つてその長短は期待のそれとして、それぞれ語られなければならぬ。かくて人間精神の現實の生の營みのあるところ、獨り個人の歷史に止まらず、廣く人類の歷史を通じて (hoc in tota vita honimis, cuius partes sunt omnes actiones hominis, hoc in toto saeculo filiorum hominum, cuius partes sunt omnes vitae hominum) 現在そのものが時間成立の地盤となるであらう。(21)

かくて人はアウグスチヌスの思索を通して、時間に纏ひつくアポリアが、如何なる領域に於て根本的解決が望まれ得べきかについて曙光を見出し得たと云ひうるであらう。併し、人が彼より得るところは、主としてその深刻なる思索的苦悶とその解決への力強き努力から來る激勵と、その解決の方向への深い意味を持つた示唆的解明であつて、記憶に關する彼の敍述が可なり精細であるに拘らず、時間を記憶としての精神と密接に聯關せしめることにより、彼自ら時間の形而上學的解明を根本的に遂行したとは云はれない。これを遂行するがためには、更に精緻なる精神の哲學的解明を必要とし、また時間に關する更に鋭き知見が要求されるであらう。

ベルグソンの時間論は、ハイデッガーも指摘する如く、アリストテレスの時間論の逆方向に於て時間の本質を把握せんとするものであるとも云ひ得やうが、またアウグスチヌスの時間論を更に科學的乃至哲學的に發展したものとも見られないではない。こゝに於ては時間は最早や如何なる意味に於ても精神と外的な關係に立つものでない。ヘーゲルの所謂自己外存在としての抽象的外面性に其本質を持つものではなく、又アウグスチヌスの如く、豫期と注視と記憶の三作用が行はるゝ精神に於て時間の成立が可能であると見るが如き心理學的考察の不純なる夾雜物を含むものでもない。意識の形而上學的本質が直に純粹持續であり時間なのである。尤もこゝに於ても其哲學的思索は精神生活の感性的領域から出發する。そして次第に複雜なる情緒的生活が考慮せられ、最後に自由なる意志としての自我の本質に至る。しかし此場合感覺の强度が取上げられるにしても、心理學的乃至精神物理學的考察を、それと同一の平面に於て批判するのではなく、直に事象の形而上學的本質に肉迫せんとする。彼が感覺のみでなく一般に精神生活の全面に渡つて量的測定を否定するのは、それが心理學的に意味を有しないことを闡明せんとするが爲ではなく、精神の本質、自我の形而上學的本質が空間的數量的測定を許すものではなく、純質的雜多として、又純粋異質(une hétérogénéité pure)として、質的區別すらも明瞭にし難いところの內的持續(la durée interne)に外ならぬことを明瞭にせんがためであつた。心理學も他の科學と同じく分析によつて進むものなのである。それは自我を分析し感覺・感情・表象等々とする。云はば自我の代りに心理學的事實と稱する一聯の要素を置換へる。しかし人間の人格(la personalité humaine)は果してかやうな要素に分解し得るものであるか[22]。こゝにこそ形而上學的問題が伏在する。內的持續は過去を現在に引延す記憶の連續的生命であり現在は不斷に擴大しゆく過去を包容するとも或は寧ろ現在は其質の斷えざる變化によつて我々の老い行くに從つてその背後に益々重りゆく負荷を示すとも云はれ[23]或は如何なる流れにも比することの出來ない一つの連續せる流れ(une continuité d'écoulement)であり、一つの繼續せる狀態(une succession d'états)であり、その各々はそれに從ふものを豫告し、それに先行するものを含むと云はれる場合に於ても[24]、それは最早や單純な心理的分析を意味するのではない。こゝに於ては時間を通じて流れる我々の固有の自我(notre propre personne dans son éconlement à travers le temp)が問題となる。それは本質に於て符號によつて認識せんとする凡べての個別科學的概念的認識を超越した絶對者であり、只直觀による形而上學的把握のみが、近づき得るものなのである。

此根本的な時間(le temps fondamental)こそは可分性を持たぬ雜多性とも分離を含まぬ繼續、障害を受けぬ推移(la transition ininterrompue)とも云はれる。アウグスチヌスが既に說いたかの記憶と相通ずるものと云ひ得るが、含むところの內容に對し外的な個人的な記憶(mémoire personelle)ではない。云はゞ內的記憶(une mémoire intérieure)であつて變化そのものである。卽前(l'avant)を後(l'après)の中に引延し、之等をして不斷に復活し來る現在の中に現はれては消え行く純粹な現在の瞬間とならしめることを妨げる記憶である。[25] こゝに於てはアリストテレスの場合の如く主として數との類比に於て時間が考へられるのでなく、却つてこれとの對比に於て考察せられる。卽數を作るものは明別された雜多性(la multiplicité distinete)なのであつて、これに對立する質的雜多性(une multiplicité qualitative)こそ時間の本質的形態なのである。雜多性と云ふも、云はゞ只アリストテレスの所謂潛勢的に數を含むと云ふ意味に於てゞあつて質的辨別(discrimination qualitative)とも云ふべく、その含む質的雜多は、これを數へ乃至若干として立し得ないもの、卽量なき雜多である。　等質的な空間に對する異質性夫自體として、一切の外在化乃至並置を排するものである。(26)

時間に纒ひつくアポリア、殊にアリストテレス的なそれは、主として時間を數の基礎の上に成立せしめるところに發生することを知るならば、時間を數そのものが成立つ意識の地盤に移すことによつて根本的に解決せられるであらうことは、既にアウグ・スチヌスによつて示唆せられたものであるが、今やベルグソンによつて意識そのものの本質が質的雜多としての純粹時間であるとの解明を得て、右の解決が遂行せられたかに見える。　何故なれば、意識はこゝでは單なる心理學的事實ではなく、其內面的本質に於て、等質的空間に對する異質性として、勝義に於て形而上學的原理であるのみでなく、ヘーゲルの所謂抽象的外面性を排する具體的現實として、過現未は最早や直線的進行としての時間の三部分ではなく、この具體的現實の三樣相として把捉せられるからである。　今や過去は既に在らざるものでなく、常に現實であり、未來は未だ來らざるものとして在らざるものでなく、現實に於て孕まれ、現實に於ける質的發展(ce progrès en quelque sorte qualitatif)(27)の傾向として現實に生くるものである。　現在は最早や過去と未來を一直線上に於て區切る幾何學的點でないのは勿論アリストテレスの「今」として、過去と未來の限界をなすものでもなく、過去を含み未來を創造する具體的現實そのものとして、純粹移行そのものである。　單に過去の事實の觀念を限りなく包藏するアウグスチヌスの所謂「記憶の廣大な宮殿」ではなく、換言すれば內容を包む形式なのではなく、內容そのものの生くる形式、自我そのものの生くる形式、否自我そのものの形而上學的本質としての記憶であり、具體的生である。　こゝに於ては最早やアウグスチヌスの歎じた如く(28)、存在しないものを如何にして測り得るかと云ふ疑問を繰返す必要はない。何故ならば、時間が測られるのではなくて、測ることが却つて時間によつて可能となるからである。　人は最早や現在は長いか短かいかを問ふ要はない。　時間の長短が却つて純粹持續によつて成立可能となるからである。

　併し――人は更に飜つて問ひ得るであらう――時間の本質は純粹持續であり、如何なる意味に於ても夫自體計量を許さないものとするならば、云ふ迄もなくこれに於てその長短を語ることは無意味であらう。　又過去や未來が在らざるものとしてゞなく、或意味に於て現在に包含せられるものとして把握されなければならないことも明であらう。併しそれにも拘らず我々は過去や未來を在らざるものとしながら尙其長短を語るのは何故であるか。此理由根據が解明せられない限りは恐らく時間のアポリアが未だ根本的に解決せられたとは云ひ得まい。何者、アウグスチヌスを惱ましたアポリアは、それがあることの原因が(cui causa, ut sit)無いであらう故(quia non erit)に基くやうな現在を、在ると云ひ難いに拘らず、換言すれば時間は存在しないやうに傾く恰もその理由によつての外は(nisi quia tendit non esse)時間を存在すると云ひ得ないに拘らず、その長短を語り、殊に過去及未來についてその長短を語ることが、如何にして可能であるかであつたからである。(29) 換言すれば計量的な時間の基礎にこれを可能ならしめる本源的時間を見出したのみではアポリアは悉く取去られたとは云ひ得ない。更に本源的な時間から如何にして計量的な時間が導き出されるかが、具體的に説明せられなければならない。併し此アポリアの解決はアウグスチヌスの試みたやうな主として心理的な方向に於ては不可能であらう。長き未來が未來の長き豫期であり、長き過去は過去の長き記憶であるとする見解は、心理的説明としては兎も角形而上學的説明としては不充分たるを免れない。何故なれば未來の長い豫期は長い未來の豫期であり、過去の長い記憶は長い過去の記憶であつて、長い未來長い過去そのものではないとも考へられるからである。　かくて時間の計量は如何にして可能であるかのアポリアは、心理學的にではなく、形而上學的に闡明されなくてはならぬ。心理的な時間的體驗が一定の幅や厚さを持ち、記憶として一定の過去に擴がり、期待として一定の未來に延びゆくと云ふやうな説明で此問題は解決せられない。

元來計量は數に基き、數は單位の集合として一多の綜合であり、其含む雜多は總計として何等かの意味に於て、互に區別し得る同一な單位を含まねばならぬ。しかも此各單位が單位として不可分と考へられ、またそう取扱はれるに拘らず、其單位の統一は一時的のものに過ぎず、更に如何やうにも分ち得ると云ふことは、數が其基礎に空間を豫想するものでなければならぬ(30)。それ故時間計量の可能の問題は、結局ベルグソンに於て、空間は、如何にして純粹持續の根據に於て形而上學的に成立可能であるかの問題に歸著する。そしてこのことは時間に纒ひつくアポリアは根本的には一般形而上學の場面に於て解決を見出すべきことと同時に、何等かの意味に於て時間の空間への聯關を顧慮することなくしては、恐らくはその最終の解決が與へられ難いことを示唆するものであらう。こゝに於て我々は再び飜つてアリトステレスの空間論を檢討する必要を感ずる。

5

アリストテレスに於ては空間はそれが自然論に於て取扱はれる限りに於ては先づ場所(τόπος)として現はれる。何故ならば自然論は運動を論究するものであり、運動を可能ならしめる條件としての空間は、運動が――運動の最も一般的なそして最も本來的な(κυριωτάτη)ものは、我々が位置變化(φορά)と呼ぶ場所による(κατὰ τόπον)運動に外ならないからして[31]――そこに於て行はるゝところの空間として、先づ場所でなければならないからである。正にアリストテレスに取つては運動や上下の方向(τὸ ἄνω ἢ κάτω)のない所では一般に場所があり得ることは不可能であり[32]、場所による運動がなかつたならば、場所が考へられることさへあり得なかつたであらう[33]ことを思へば、場所は常に運動と結びつき、否場所的運動、從つて一般に自然の物理的運動及變化を可能ならしむる條件として、運動に卽してのみ考へられるものであり、それは恰も時間が運動の數として、物理的運動殊に天體の運動と密接な聯關に於て考察せられたことと軌を一にするであらう。扨て此場合に於ても場所は果して存在するか否か、存在するとして其存在の仕方(πῶς ἔστι)及其本質(τί ἐστιν)が問はれなければならないのであるが、其存在・非存在に關しては時間の場合の如く困難なアポリアに遭遇しない。何故なればこゝでは場所の相互轉換(ἀντιμετάστασις)と云ふ事實が明に場所の存在を示すからである。現在空氣が「於てあるところのもの」が曾て水が「於てあるところのもの」であつたとすれば、二者の一がそこへ、又他がそこから、互に轉換を遂げたところの場所乃至空間(ἡ χώρα)は二者から異つた存在として把握されなければならぬ。更に火とか土とかの單純な自然的物體の位置運動が場所の存在を表示する。火が上に運ばれ、土が下に動くと云ふ自然の現象は、上や下が――之等は場所の部分(μέρη)であり種類(εἴδη)である――何等か存在するものであることを示すのみでなく、それが何等かの力(δύναμις)を持つものであることを示す。更に空虛が存在すると云ふ學說も消極的場所の存在を證明するであらう。何故なら空虛は物體の奪はれた場所(τόπος ἐστερημένος σώματος)と考へられるからである。誠に事物が在ると云ふことは、何處かに在る(εἶναί που)と云ふことであり、從つて場所に於て(ἐν τόπῳ)在ると考へられる外はないからである。否場所こそは、それなくしては凡ての物體は在り得ないものであり、そこに於いて在るものが壞滅するに拘らず、それ自體は滅びないとも考へられるからして、最初のものである(πρῶτον εἶναι)とも考へられやう。

だが場所の本質に伴ふアポリアは容易く除かれ得ない深刻さによつて其存在をさへ疑はしめる問題を提起する。先づ第一に場所は物體(σῶμα)の「於てある場所」として、物體そのものではあり得ない――何故なら、場所が物體とすれば、同一の場所に二つの物體があることとなり不可能であるから――にも拘らず、物體の如く長さと幅と深さとの三つの間隔(διαστήματα)を持つ。次に物體が場所乃至空間を持つならば、表面(ἐπιφάνεια)や他の限界も更には點もそれを持つべき筈であるが、點の場合には、これを其「於てある場所」から區別し得ない。さすれば場所は同樣に他の場合に於ても夫等の各々と異つた或もの(τι παρ' ἕκαστον τούτων)であり得ないのではないか。第三に場所は量(μέγεθος)を持つと考へられるに拘らず物體ではあり得ないからして物體に屬しないことは明であるが、同時に量は單に思考されたものから(ἐκ τῶν νοητῶν)も生じないからして、非物體的のものにも屬しないと云はねばならぬ。さりとて場所は存在の質料因でもなければ、形相因でも、目的因でも乃至動力因でもない。更にそれが何等か存在(τι τῶν ὄντων)とすれば、凡ての存在は場所に於てあらねばならぬが故に、場所は、存在する爲に更に場所を必要とし、無限に至るであらう。最後に凡ての物體が場所に於てあることは、逆に凡ての場所に物體があることを意味し、從つて物體の增大と共に場所も亦增大すると考ふべきであるか。場所が增大するとは如何なる意味であらうか。かく場所に伴ふアポリアは其本質に拘はるものであるが同時に其存在をも脅かすかに見える。此場合我々は場所を凡ての物體がそこに於て在るところの共通の場所(τόπος ὁ μὲν κοινός, ἐν ᾧ ἅπαντα τὰ σώματά ἐστιν)と、それ等が第一次的に於てあるところの固有の場所(ὁ δ' ἴδιος, ἐν ᾧ πρώτῳ)とを區別して考ふべきである。何故ならば、汝は汝以外の何ものとも共有し得ない固有の場所を持つと共に、他の事物と共に地上に於てあり、空中に於てあり、又最後には萬物と共に天に於て(ἐν τῷ οὐρανῷ)あるからである。場所とはかやうにして何よりも先づ第一次的には物體の夫々を包含するもの(τὸ πρῶτον περιέχον τὸν σωμάτων ἕκαστον)とすれば、それは何等かの限界(πέρας τι)と考へられ得るであらう。事實我々の經驗に訴ふるところでは何處かに在るもの(τὸ ὄν που)は、夫自體何物かであると共に、自己以外に自己と異る他のものの存在を示すのであり、從つて或物體はこれを含むところのものとの間に何等かの限界を持つことは、當然と考へられる。かくて場所は限界として何ものかとして在らねばならぬとしても、其物體の取る形相(εἶδος)乃至形態(μορφή)――其物體の量(μέγεθος)乃至質料(ὕλη)がそれによつて限定されるところの――でもなければ、それによつて限定される質料そのものでもない。何故なら、物體の形態や質料は物體から引離し得ないものであるが場所は引離し得るからである。でなければどうして物體の位置の相互轉換が可能であらうか。つまり形態は物體そのものに屬し、それを包むものに對するそれの限界を示すものであるが、場所はその物體から引離され得るものでなければならぬ。更に靜止せる連續的な物體の質の變化――これあるが爲に質料が或ものであると語り得るのである――を考へるならば、場所を質料的なものとして理解することが全然不可能と云ふ譯ではない。だが此場合に於ても、質料は常に其物體から離じ得ないものであり、且つ物體を包む限界とはなり得ない。かくて我々は場所は、アリストテレスに於て第一にそれに於てあるところのものを包む(περιέχον ἐκεῖνο οὗ τόπος ἐστί)こと、次に物そのものに屬しないこと、第一次的な場所(πρῶτον τόπον)は物そのものより大でも小でもなく、又物そのものから引離され得ること、更に最後には凡ての場所は「上」及「下」を持つ等々のことが場所に從屬せしめられる特性であることを知る。物體の持つ形態や質料がかやうな特性の凡てを持つものでないとすれば場所は如何に考へらるべきであるか。

扨て包まるゝもの、引離さるゝもの(τὸ διῃρημένον)は屢々變化するに拘らず包むところのものは終始不變に止ると云ふことからして、場所は包むものに屬する限界と限界との間に横はる所の何等かの間隔(διάστημά τι τὸ μεταξὺ τῶν ἐσχάτων)と考へるべきであらうか。併しかく考へることは、場所そのものをば、場所を變へ退きゆくところの物體(τὸ σῶμα τὸ μεθιστάμενον)の外に獨立な何等かの存在(ὄν τι)と考へることとなり、其結果は同一の場所に無限數の場所を許さねばならず結局不合理に導くであらう。[34] かくてアリストテレスに取つては、場所とは決局包むところのものの最初の不動の限界(τὸ τοῦ περιέχοντος πέρας ἀκίνητον πρῶτον)と考へられる。[35] 形相が包まれるものの限界であるに對し場所は包むものの限界であり、第一次的には其包まるゝ物體の「於てある場所」として包むものとの最初の限界を劃するものであると共に、場所はそれに於て運動の行はるゝところとして夫自體不動のものでなければならない。しかも包むものに屬する限界として包まるゝ物體に屬せず之から引離し得ると同時に、しかも包まるゝものと一致し、宇宙の中心の方向への包むものの限界(τὸ μὲν πρὸς τὸ μέσου περιέχου πέρας)は下を、之に反して其最も外側の方向への包むものの限界(τὸ δὲ πρὸς τὸ ἔσχατου)は上を意味することを知り得るであらう。加之、場所をかく理解することによつて我々が最初に出會はしたアポリアを解決し得るであらう。何者包むものの限界たる場所は διάστημα を持つとしても物體のそれ(διάστημά τι σωματικόν)を持つものでなく、場所のもつ間(τὸ μεταξὺ τοῦ τόπου)は偶然そこに於てあり得る任意の物體であつて、物體の間隔(διάστημα σώματος)ではない(36)。場所はかく物體ではないからして同一の場所に二つの物體が在ると云ふアポリアは成立し得ない。次に場所は物體を包むものの限界として何等かの面(ἐπίπεδόν τι)と考へられるからして、點は場所を持ち得ないと云はねばならぬ(37)。第三に場所は物體の「於てある場所」として、包むものが包まれるものを限定する面として何等かの量を持ち得るであらうが、物體的の量を持つものとして夫自體物體に屬しない。しかも物體の常に「於てある場所」として單なる思惟の産物でもない。最後に場所は何處かにある(ἔστιν που)と云ひ得るであらうが、それ故に更に場所を必要とすると云ふ譯でない。何故なら、それは限界が限定せられるものに於てある(τὸ πέρας ἐν τῷ πεπερασμένῳ)ことを云現はすに過ぎないからである。

かくてアリストテレスに於ては、場所は或特定なる物體が、その「於てある固有の場所」たると、他の多くの物體と共通に「於てある場所」たるとを問はず、常にそれ等を包むものの限界として考へられたと云ふことは空間に伴ふ本質的なアポリアを解決し得たであらうか。空間が時間のアポリアの解決に何等か寄與し得る前に、我々は先づ空間そのものが持つアポリアの解明を目指さねばならぬ。場所は物體の「於てある場所」として、何等かの διάστημα を持たねばならぬと考へられる。しかもそれは物體に屬するものでなくこれから引離され得るものでなければならない限り、その形相質料、卽量の間隔(διάστημα τοῦ μεγέθους)と一致し得ないと同時に、物體が引離された後に於て場所に何等か獨立な間隔を許し、また之を何等かの引き離されたもの(τι κεχωρισμένον)と見ることは、空虛を夫自體獨立な分離されたもの(ἀποκεκριμένον καθ' αὑτό)として存在を許すと同様であり、不可能でなければならぬ。此アポリアは如何に解かるべきであらうか。場所が單に限界に過ぎぬものならば、どうして物體がそれに於てある場所であり得るであらうか。

かくてアリストテレスに於て時間のアポリアは「今」のそれに集注し、それに潛む謎に時間の本質解明の鍵が宿るやうに、空間のアポリアは「場所」のそれに集注し、之を解明することがやがて空間を本質に於て説明することになるであらう。恰も「今」が時間の限界を示し、過去と未來を結びつけるやうに、場所は包むものと包まれるものとの限界を示し、しかも兩者の占める空間を結びつけるのである。然らば空間は夫々の物體によつて占められ、物體の運動によつて引離される空虚なのであるか。それは空虚の獨立的存在を許容することゝなるであらう。空間は運動體と離れてあるのではない。それにも拘らずそれは運動體から引離され得なければならぬ。此アポリアは恐らく運動體を包むもののその運動體を限定する限定面を場所として考へそれの連續量として不動の空間を把握する外に遁れ得る道はないのではないか。限定面としての場所は包まれるものに屬しない。でないなら包まれるものはそれに於て動くものでなく、それと共に動かねばならないであらう(οὐκ ἐν ἐκείνῳ κινεῖται ἀλλὰ μετ᾽ ἐκείνου)[38]。併し又同様に包む物體にも屬するとは云ひ得まい。でなければ場所は何等かの物體と一致し、それから引き離し得ないものであらうから。かやうにして我々は包む物體に於て又包まれる物體に於て、之等と離れ之等より獨立に存在し、しかも之等の物體によつて占められるところの空間を考へ得ないに拘らず、無限に運動する多くの物體が相互に他を限界づけ、又かくすることによつてその運動が可能とせられる空間、包み包まるゝ關係にある運動體の相互限界面の連續量として、物理的運動可能の一般的場面としての不動の空間が成立する。

併し更に溯つて考へるならば、かやうな空間は、自然存在論の基礎原理として位置運動從つて一般に自然界の運動を可能ならしめる原理として、時間と共に根本的なものであることは疑ひ得ないとは云へ――何故なら運動とは一般的第一次的には場所の變化を意味し、凡ての變化及凡ての運動は又時間に於てあるから――これの確立によつて果して時間の根本的なアポリアを解明する鍵を提供し得るであらうか。アリストテレスに於ては時間が直線との類比に於て考へられて居るやうに空間は立體との類比に於て考へられる。直線の部分と部分が點によつて結ばれ連續するやうに、立體の部分と部分は面によつて結ばれ互に連續する。空間も時間も終極はかやうな連續量(συνεχής)に歸著するであらう(39)。即アリストテレスに於て時間と共に空間もその本質が自然存在論に於て把握せられて居る限り、それが自然的運動の可能なる條件として説明せられ居るに止まり、從つてその一般形而上學的原理としての意義と本質とが根源的に解明せられて居るとは云ひ難い。

6

ヘーゲルに於ても、空間の時間に對する關係と意義とは、同樣の事態に止まつて居るとは云ひ得ないであらうか。勿論こゝでは辨證法の導入によつて事態はアリストテレスの場合の如く單純ではない。併し空間も時間も彼に於ては自然の自外存在の抽象的一般性として連續量である點では同一であり、主觀的な表象に於てこそ、兩者は遙に離れたものとして、空間とそして「又」(auch)時間を持つと考へるが、此「又」を取去り時間を空間から導くことこそ哲學の仕事と考へられたのである。(40) 併し、こゝでは固より時間が單純に空間と同一視されて居るのではない。時空内の諸々の規定相互間の關係に於てもそうであるが、空間より時間への移行に於ては特に著しく、辨證法的飛躍を可能ならしめる否定性の原理が有力に働いてゐる。空間とは自然の自外存在の抽象的一般性に外ならぬが、直接的な無媒介の無記性(Gleichgültigkeit)である。全く抽象的な並列(Nebeneinander)であり、相互外在(Außereinander)ではあるが、全然抽象的であるから、連續的と考へられる。それ故點を空間の積極的な構成要素と見做すことは、線や平面乃至立體をそう考へる場合と同様に事態の解明を逆轉せしむるものである。何故なら、空間が連續的であり得るのは、その相互外在性及否定を可能的に内含するのみで顯在的に定立されてゐない爲に外ならぬのであつて、點は寧ろ空間の自己否定により定立されたものに外ならぬからである。かくて點は空間そのものの否定として、直接的な區別なき自己外存在に質的區別を定立する。點が更に自己を止揚してその他在卽線となり、更に否定の否定として、他在の具體的眞理性を顯示するものは面である。しかも面は、一方、面一般であると共に、他方、空間の止揚された否定として空間の全體性を再建する。かくて包むところの表面 (umschließende Oberfläche)、アリストテレスの所謂包むものの限界 (τὸ τοῦ περιέχοντος πέρας) が個々の空間を區別する。只此場合注意せらるべきは、ヘーゲルに於ては、數學的定義などに於て考へられるやうに、線が點の運動により成立つとする一般的見解は點の外面的把握 (äußerliches Auffassen) であり外面的定義であると考へられて居ることである。(41) 卽空間が點や線や面の集合でなく、却つて後者が前者の否定的限定と考へられねばならないやうに、線も單なる點の集合ではない。線は點の自外存在 (außer sich seiend) として、自己を止揚した結果であり、面も亦止揚された自外存在としての線に外ならない。即そこには單純な連續の原理が支配するのではなくして、否定を通して非連續の連續的移行が行はれる。そこにこそ却つて眞の移行の必然性が確保されるのである。そして此事の可能は空間それ自體が抽象的であり、何等規定された差異を持たない限りに於て單純に連續的(schlechthin kontinuierlich)と考へられるけれども、しかも、自己を否定することによつて、質的區別を定立し、點・線・面を否定的限定として、開展し得る契機を包含するものとして、空間は連續的であると同時に分離的(diskret)であるとも云ひ得るのである。かくて空間の卽自的外面性を對自的外面性に高め、時間を空間の對自的存在たらしめるものも此辨證法的否定性であることは說く迄もない。卽時間はヘーゲルに於て空間の單なる延長ではない。それは却つて空間の無記的存立(gleichgültiges Bestehen)を否定したところの自外存在の否定的形態として、空間の肯定的形態と對立する。(42) 空間の否定は自己自身の內面的否定であるに對し、時間のそれは、否定の否定として、自己自身に關係する否定(die sich auf sich beziehende Negation)である。空間に於ては否定は未だその正當なる權利に到達して居ない。時間に至つて初めてその眞理性を實にする。空間の眞理性(die Wahrheit des

Raumes)が時間なのである。

併し時間はこれによつて果して眞實に空間の否定態たり得たであらうか。時間が彼に於て空間の否定として具體的眞實たり得るのは、空間の質的區別としての點が、空間の無記的存立の中に於て自己外在的に併存するに止まらず、云はゞそこより拔け出でゝ(herausgetreten)、不斷の自己止揚(beständiges Sich-Aufheben)の存在形態を示すが爲に外ならぬ。卽空間的な點が「今」の時間點として一者を作り出す絕對的な自己外出(ein absolutes Außersichkommen, ein Erzeugen des Eins, Zeitpunktes, des Jetzt)であり、直に此「今」の時間點の無に歸すると共に、しかも不斷に再び、此消失が無に歸するものであつて、空間の絕對的な自外存在、不斷に繰返された他在(ein Anders- u. Wieder-Anderssein)と相對するものではあるが、兩者共に純量に屬するものとして、終極に於て延長であり、時間の自己外出と云つても質へのそれではなくして、その統一性の自己生産としてのそれである。(43) 時間の空間と異るは、只空間の直接的存在量たるに對し對自的存在差異としての「今點」が、否定そのもの(das an sich Negative)として、自己を不斷に止揚し行く、不安定の存在たる點にある。かやうにして空間は時間となり、兩者の間に横はる「又」は取除かれるのであるが、それは兩者が純量であるとの共通の基礎の上に於て可能とせられる。固より人はヘーゲルに於ても、アウグスチヌスに於てのやうに、時の三樣態の差異を自己の中に止揚するところの「永遠の今」・「絕對的現在」(das absolut Gegenwärtige)(44)を現象的な時間の基礎に考へねばならないであらう。併しそれは云ふ迄もなく、絕對的の無時間性(die absolute Zeitlosigkeit)であり、永遠そのものであり、所謂時間ではない。併しこれこそ凡ての現象的時間を可能ならしめる本源的時間であるとも考へられる。それは時間そのものの概念として、何等かの一つの時、一つの「今點」ではなくして「永遠の今」、在りし、又在るであらうところの「今」ではなくして、常に在るところの「今」、無限な、卽相對的ならぬ die in sich reflectierte Dauer である。卽過程の一つの要素として過程の中にあるものと云ふ意味に於ては、精神は過程を持たぬものと云ひ得るであらうが、全體の過程そのものとして、自ら過程として生くるものとして、概念の各要素が獨立的に區別せられ互に排斥するのでなく、それ等が和解されて和らぎの中に取り入れられると云ふ意味に於て、それは依然過程的であり、生命であり、流續であると云ふべきではないか(45)。確に時間はヘーゲルに於て單に自然哲學の基礎概念たるに止まらない。存在が總じて精神の辨證法的發展の過程的顯現である限りに於て、時間は精神の現象的顯現の基礎形態であるに止まらず、精神それ自體概念として理念として、一般者乃至法則として、ロゴスとして時間を超越するとともに、時間の概念そのものであり、永遠者それ自體に外ならぬ。併し永遠者としての「今」が過程的であるのは、過程の部分でなくしてその全體であることを意味し、從つて永遠者は現象的過程に對しては寧ろ無時間的・無過程的な點に却つてその本質を有すると見られる。感性的意識に對してこそ消滅變化の個別性が顯現しやう。概念的認識(begreifendes Erkennen)に對しては只永劫の現在があるのみである。然らばかくの如き永遠者は、その本質に於て現象的時間と如何なる形而上學的聯關に於て立つか。單なる無過程的のものより、如何にして過程的なものが生れるか。永遠者が絶對的靜止ならば、そこより如何にして動が生るゝか。若し又それが純動であり、生であり、過程の全體であるならば、現象的過程とそれは如何に區別せらるべき本質を持ち、又兩者は形而上學的に如何なる聯關に於て立つか。凡べて之等の問題が充足的に解決せられるのでなければ、時間の本質に纏ひつく根本的なアポリアを解決し得ないであらう。永遠者としての精神が過程的發展の全體を內含すると云ふ意味に於て部分的な時間的現象形態を區別すると云ふのみでは、永遠者を本源的時間とするとしても、結局其本質を現象的時間の本質的構成の基礎の上に類比せられる外餘儀ないであらう。　精神が必然的に時間に於て現はれるのは、精神が自己の純概念を把握せず、從つて定有としての時間、或は意識に對して空虛な直觀として現はれる現象的時間を滅ぼし得ない限りであるとせられ、從つて精神が未だ自己を完成し得ない限り、時間はそれの必然的に從はねばならぬ運命と考へられ、現象的時間とは要するに外的な、直觀された、自己によつて把握されない純粹自己、直觀されたのみの概念(das äußere, angeschaute, von Selbst nicht erfaßte reine Selbst, der nur angeschaute Begriff)[46]と考へられ、精神が自己を知る所の知に於て、自己の限界を知り、かく自己を否定的に限定することによつて、自己犧牲と自己疎外が行はれ、純我を自己外に於ける時間と空間として直觀する時に時空に規定された自然が現象し、それが直接的な精神の生命的生成であるに對し、歴史は自己を媒介する、知るところの生成(das wissende, sich vermittelnde Werden)[47]として、時間に於て自己を疎外した精神であるとすることによつて、精神の時間的顯現の形而上學的根據が明にされるとしても、これによつて精神の自覺的辨證法的發展の本源時間的構成がその現象的時間構成と如何に異るかが明にされないのみでなく、空間と時間を精神の直接的自己疎外としての自然の基礎存在形態として先づ掲出したと云ふことが、自然哲學に於ける時空の本質構成が現象的時間一般のそれと如何なる聯關を持つかを有力に示唆するものでなければならない。何れにせよヘーグルに於て、空間が時間と共に自然哲學の領域に於て先づ純粋量としてその本質を顯示したと云ふことが、空間を一般形而上學的領域に於て本源的時間との聯關に於て考察せしめる機會を失はしめたと云ひ得やう。

7

ベルグソンに於ては事態は稍異るであらう。彼に於ても亦時空は運動と密接な聯關に於て考へられ、連續・無限・量・質・物質等の概念と離すべからざる關係に於て考察せられてゐる。併しこゝでは最早や時空は物理的運動を可能ならしむるもの、自然存在一般に共通なるものとして主として扱はれるのではなく、時空及運動の一般形而上學的本質が先づ究明せられる。時空の定立された同一性としての「場所」即「具體化された點」が一方に於ては空間的な個別性として無記的であると同時に、他方に於ては空間的な「今」として時間的であり、かく空間が時間の中に時間が空間の中に消えゆくと共に再生産せられることが即運動に外ならぬと見るやうな(48)、物理的運動そのものの自然哲學的意義を解明すると云ふことに、その思索が動機づけられて居るのではない。運動そのものの形而上學的本質を解明することによつて、逆に物理學的運動の哲學的意味をも說明せんとする。心理學的事實の檢討も、物理學的運動の考察も、何よりも先づ、之等の科學的事實並にその理論の深き根柢に哲學的直觀によつてのみ洞察透見せらるべき形而上學的本質を把握する爲の豫備段階――彼に取つては必然的と考へらるる――に外ならぬ。時間は純粹持續として自我の深き內面的本質を形くるのみではない。同時に物理的運動の、否總じて自然界の一切の變化並に運動の形而上學的本質を形くるであらう。このことは云ふ迄もなく、時間が存在一般の形而上學的本質として、エラン、ヴィタールとして、創造的なる生の進化原理を意味しなければならぬ。然らば、かくの如き時間は、アウグスチヌスやヘーゲルの「永遠の現在」と同樣な形而上學的位置を占めるものとして、現象的な時間と如何なる形而上學的聯關を持つのであらうか。ここでは併し事態はさほど困難ではない。何故なら、純粹時間は本源的時間として或意味に於て「永遠の現在」と云ひ得るにしても、永劫に不變なる絕對靜止なのではなくして、純動そのものであるからである。ヘーゲルに於ても「永遠の今」は絶對精神として、辨證法的發展の契機を自己に内含し、且つ時間的に之を開展せしむる限りに於て、相對と對立せざる眞無限である限りに於て、すぐれて動的原理であつたとも一應は考へられやう。ヘーゲル哲學が其精神現象學の序說に於て力强く主張して居るやうに、事態(Sache)は單に其目的に盡くるのではない、其遂行(Ausführung)に盡きる。結果が現實の全體なのではなくて、結果とその生成との合同がそれであり目的だけでは生命なき一般者、云はゞTendenzを背後に殘し忘れた死骸に外ならない。[49] Substanz はスピノザのそれの如く無生命のものではない lebendige Substanz であり、Subjekt である。概念は彼に於て、對象の本來の自己であり、自己を生成として現はす故、靜止せる主體として只偶有性を運ぶものではない。自ら動き自己の規定を自己の中に取戾しゆく概念である。否定を動因とする概念の辨證法的運動こそヘーゲル哲學の特質的なものではなかつたか。然し乍らヘーゲルの概念の辨證法は、それが完成せざる限りに於て過程の中にあり、それが完成せる全體である限り、既に開展し盡くされたものとして靜止の中にあらねばならない。凡ての現象的時間的過程を自己の中に包含する「永遠の今」は、もし現象的時間が「今點」の不斷の自己止揚によつて成立する直線的形態に譬へ得るならば、恰もかゝる直線的運行が完成せるものとして、首尾兩端を結合することによつて成立つ圓のやうに、夫自體運動と呼ばれ、生ける實體と呼ばれるにしても、凡ての辨證法的發展を自己の中に止揚せる全體として、不動のものと化する虞れはないか。目的は併し過程及遂行と離るゝものではない。時間的現象的な過程的運動を自己の內面的契機として含むが故にこそ、それは「永遠の今」であり得たのではないか。しかしこれによつて現象的な時間的過程そのものもその眞の動性に於て把握し得て居るであらうか。時間を「今點の不斷の自己止揚と考へることは、アリストテレスの場合の如く「今點」の單なる連續と考へるとは異る。そこには否定を媒介とする辨證法が導入されることによつて、非連續の連續が本質をなす。それにも拘らずこゝでは時間は何等かの量的延長と考へられることによつて、眞に質的なる飛躍が行はれる譯ではない。ヘーゲルによれば量そのものが既に連續的なると共に分離的(diskret)なのである。(50) 時空は共に純粹な量として、抽象的外面性(abstrakte Äußerlichkeit)の形式として、夫自らに於て單純に分離的であると同時に、單純に連續的である點に於て一致する。(51) 只兩者の異るは空間は無記的な併列及靜的な存立の形式であるに對し時間は不安定の後續、生起消滅の形式である點にある。併し何れも分離的なるものを自己の中に止揚する連續的なる量として、眞に質的なる差異を含むものではない。かくの如き時間が如何に不安定の動性を以て特色づけられても尙依然としてベルグソンの純粹持續の如き流動性を持ち得ないことは明であらう。固よりかく云つてもヘーゲルに於ける自然哲學の領域内に於ける時間の本質を以て、直に時空を止揚されたモメントとして自己に包容する概念の具體的な辨證法的運動の本質と同一視せんとするのではない。時空は精神の最缺如的な又表面的な規定(höchst dürftige und oberflächliche Bestimmungen)に外ならないのである。(52)併し精神が本性上時間の中にあり得るのは、ハイデッガーの所謂「形式的辨證法的構成」を等しくして居るが爲であるとすれば、兩者の間に必然的な聯關がなければならず、しかも時間の本質をカントと同じく直觀の形式の抽象性に於て把握せんとしたことは、逆に概念の辨證法的運動の具體的流動性を見失はしめ、彼の高調する生ける實體を固化せしめるのみでなく、眞に具體的な歴史的時間の理解を逸せしめる危險を將來したと見られないでもあるまい。

純粹持續は永遠の靜止ではない。永遠の流動である。絕對の靜止からどうして變化運動の世界が說明し得られやう。靜止から出づる運動は結局靜止に外ならないのではないか。アリストテレスの運動も、ヘーゲルの辨證法もそれが本源的時間の把握に立入つてゐない限り、眞に運動の一般形而上學的本質に觸れるものではないとも考へられる。然るに純粹持續は本源的時間として「今點」の連續量としての時間、現象的時間と區別せられる。前者は純質的雜多として、後者の計量的時間と異る。持續は如何にして計量的時間となるか。こゝでは最早や凡てを包む「永遠の今」が如何にして現象的時間の變化の世界に顯現するか、と云ふ何等か神祕的なる問題を含むのではなくて、實證的・科學的な知識を基礎として、しかも之を超越する哲學的直觀によつて自己の內奧に體驗する超概念的な流動的生命が、如何にして計量的時間と化するかと云ふ問題となる。然るにベルグソンによれば數量的計量の基礎には空間が橫はる故に、此の問題は結局本源的時間・異質的時間は如何にして空間化し等質化するかと云ふ問題と同一となる。科學の敎ふるところの外界は空間的に相互に明瞭に區別せられ、數量的に計量せられ、必然の因果の法則に支配せられた世界である。量的雜多の世界を構成する各分子が互に分離し、相互外在的に並列せしめられると云ふことは、之等が空間の秩序に於て排列せしめられることを意味せねばならぬ。人間のみがかく明瞭に區別せられた外界を認識し、これについての科學的知識を持ち得ることは、等質的空間の直觀が人間の知性に固有のものであることを示すものである。空間の直觀、或は寧ろ空間の概念(la conception d'un milieu vide homogène)とは、カントの所謂直觀の質料たる種種の感覺、同一にして同時的な感覺を相互に區別せしめる精神の特有な作用、質的ならざる區別原理(un principe de différenciation)に外ならぬ(53)。こは等質的であり、抽象的且つ固定的であり、空虛・不動を本質として無限に可分割的な質なき實在(une réalité sans qualité)である。科學的知識の對象界たる外界が無限可分割的であり、數學的計量に從ふ理由は之による。所謂物質的な外界とは、かやうな等質的な空間の媒質の中に位置づけられたものに外ならないからである。所謂物質の不可入性(impénétrabilité)も物質そのものゝ性格を云ひ現はすよりは、寧ろ數のそれを云ひ現はすものであり、數と空間の觀念の連帶(solidarité)を示すものに外ならぬ(54)。かくて我々の內なる意識が、區別なき狀態の繼續・有機的發展(développement organique)・純粹異質・質的雜多・內面的持續として、我々の外なる世界の持續なき同時性・量的雜多・相互的外面性(extériorité réciproque)と對立する。所謂「今點」の連續量としての時間は、此繼續なき相互外面性と相互外面性なき繼續との間の和解(compromis)に外ならぬ。然らば純粹持續は如何にして空間化するかの問題は此和解が如何にして行はれるかの問題となる。ベルグソンによればこは一種の物理的滲透作用(endosmose)に比すべきものである。所謂計量し得る時間なる混合觀念は等質的な點に於て空間であり、繼續なる點に於ては時間である。つまり同時性に於ける繼續と云ふ矛盾觀念(l'idée contradictoire de la succession dans la simultanéité)に外ならぬ。[55] 併し問題は如何にして此滲透作用が行はれるかでなければならぬ。所謂物質的な外界が啻に空間的な形式にて存立するのみでなく時間的な變化として存在すること、物理的な運動變化が時空の基礎に於て可能なること等を考へるならば、時間の空間に對する關係は云ふ迄もなく密接なものでなければならぬ。然るに「今點」の連續量としての時間は、其本質に於て等質的であり、其限り空間的であるに拘らず、空間と獨立な地位を占め得る理由は何處にあるか。時間は等質的と考へられる限りに於て、それは屢々空間からその本質的性格を導き出される運命にあつたが、同時にそれが之と異り之と獨立した地位を占めねばならぬと云ふ理由が、時間に潛むアポリアを作り出したものと云はねばなるまい。それ故に此アポリアの解決は時間を主として「今點」の連續量と考へ、等質的な空間と本質的に同一視する限りは、解き難い謎を含む。それはベルグソンの所謂矛盾的觀念であるが故に、解決は此矛盾のよつて來る根源に溯らねばならぬ。今や我々はかやうな矛盾の根源が等質的な時間が一方に於て等質的な空間に基礎を置くと同時に、他方に於ては純粹異質的な時間に足を置くことに由來することを知るのである。

8

然らば持續と空間との相互滲透作用は如何にして行はるゝか。外界の事物を鋭く空間的に區別し、記號によつて容易に之等を表現する自我は自己の特有な存在(propre existence)の內部に此同一な區別を導入し、その心的狀態の內密な貫通、その全然質的な雜多に入れ代へるに、相互に區別され、併立せしめられ言葉を以て表現し得られる多くの項からなる數的雜多を以てする。云はゞ純粹持續の空間に於ける投射である。併しかやうな投射は如何なる根據によつて可能であるか。このことはやがて空間と本源的時間との形而上學的聯關に迄我々を導くであらう。我々は等質的空間の觀念はベルグソンに於て知性の特有な機能であることを見た。從つて此問題は同時に知性と直觀との形而上學的聯關の問題に歸著する。直觀によつて我々は自我の形而上學的本質に直入する。知性によつて我々は物的外界を知悉し、計量する。同時に知性は我の內面的持續を其持續に於てゞはなく、これを空間的な靜止に於て固定化する。之卽空間化せる時間に外ならぬ。直觀によつて把握された自我は深き根本的な自我として、我々が或種の重大な決斷を選ぶ場合の如き我々の生存の瞬間に(moments de notre existence où nous avons apté pour quelque décision grave)(56)現はるゝ所の、再び繰返すことの出來ない生そのものであるに對し、知性によつて空間化された自我は、平面化され水準化され、社會化され、表面化され、互に區別され得る心的狀態の連續としての自我である。然らば自我は何故に自己を空間化し、表面化するのであらうか。直接な直觀(l'intuition immediate)と思料的な思惟(la pensée discursive)とは具體的な實在に於ては一であることを思へば、兩者は其方向に於て相反するとは云へ、自我の深き、本質に於て結合せらるべき運命を持つと云はねばならぬ。自我は其形而上學的本質に於て創造的なる有機的發展として、純粹持續ではあるが、同時にそれは自己を空間化し、表面化し、物體的外界をも同時に、整然たる空間的相互外在性の形態に於て、計量可能界として把握する何等かの必然性を、自己の中に包藏するのでなければならぬ。併しかゝる必然性を純粋持續そのものに本質的に許すと云ふことは、純粋持續を同時に純粋持續にあらざるものと見ることを意味しないであらうか。かくの如きことは如何にして可能であるか。純粋持續とは過去が絶えず動きつゝ全然新なる現在を以て不斷に增大しゆく一つの持續なのであるが、(58) それが純粋と云はるゝことが示唆するやうに、我々の内面的なる自由なる意志が、最も緊張せる稀なる瞬間である。それは最も深い經驗の内部に於て我々の固有の生(notre propre vie)と最も内面的な接觸に於てある瞬間なのである。このことは自ら自我は其緊張を弛め(détendre)持續を空間的方向に不純化することの可能性を許すことを意味するであらう。生が知性を越え之を内含することは、逆にそれが知性として自己を抽象化し、自己を外面化し、持續の本質を不純化する可能性を意味する。此ことは卽時間と空間とは其形而上學的本質に於て、正に同一なる實在の逆方向たることを示し、對立すると共に引離し得ざるものたることが知られる。所謂等質的なる空間或は純なる空間(l'espace pur)とは、その自然的な運動の逆(l'inversion de son movement naturel)卽可能的延長(extension possible)を極端に押進めた場合の極限の圖式——知性が行動の必要の爲に案出を餘儀なくされた行動の形式に過ぎない。何等かの事物の特性ではなく、事物を知る我々の認識能力の必然的條件でもなく、我々が客觀の世界に働きかける場合の行動の圖式(les schèmes de notre action)に外ならぬ(59)。それ故に等質的な時空は相互外在性の世界、繼續なき同時性の世界、必然的因果の自然界を現象せしめる原理と云ひ得るであらうが、最早や物自體なる不可知的實體を意識より遮ぎるところの被覆ではなくして、却つて唯一の實在たる純粹持續の本質の中に橫はるところの形而上學的空間に其形而上學的根源を持たねばならぬ。精神は外物に於て空間を見る。併し之なくともその中に潛む形而上學的空間性によつて、恐らくは等質的空間を從つて又等質的時間を得たであらう(60)。

かくて我々はベルグソンに於て時間がその純なる形而上學的本質に於て、純粹持續として、一般形而上學の場面に高められると共に、空間もその逆方向の運動として同一場面に高められるのを見る。等質的な時空は結局形而上學的本源的時空に基かねばならぬ。純粹持續そのものが本來空間化する方向を夫自體に伴はないならば、どうして等質的な空間從つて等質的な時間の發生する理由があらう。併し純粹持續が夫自體空間化の方向を伴ふとしても、何故にそれが等質的な時空の抽象的形式を作り出す必要があるのであるか。我々は最早や自我の形而上學に止まることは出來ない。等質的な時空は主として所謂物的な外界に於て重要な役割を演ずるからである。物質界が空間の同時性と形而上學的に混同せられるのは此爲である。併し等質的な時空が物的な世界の本質的性格でないならば、どうして自我は物的世界との接觸に於て、特にかやうな抽象的形式を必要とするのであらうか。知性は實際生活を目指し、固定化(solidification)と區別(division)を好むとしても、[61]物質的世界そのものが、自我に於ける知性と同じく、純粹持續に對しては、遙かに空間化への方向にあるものでなければならぬ。誠にベルグソンによれば精神の知性(l'intellectualité de l'esprit)と、物體の物質性(la matérialité des choses)とは同一なる運動の逆方向に於て創られたものに外ならぬのである。[62]知性は物質的世界を純空間的な計量可能界とすることによつて未來の豫知を可能にし、科學的知識の對象界たる必然の世界を構成する。併し此ことは自ら物質的世界が其形而上學的本質に於て純粹持續と無緣でないことを示すであらう。物質を只々空間的と考へ精神を只々非空間的と考へ、兩者を對立せしめる限りは、此兩者を縛ぐ紐帶を見出すに困難であらう。然し所謂等質的な空間が、物質そのものの本質なのではなく知性が我々の行動の便宜の爲抽象的に構成した圖式であることを知るならば、等質的な時空の網の目の背後に連續せる流動的生を把捉することが出來るであらう。かくて今や區分された延長(l'étendue divisée)と純粹な非延長(l'inétendu pur)の中間たる延長的なるもの(l'extensif)及量と質との對立を征服する緊張(tension)をば、一般形而上學の場面に高められた空間・時間として理解することが出來やう。所謂等質的時空はその空虛な容器(leur contenant vide)に過ぎない。實在は緊張の程度を許す柔軟性を備へ、行動の必要から生れた固定せる形式の背後にあるものである。[63] 眞の持續(une durée réelle)と眞の延長(une étendue réelle)を持つ存在は唯一のリズムを持つ持續ではない。種々のリズムを異にし、其緊張乃至弛緩(relâchement)の度合を異にした持續を考へ得るであらう。等質的な時空が非個性的であり、凡べてに共通的であるが、眞の時間、具體的な空間は個性的であり、其緊張の度合に從つて存在の階層に於けるそれぞれの位置を確定すると云ひ得る。[64]

併し更に遡つて考へるならば、純粹持續は量的雜多に對する質的雜多として之と對立し、之と區別せられるが弛緩に對する緊張として逆方向の對立に過ぎない。所謂延長的外界も非延長に矛盾的に對立する實在なのではなく、具體的延長として、形而上學的本質に於ては、意識的實在に根を置く。一方に於ては精神性（spiritualité）、他方に於ては知性を伴ふ物質性（matérialité）此兩者の根柢には相對立する方向の二つの過程が存する。或は寧ろ單に持續の流れを障害すること（interruption）によつて空間化・物質化の方向が成立つ。[65] しかし延長は緊張の障害であるとは如何にして可能であるか。生の創造的進化の活動は物質の降りゆく坂路を登りゆく努力である。物質化の逆過程の障害によつて物質が創り出される生の行動に於ては、實在は逆運動に於ける直接運動に於て成立ち、弛みゆく(se défait)ものを横ぎつて成りゆく(se fait)ものなのである。[66] かくて時間の空間化は、一般形而上學的には、緊張が自己を弛緩することを意味し精神が物質化することを意味する。しかもそれは純粋持續・創造的進化の形而上學的本質に基くのである。神は不斷の生命(vie incessant)であり、活動であり自由である。[67] 靜止的なる物(chose)とは悟性的知性の産物に外ならぬ。絶對靜止は悟性の抽象作用の結果であつて、實在ではない。かくてベルグソンにあつては、所謂時間に纒ひつくアポリア、從つてこれと密接に結合する哲學上の諸問題に關するアポリアは、等質的な時空の本質を哲學的に理解しない點に基く。等質的な時空が固定性と無限分割性のシンボル(le symbole de la fixité et de la divisibilité à l'infini) に過ぎないことを知るならば、人は知性の立場を去つて直觀のそれに移り、靜止の觀點を去つて運動のそれに立つことによつて、それ等のアポリアを容易に解決し得ると考へられる。(68) 併し果してさうであらうか。

空間化された時間が量的繼續であるに對しその反對の方向に於て持續は質的繼續として規定せられてゐるとするハイデッガーのベルグソン批評は確かに一應は適切なるものがあらう。(69) 併し持續はベルグソンに於ても量的繼續を單に逆轉せしめただけでは、概念的には兎も角、現實的には把握せられないであらう。持續を持續として其本質を形而上學的に把握する爲には、單なる悟性的思惟、彼の所謂知性を超越した哲學的直觀が必要である。問題は持續を量的雜多の逆方向に於て規定したが故に、時間の本質を逸したと見るよりも、寧ろ直接なる具體的實在を直觀によつて質的繼續として把握したことが、量的繼續としての時間及無限可分割的の量としての空間を、悟性の固定化及分割作用の抽象的表現として圖式化せしめ、從つて具體的な時空、卽緊張と具體的延長性たる感覺的所與の雜多性、と抽象的時空との聯關を理解することを困難ならしめた點にあるのではないか。具體的延長性を、本源的空間性として、純粹持續そのものゝ逆方向として、緊張に對する弛緩に於て認めんとすることは、本源的空間性に積極的實在性を拒否し、同時に等質的空間性を抽象化し圖式化する結果を齎す。このことは實在を絶對流動と見靜止を假現と見るヘラクレイトス主義の當然の歸結でもあらう。併し本源的空間は本源的時間の單なる逆方向に過ぎないであらうか。空間は時間に對し否定的に對立し、絶對流動に對する絶對靜止の面を示すものでなければならぬ。云はば兩者は存在の根本的なる辨證法的機構を構成すべき根本契機として把捉せられねばならない。これと同時に等質的時空は、實在の運動する連續體（la continuité mouvante du réel）に働きかけ、そこに行動の支點を得る爲に必然的な行動の圖式(70)と見られる抽象性を脱却して、眞に歴史的なる行爲を可能ならしめる地盤としての本源的形而上學的時空に基けられ、それの自然存在論の領域に於ける抽象化として、その正當な權利を確保しなければならない。

更にベルグソンに於ては持續は過去を含み未來を孕む現在であると云はれる。所謂アリストテレス的アポリアは、時間を直線的な空間化された時間と考へ、現在を何等擴がりも緊張も持たぬ幾何學的點の如く考ふるところに由來するとせられる。具體的な現在（le présent concret）は、過去が現在に働くところに成立つ。純なる現在(le présent pur)は未來を嚙みゆく過去の不可捉の進行(l'insaisissable progrès du passé, rongeant l'avenir)と考へ得るとすれば(71)、現在は過去の生きて働くもの、過去は現在の死して無意識の狀態にあるものと云ひ得るであらう。かくて過去は現在と、現在は未來と、連續的に縛がり、只現在を過去及未來と區別する點は、それが常に現在に働きつゝあると云ふ點にある。こゝでは過去は何時にても現實となり得る可能性として純粹記憶の中に存在する。純粹記憶が肉體を通して自己を現實化する尖端が現在なのである。「私の現在」と名けるものは此場合直接なる過去の知覺と直接なる未來の決定(détermination)として、感覺運動的(sensori-moteur)である。そのことは私の肉體が行動の中心として、私の中なる持續と外なる物體界との相互影響の仲介點をなし、其限りそれは私の持續の現實の狀態を示すことを意味する。云はば肉體は互に受取り又送り返す運動の通過の場所(le lieu de passage)として一般的生成の橫斷面(une coupe transversale)を形くるのである。かくて私の過去は記憶として現在に集注し、私の未來は肉體を通して現實化せられる可能的行爲として無限に私の前に開かれる。私の現在は、常に私の行動の中心たる肉體と結付き、外なる世界との一定の行動的現實的關係に立つ限りに於て、常に獨一な規定された意味を持つ。現在が現在として過去及未來と區別される根據はこゝにあると考へられる。併し現在の意識も既に記憶であり、我々の決斷の瞬間に常に現はれる性格も凡ての我々の過去の狀態の現實的な綜合(la synthèse actuelle)と考へられる場合[72]、過去は結局現在と一致し、過去を含む現在としての私の持續の物的世界と交渉する面が特に現在として擧示せられると云ふことの外はない。併し現在は單純に過去の連續として、只その有機的發展の尖端としてのみ理解すべきであらうか。過去は常に過去として現在を否定する意味を持つて居なければならない。現在も亦常に無よりの創造として新なる意味を持ち、從つて過去を否定する意味を持つ。それにも拘らず現在は否定を通じて過去と縛がり、相即せられる。ベルグソンの時間考察が時間の辨證法的構造を把握し得なかつたのは、恐らくはそれが心理的な考察より出發し、その制限を脱し得なかつた結果ではあるまいか。我々の內なる持續と外なる物界と接觸する面として肉體を考へ、その相互影響の現實性に我我の行動の本質と持續の現實を見やうとする立場は、結局心理的・生理的乃至物理的なものから出發した哲學的思索が尙眞に存在的立脚地を超越し得ず、存在の主體的具體的把握を目指す存在論的立脚地に到達して居ない結果ではあるまいか。

從つて此立場からは歴史的社會的なる人間行爲の現實性は見逭がされ歴史的時間の本質が説明し得られない結果を齎すであらう。時空相互並に夫々に於て成立つ辨證法的機構に對する深き洞察なくしては、恐らく時間に纏ひつく根本的アポリアを解決し得ないであらう。時間が單に空間化するところにアポリアが成立つのでなく、却つて存在そのものの深い形而上學的根柢に於て、時間の辨證法的構造に基くのであり、それがアポリアとして現はれるのは、深き本源的な性格が蔽はれ、その本質に於て洞察せられない結果と見られねばならない。アポリアは單に形式的に取去らるべきではなくして、却つてかのヘーゲルの「否定の驚くべき力」(die ungeheuere Macht des Negativen)(73)として深く具體的に存在の本質に於て把握されなければならぬ。このことの眞理性を我々は更にハイデッカーの時間論を檢討することによつて確めやう。

9

ハイデッカーに於ける本源的時間(ursprüngliche Zeit)は現存在の根本的構成(Grundverfassung des Daseins)を示す存在意味として、自己を了解しつゝある、現存在そのもの

(das sich versstehende Dasein selbst) である限りに於て、それは本來的なる自己の眞の姿として、ベルグソンの純粹持續と同樣な體系的位置を占むるものであることは云ふ迄もない。こゝでは空間化された量的時間の逆方向として質的雜多としての純粹時間を把握することの代りに、所謂日常性の現存在の頽落性に基く通俗的時間 (vulgäre Zeit) に對立する、死への前走的決意性に於て優れて自己を現象するところの、根源的本來的時間性を實存的に把握する。彼に從へば、アリストテレスの時間の定義「前後による運動の數」とは「運動が前後の地平に於て起る限りに於て、その運動に於て數へられたもの」(ein Gezähltes an der Pewegung, sofern diese im Horizont des Vor und Nach begegnet) を意味し時間によつて時間を規定するもの、しかも同語反覆に終らない所以は、それが通俗的時間の存在論的規定として、我々が定義せんとするものに近づく唯一の可能なる接近の仕方によつて定義せんとする、云はば接近定義 (Zugangs- Definition) とも名くべきもので、日常性に於て先づ一般に近づく場合の時間の通俗的理解を存在論的に明にしたものであるからで、それは自らその根柢としての本源的時間性を指示するものであり、これによつて初めて前者が可能であることを語るものである。從つてアリストテレスの時間は運動と必然の聯關に立つものではあるが、運動は變化(μεταβολή)として「或ものから或ものへの推移」を意味し、此運動のもつ「或ものから或ものへ」(ἔκ τινος εἴς τι)の構成は次元(Dimension)或は擴がり(Dehnung)と呼び得るとしても、必ずしも直に空間的延長を意味するものではない。μέγεθος も空間的量・大さの意味ではなく、單に Dehnung を意味し、συνεχές とはその自己自身に於ける統合を意味する。それ故「運動が μέγεθος に從ふ」(ἀκολουθεῖ τῷ μεγέθει ἡ κίνησις)とか「時間が運動に從ふ」(ὁ χρόνος ἀκολουθεῖ τῇ κινήσει)とか云ふ場合、夫々運動が空間的延長から、更に又時間が空間的な運動から、存在的に成立すると云ふ意味ではなく、ἀκολουθεῖν は主として存在論的な Fundierung の關係と解すべきである。此アリストテレスの時間のもつ存在論的意義に對する無理解が、ベルグソンをして通俗的時間を本源的時間の空間化、或は空間の一種と見做さしめた理由であり、其禍根は ἔκ τινος εἴς τι 及 μέγεθος を空間的と解し、ἀκολουθεῖν の意味する存在論的立礎聯關(ontologischer Fundierungszusammenhang)を理解し得なかつた所に横はる。從つてベルグソンに於ける本源的時間は、量的雜多に對する逆方向としての質的雜多として把握され、存在論的に全然無規定な且不充分な彼の時間解釋に導いたのであると云ふ[74]。此見解の正否は兎も角、ハイデッガーに於ても通俗的時間に對立して本源的時間が認められ、それが彼の所謂基礎的存在論の礎石となつて居ることは明である。こゝに於ては量的時間と質的時間の對立ではなく「今」の自然存在的繼續（vorhandene Folge）としての通俗的時間と本來的關心の意味としての時間性とが對立する。そうして時間に關するアポリアは、空間化された時間にあるのではなくて、現存在の日常的頽落性に基く、時間の自然存在的把握に纏ひつく。何故なら現存在はその日常的頽落性に於ては其本來的自己を喪失し、主としてmanとして生きるが故に、自己の本源的時間性に目醒むることなく、自己並に一般に存在を自然存在的に把握する必然性を持つが故に、時間は自然存在的に立現はれ又消えゆくところの「今」として、過去は最早や在らぬ「今」、未來は未だ在らぬ「今」となり、存在せざるものとならざるを得ない。從つて在るものは只各瞬間の「今」の自然的存在のみとなり、その本質は失はれると考へられる。[75]

かくてハイデッガーに於ても時間に纏ひつくアポリアは、只本源的時間に溯ることによつて解決せられると見る點に於てベルグソンと一致する。只こゝでは本源的時間は現存在の世界-內-存在としての超越を可能ならしめる存在意味として、主として存在了解の企劃性に於て實存的に把握されて居る結果、根源的且本來的時間性の原始現象(das primäre Phänomen)は未來に於て認められ、ベルグソンの場合の如く純粹持續の本質を主として記憶卽過去に於て認むると對蹠的な關係にあるとも見られる。そしてこのことは恐らくハイデッガーがベルグソンの如く本源的時間を單に純粹持續卽量的雜多の逆方向に於て求める見地に於ては、現存在の超越の眞の時間的本質を把握し得ないとする見解に基くのであらう。固よりベルグソンに於ても持續は單に過去の堆積ではない不斷に有機的に增大する過去を荷ふ生命であると共に、未來を孕み現在に働く創造的進化である。未來が此進化の尖端を意味する限り、未來が持續の本質を示すとも解されるが、既に進化の言葉が示唆するやうに、こゝでは進化によつて自己を增大し行く流動的な內面的生命が意味される限り、現在は過去の記憶の集注點であり、未來は未開展の生命として創造の不可測性を保有するけれども、尙依然として、過去を荷ふ現在と有機的聯關を持たねばならない。此意味に於て過去の記憶がベルグソンの純粹持續の本質の決定的契機とも云ひ得よう。之に反してハイデッガーに於ては時間性は現存在が關心構造の根源的統一を示す意味である。然るに現存在が世界-內-存在として、その超越が可能となるのは、何よりも先づそれが實存として、實存論的企劃をなし得るが爲であり、かの根源的な實存的企劃としての前走的決意性とは、形式的に云へば、最も本來的な顯著な存在可能への存在（das Sein zum eigensten ausgezeichneten Seinkönnen）に外ならず、しかもこのことの可能な爲には現存在が一般に其最も本來的な可能性に於て自己自身に到り得ること、そうして此自己自身に到らしめると云ふ可能性を可能性として支持すると云ふことがなければならぬとすれば、此優れた可能性に於て自己自身に到らしめると云ふ――これこそ未來（Zu-kunft「…への到著」）の根源的現象ではないか――未來性が、現存在の本質的規定となることは當然と云はねばならぬ。卽本源的未來とは未だ現實的とならぬいつかそうなるであらう所の「今」を意味するのでなく、現存在がその最も本來的な存在可能に於て自己に到るところの到著を意味するのである。現存在が此意味に於て總じて未來的であり得ないならば、どうして現存在の超越は可能であらう。現存在の超越卽世界-內-存在が不可能であるならば、どうして內世界的存在者が、かゝるものとして相會ふことが可能であらう。凡ての存在者の存在的經驗、自然存在者の實證科學的認識及それに到る迄の先科學的な計量も、夫々それに應ずる存在者の存在を、多かれ少かれ企劃する所に基礎を置くのである。併しハイデッガーに於ても固より未來が現在及過去と引離され、只機械的に相並べられる契機をなすのではない。時間性は脱自それ自體として、過現未は引離すべからざる脱自體の統一(Einheit der Ekstasen)をなすのである。過去とは本源的には「最早や在らぬ今」(nicht-mehr-jetzt)ではない。前走的決意性に於ては、現存在は自己を本質的な負目ある存在として了解する。此事は無性の投げられたる根柢として存在することを意味し、此被投性を取上げることは現存在が既に在りしところのものとして(wie es je schon war)本來あることを意味する。現存在はそれが既に在りしものでなくして、どうして未來的に自己に歸りゆくことが出來やう。本來の可能性へ前走するとのことは、自己の本來ありしところのものに了解的に歸りゆくことに外ならぬのである。併し人はこのこととの故に過去が却つて未來に優越すると考へるべきではない。却つて現存在が未來的であり、自己の存在可能への企劃的了解に於て初めて自己のありしところの存在が光の下に持來される。本源的な現在も亦過去と未來を區切る幾何學的點の如きものではない。又「最早や在らぬ今」「未だ在らぬ今」から區別される「現在の今」でもない。前走的決意性によつて開示される現存在の夫々の現在境位を意味する。環境的現存者(das umweltlich Anwesende)が行爲的に現存在に於て相會ひ得るのは、此存在者を現在化する（gegenwärtigen）からである。現在とは決意性が把握する存在者を歪めずに相會はしむる現在化である。かくて現存在は前走的決意性に於て未來的に自己の最も本來的な可能性に於て企劃することは、やがて過去的に自己の在りしところのものに歸りゆくことを可能にし、かく歸りゆくことによつて、現在的に現實の境位を最も確實に把握せしめる。かくの如く過去し現在する未來としての統一的な現象（dies dergestalt als gewesend-gegenwärtigende Zukunft einheitliche Phänomen）こそ、彼の所謂時間性に外ならぬのである。[76] 卽此時間性の統一は、その構成要素たる三つの脫自者が互に機械的に結合し或は並置されることによつて成立つのでなく、却つて此三者は現存在の超越を可能ならしめる本源的時間の內面的本質構造を示す。時間性の本質はかくの如き脫自者の獨異なる統一に於て時來する點に存する。それ故未來が時間性に於て首位を占めると云ふことは、自然存在的な順序に於て未來が現在及過去に先立つと云ふ意味ではなく、根源的時間性の時來の樣態を原始的に規定するものは、未來の現象であると云ふことである。從つて本源的時間が時間と呼ばれ得るのは、それが純粹流續として質的雜多であるが爲ではなく、現存在が世界-內-存在として、超越的存在、否超越そのものであるからに外ならない。何者、現存在の世界-內-存在としての超越とは、先づ自然存在的に存在し後そこより外へ乗り出すことを意味するのではなく、現存在に本源的な世界の開示性(Erschlossenheit)を意味するものであり、夫自體脫自性を本質とすること、しかも此脫自性たるや、單なる「…への離去」(Entrückungen zu…)を意味するのでなく「自己の爲に」(das Umwillen seiner)「何の前に」(das Wovor)「の爲めに」(das Um-zu)の地平的圖式を持ち、その脫自的統一が超越的地平を形くることに外ならないが故に、此超越の可能なる基礎は、之等三つの脫自的時來の統一性として、時間性と呼ばれなければならないからである。否更に適切に云へば、超越そのものがかやうな時間的構成を持つ爲ばかりでなく、我々が通俗的に時間と呼ぶものが、かくの如き本源的時間の一定の可能的な時來の形態に外ならず、從つて後者が前者より導き出されることを知るならば a potiori fit denominatio の原則に從つて、これこそ眞の時間と呼ばるべきだからである。

かやうにして我々はハイデッガーに於ける本源的時間性は、フィヒテの事行の如く自己が自己に還りゆく絕對的認識に於て存在者をかくの如きものとして生起せしめる(entstehen lassen)原理でもなく、又ヘーゲルの絕對精神の如く、それが夫自體にあるところのものへと成りゆくことが、自己が自己自身へと還りゆく生成であり此自覺的運動が卽精神の自己認識であり、精神が自己を世界精神として完成しゆくことが同時に自己を自覺し、自己を完成すると見られる如き獨斷的形而上學的原理ではない(77)。有限的なる人間存在の有限的認識の根據として、存在者を一般に對象として可能ならしむる原理である。それは存在の了解の原初的企劃の Woraufhin としての存在意味、卽これを根據として、或ものが、それが在るところのものとして、其可能性に於て理解さるゝところの根據であり、云はゞ存在の了解がこれによつて一般に養はるゝところの根據として、寧ろカントに於ける人間の有限的超越の根本的規定として、純粹統覺と結合することによつて純粹感性的理性の全體性を可能ならしむる純粹自己感觸(reine Selbstaffektion)を意味する(78)。それは神的なる原理ではあらう。併し神それ自體ではない。神は寧ろより根源的なる時間性として把握されなければならない。「永遠の今」(nunc stans)とは寧ろ通俗的時間了解に基く絕對者の理解であり、しかもこのことは絕對者も其了解に於て現存在の有限的時間性にその根據を置　を有力に物語るであらう(79)。卽ハイデッガーに於ける時間性は自然(Natur)に對　(Leben)(ディルタイ)、生(Leben)に對する精神(Geist)

（シューラー）の如き何等か存在的に志向された原理でなくして、それ等の批判的存在論的に純化されたる概念として、彼の所謂主體の主體性 (Subjektivität des Subjekts) を意味することを知るであらう。

10

然らばかくの如き本源的時間に溯ることによつて、時間に纒ひつく根本的アポリアは解決され得るであらうか。我々が前に少し觸れた如く、時間に關するアリストテレス的アポリアはこゝでは主として通俗的時間了解に纒ひつくものであることを知らねばならぬ。本源的時間に於ては過去は「最早や在らぬ今」、未來は「未だあらぬ今」、現在は「自然存在的にそこに在る今」なのではない。本源的時間の三つの脱自者として、特有なる脱自的統一を形くる。現存在のみが本來時間的なのであつて、現存在的ならざる他の存在者は本來時間的ではなく、只時間內に (in der Zeit) あるに過ぎない。即內時間的 (innerzeitlich) 存在者に外ならぬ。主として內時間的存在者に差向けられた思考が、時間の存在並に其本質を求めて、遂に解き難いアポリアに遭逢するのは當然でなければならぬ。何故なら時間は自然的存在として存在し得ないものであり、從つて本質をそこに於て把握し得ないものだからである。本源的未來は「未だ在らぬもの」ではなく、却つてこれこそ最も本源的な現象であり、或意味に於て本源的現在及過去を自己より發生せしむるものなのである。現存在の超越性を最も如實に示す原始現象としてのこの存在了解の企劃性こそ、現存在を現存在として顯はならしめる根據であるばかりでなく、現存在的ならざる存在をも、それが存在として、道具的存在乃至自然的存在として、そのかくあらしむる存在論的根據でもある。本源的過去は「最早や在らぬもの」ではなく、却つて本源的未來に根を置き之と引離し得ない脱自的統一をなす。本源的現在も亦、現存在の夫々の現在境位を開示する原理として本源的未來及過去と引離し得ない統一にある。

然らば問題は右の如き本源的時間は如何にして通俗的時間となるか、後者は前者に於て如何なる存在論的基礎を持つかでなければならぬ。何故なればこのことの必然性が解明せられない限りは、本源的時間が何故に時間と呼ばれねばならないかゞ充分明でないのみでなく、所謂通俗的時間の存在論的本質も不明に止まり、從つて時間に關するアポリアのよつて來る源泉を闡明し得ないであらうから。

併しこのことをなすが爲には我々はハイデッガーに於ける本源的時間性を更にその內容的豐富性に於て檢到する必要に迫られるであらう。何故ならば現存在の存在の存在論的根源は、之より發する何ものよりも少きものではなく、その力に於て豫めこれを凌駕し、凡てこれより出づるものは存在論的領域に於ては退化（De-generation）に外ならぬからである。[80] 時間性は現存在の超越の有ゆる構成に渡つてこれに滲透せる原理である。現存在の全體存在可能を示す關心構造が全體として時間的分節機構を示すのみでなく、その個々の構成要素たる了解性・狀態性・頽落性等が又夫々時間的機構を示すであらう。が我々は今ハイデッガーが試みた彼の所謂「時間的解釋」を詳細に敍述する暇を持たない。只現存在が本質的に頽落的であり得ると云ふことが、本源的時間性も常に本來的樣相に於て現象すると同時に、又必然的に非本來的に現象することの可能なる所以を理解し、通俗的時間がかやうな頽落性・日常性に基礎を置くことを理解しなければならぬ。併しそれは如何にしてゞあるか、此問題を具體的に解決することは同時にかのアウグスチヌス的アポリア、本源的時間よりして如何にして計量的時間が發生するかの問題の解決をも含むであらう。

ハイデッガーによれば純なる「今點」の連續としての時間の基礎には、世界時間(Welt-zeit)が蔽はれてではあるが横はつてゐる。しかも世界時間は環境の世界に於て配慮するところの現存在によつて配慮された時間(besorgte Zeit)として、本源的時間性たる現存在の存在意味に基礎を置く。それ故先づ配慮された時間、世界時間が如何にして本源的時間に基くかを知らねばならぬ。現存在は世界-內-存在として其本來的な存在の仕方に於ては前走的決意性に於て實存するであらう。併しながら同時にそれは又非本來的な存在の仕方に於ては、日常性に於て、非本來的な時間性に於てある。現存在が世界內に於て配慮する限りに於て時間が計量せられ、時間が時計に於て讀みとられるのであるからして、時間は此場合に於ても自然存在の如く在るのではなく、世界-內-存在としての現存在に從屬し、從つて世界時間と呼ぶべきであつて自然時間と名くべきでない。世界時間の世界性はそれ故に世界の意義性と意味を同じくする。時計に於て讀みとる時間は常に何事かを爲すに適當な或は不適當な時間であり「……の爲の時間」(Zeit-zu)の構造を持つ。現存在は世界-內-存在として、自己の存在可能に關心し、何よりも先づ自己自身に對して、自己を差向ける。此處に於て配慮される時間は「の爲め」(Um-willen)の構造を有し、本源的時間の基礎に於て可能であることは明である。しかも現存在そのものが世界-内-存在であり、現存在なくしては世界も亦あり得ないことを考へるならば、世界時間は所謂自然存在としての客觀にあるものでもなく、又單に主觀的な意識の内に在るものでもなく、現存在として世界-内-存在に屬し、しかもそれが内世界的存在者が一般に世界に於て開示せられることを可能ならしむる條件として、世界の開示性と共に既に脱自的・地平的に客觀化されて居る意味に於て、何ものよりも、より客觀的であり、又自己存在を關心的存在として初めて同時に可能ならしむる限りに於て、何ものよりも、より主觀的であらねばならぬ。このことは現存在の本源的時間の超越性から自ら導き出されることであらう。配慮された時間を世界時間として規定することは、それ故に日常性に於ける時間が、其有ゆる性格に於て本源的時間性に基くことを示すであらう。即例へば世界時間の日附可能性(Datierbarkeit)は時間を常に「かくかくの今」(jetzt, da ……)として規定することを意味し「かくかくありし其當時」(damals, als ……)も「かくかくあるであらう其時」(dann, wann ……)も、常に現實の今を含み、現存在の豫期し保持する現在作用(das gewärtigend-behaltende Gegen-wärtigen)の自己解釋に外ならぬ。[81] 即時間性の脱自的構成の反映として了解せられねばならない。更に世界時間に屬する緊張性(Gespanntheit)は、今から其時迄」(vom Jetzt bis zum Dann)と云ふ言葉に表示されるやうに、時間の持續(die Dauer, das Währen der Zeit)を意味し、如何なる瞬間的と考へられる「今」も「此間」(das Inzwischen)なる性格、云はば推移性格(Übergangscharakter)を持つ。此時間の持續は其範圍(Spannweite)を異にし得るものであるが、しかも、個々の「今點」から集積して生ずるものでない。否「今」そのものが緊張性を持つことによつて範圍を持つのである。しかもかやうな緊張性は、決局現存在の時間性が何よりも先づ脱自としてそれ自體廣がり(Erstreckung)を持つからでなくてはならぬ。更に世界時間はそれぞれの人がそれぞれの出來事に關係せしめて、現實の「今」を日附し得るに拘らず、凡べての人が此「今」の中に入込み「今」に近づき得ることは時間の公開性(Öffentlichkeit)を示すものであるが、之とて時間性の脱自的地平的性格に基くことは明である。時間が本來脱自であり、その三つの脱自の方向に從つて公開的であるが爲に、卽現存在が時間性の根據に於て本質的に世界-內-存在であり、又共存(Miteinandersein)であるが爲に、世界時間は公開的であり得るのである。

かくて世界時間は現存在の日常性に於て配慮せられた時間として內世界的存

在者をして内時間的(innerzeitlich)たらしめ、それの一切の時間的計量及規定を可能ならしめる根據であるが、それ自體本源的時間性の頽落的形態に外ならぬ。それ故に、ハイデッガーに取つては時間計量(Zeitrechnung)は時間の空間化乃至量化を意味するのでなく、現存在が世界に引渡され、之に於て投げ出され、内世界的に相會ふ存在者、就中最も手近に存在する道具的存在者と配慮的に交渉し、これよりして時間の日附を行ふことを意味する。太陽や時計による時間の測定も、結局豫期し保持する現在作用としての配慮的時間性に其必然性の基礎を置く。併し時計の使用によつて測定される通俗的な時間了解に於ては、世界時間はその具體的な世界的性格を失ひ「今時間」(Jetzt-Zeit)として平準化される。即日附可能性、意義性が失はれて「今」の純なる繼續として、自然存在的に把握されるのである。從つて「今の流れ」(Fluß der Jetzt)としての時間は、自然存在的に現はれては消えゆく「今」の繼續として理解されるのみでなく、その無限連續性が主張せられる。何故なれば時間を現存在と遊離した自然存在的な「今經過」(Jetzt-Ablauf)として見る場合、かゝる繼續そのものは其始と終とを有し得ないであらうから。併しかやうな平準化は如何にして可能であらうか。これは現存在そのものの頽落性に基く。現存在は日常的頽落性に於て其本來的な生存境位を逃避せんとする。自己の有限的存在の前に目を覆ひ(Wegsehen von dem Ende)、本源的未來從つて又本源的時間性は見失はれる。それにも拘らず、本源的時間は、蔽はれてゞはあるが通俗的時間の根源として、自己を隱見せしむるのを常とする。時間が現存在と無關係に無始無終の連續的經過と考へられるのは、時間が自己性を喪失したmanに屬し何人にも屬すると同時に何人にも屬しないと考へられるその公共性に屬し、更に本源的時間の超越性に迄溯らしめるであらう。又時間が「今」の繼續として、不斷の消滅に就いて語られるのは、明に現存在の時間性の有限的未來性を反映するものでなければならぬ。更に時間が普通一瞬の過去にも還り得ないとせられるのは、それが本源的時間の有限的な未來性に根據を置くものと見ないでは理解し難いであらう。

かやうにしてハイデッガーに於ては時間の形而上學的本質と現存在の存在意味に溯求することにより、そして再び本源的時間から如何にして通俗的時間の發生するかを存在論的に釋明することによつて、時間の本質並にその存在に纏ひつくアポリアを根本的に解決し得る他の一つの道を示したとも云ひ得る。併し此解決は果して最終的であり得るであらうか。

11

ハイデッガーの時間性は云ふ迄もなくフッサールの志向性の原理を更に實存論的に具體化した原理たると共に、それが脱自性それ自體として把握せられ現存在の世界-內-存在としての超越を可能ならしめる根據である點に於て、又自己存在と同時に共同存在を可能ならしめ、從つてフッサールの場合の如く間主觀的還元乃至移入Einfühlung)を必要とすることなく、主體が同時に世界性を持ち、その內面的構造に於て既に世界的構造を示し、否時間性そのものによつて世界そのものが可能となり、それが存在意味として、現存在の「現」(das Da)を根源的に開示し照明する原理として、一切存在者の存在論的根據であるであらう。云はゞ主體の主體性に於て把捉されたアリストテレスのτὸ πρῶτον εἶναι ὅθεν ἢ ἔστιν ἢ γίγνεται ἢ γιγνώσκεταιである。(82) 併し乍らそれが現存在の最祕奥の超越的有限性・缺如性(Bedürftigkeit)を示す原理として、寧ろカントに於ける純粹感性と純粹統覺とを統一し、有限なる純粹感性的理性の本質を形くる超越的想像力と見られる。或は主體性が同時に世界性を持ち、世界を初めて開示するとの意味に於て、ライプニッツの單子とも密な親近性を持つであらう。

扨て我々の問題はかくの如きハイデッガーの本源的時間性が、果して時間に纒ひつく根本的アポリアを解決し得るかである。時間に關するアポリアは、我々の知つた如く、窮極に於てはその本質並にその存在に關するものであるが、兩者は云ふ迄もなく相互不可分のものであり、一の正當なる解決は自ら他のそれを伴ふであらう。時間の存在に關するアポリアは、時間の本質を見誤まり正當に求むべからざる場面に於てこれを求めんとするが爲に生ずるものである。時間を單に自然存在の領域に於て、或は單に主觀的なる意識に於て、其本質を把捉せんとする企は、遂に解き難き謎に導くであらう。時間を一般形而上學の領域に於て、眞の超越の場面に於て把握せんとするに至つて、初めて其謎を根本的に解決し得る。時間は、物質的にもせよ精神的にもせよ、何等か對象的に把握された「もの」に在るのではない。そこに見出さるゝものは只時間の影であり反映である。本質は只主體的にのみ把握され得る。此意味に於てハイデッガーが本源的時間性を內時間性と區別し、主體の主體性にこれを求めんとしたのは正當なる方向を取るものと云ひ得るであらう。併し更に翻つて考へるならば、彼の時間性は其內面的構造に於て、又その效力に於て、果してよくその所期の目的を達成し得たであらうか。彼の時間性はゞ、よりも先づ其有限性を以て特色とする。が有限性は果して無限性との聯關を離れて、自らの本質を規定し得るであらうか。固よりハイデッガーの所謂有限性は、人が通俗的に解するやうに、凡ての內時間的或は內世界的存在が時間的・有限的であると同一の意味に於て、卽人間が生物學的に有限な生命を持ち生滅變化するが故に、其本質が有限的とせられ、時間的と呼ばれるのではない——若しさうならば、何故に人間のみが、現存在のみが、時間的と呼び得るであらうかゞ不明となるであらうから——却つて現存在に本質的な存在意味として、時間性は有限的なのである。逆說的ではあるが、人は死するが故に有限なのではなくて、却つて本質的に有限的なるが故に死するのである。死すら存在論的には現存在が自然存在的に其終末に到達した(Zu-Ende-Sein des Daseins)ことを意味するのでなく、此終末に對する存在(Sein zum Ende dieses Seienden)を意味し、現存在の本來的な可能性をさへ意味するのである。(83) 現存在こそ本源的に時間的であることによつて、內時間性を通俗的に時間的として規定し了解することを可能ならしむると同じく、現存在こそ本源的に有限的なるが故に、凡ての有限的な存在を有限的として了解せしめるのみでなく無限性を有限的ならざるもの(un-endlich)として把握せしめる。ハイデッガーによれば時間の無限連續性を主張し乃至「永遠の今」(nunc stans)を其根源に想定し或は生起消滅する「今連續」の無始無終性を「永遠の今」の影とするが如きは凡べて通俗的時間了解に基くものに過ぎない。(84) 何者通俗的に時間が無限と考へられるのは、時間を「今」の無終の繼續(endlose Folge)と考へ、時間性そのものに特有な本質的な有限性を忘失する結果である。時間性が其特有な意味に於て有限なればこそ、通俗的時間が無限であり得る。それ故に無限性は寧ろ時間の否定的な特徴を示すPrivativumとも考へられるのである。(85) それにも拘らずハイデッガーは他方に於て、神の永劫性を、より根源的且つ無限的な時間性として了解し、且つ之への否定による優れたる道(via negationis eminentiae)が可能であるかの如く說くのを見れば(86) 通俗的な時間の有限性無限性の外に、現存在に特有なる無限性に對立する、神に特有なる時間性の無限性を信ずるかに思はれる。若し果してそうならば、かゝる絶對他者としての無限的時間性と、有限なる時間性との聯關を如何に考へるべきであるか。恐らく彼に於ては神の無限性が時間性として把握せられると云ふことが示すやうに、それは只哲學的には現存在の有限的時間性の根據に立つて構成される(konstruieren lassen)に過ぎず、從つて批判的存在論の立脚地からは、カントと同じく積極的に把握し得ないとするものであらう。(87) かくて彼は超越を語るに拘らず、依然としてフッサールの內在の超越の立場を出でず、存在一般を有限性として開示する根源を、現存在の有限性に基かしめんとする。存在そのものの本質に無が屬することを高調する彼の主張も、右の如き彼の批判的存在論の立場に由來するものでなくてはならない。(88) 併し更に遡つて考へるならば現存在の有限性の存在論的自覺は、更に根源的なる無限性への自覺を伴はずして果して可能であらうか。勿論ハイデッガーは本來の現在(eigentliche Gegenwart)としての瞬間(Augenblick)を許し、之を「今」としての現在から區別し、更に瞬間の實存的(existenziell)な經驗に於ては、より根源的な時間性が假定されること、只それが實存論的(existenzial)には表現し得ないことを注意して居るのを見れば、(89) 右の批評は必ずしも當嵌まらないとも云ひ得るが、併し既に實存的に經驗せられる瞬間に於て、更に根源的なる無限が單に假定せられるに止まらず經驗せられるとすれば實存論的にも何等か表現し得られなければならない。固より絕對他者としての超越者を、何等か對象的存在的に把握し、存在者としての人間と對立せしめ、人間存在をかゝる超越者との緊張に於て認めんとする立場は、ハイデッガーがキェルケゴールに對して批評する如く、人間の時間內存在を說くに過ぎず、時間性を理解しないものとも云ひ得るであらうが、かゝる事態の實存論的な解釋として、現存在の超越の本質を規定することが必ずしも不可能とは思はれない。即ここでは現存在が自己の本源的有限性を自覺することが、自己の否定的限定を自覺することを意味し自己の存在を否定する無に直面することを意味する。人間存在の本質に有限性が屬し、存在そのものの本質に無が從屬すると見る主張は、更に根源的に具體的に把握されなければならぬ。有限的な我の根柢に直接的連續的に何等かの絕對者を把握せんとし、世界の存在をこれより導き出さんとする凡ての發出論的形而上學は、存在的乃至客體的形而上學として、未だ存在論的乃至主體的形而上學の眞問題を把捉しないものと考へる。がそれと同時に、フィヒテの絕對我は固より、ヘーゲルの超越的眞無限も未だ眞の超越的絕對他者を具體的に把握するものでないと考へ、有限に對する Widerspruch として乃至 Paradox としての絕對他者を信仰によつて立し、下降的運動によつて、神はいと小さきものと同一となり、奴僕の形態を取ると考へ[90]、絕對的差別と絕對的同一とが背理に於て合一し、しかも此合一が無限者によつてなされる奇蹟であるとする所謂實存辨證法 Existenzdialektik)乃至辨證法的神學は、現存在に於ける有限性の事態を深く實存的に把握し、之を既成宗敎の信條と結合することによつて、それに背理を基とした合理的——逆說的ではあるが——說明を與へんとするもので、現存在に本質的なる形而上學的事態を、存在論的にではなく單に存在的に把握するものに過ぎず、寧ろ成立宗敎の存在事態を說明するものと云ひ得るであらう。併しながらハイデッガーが現存在の本質に屬する無性を說く場合は、無は單に存在可能の消極的面を意味するに止まり、無は有を否定的に限定する意味を持たない。(91) 固より彼に於ても無(Nichts)は單に論理的否定に止まらない。否却つてそれを可能ならしめる根據であり、又何等對象でもなく一般に存在者でなく、彼の所謂不安の根本狀態性に於て初めて自己を顯示する根本現象である。それは存在者を否定することによつて殘留するものでなく、却て存在者をかゝるものとして根源的に開示するものとして、現存在の超越の一面を意味する。卽無は根源的に有そのものゝ本質に屬するのである。無の根源的な開示性なくしては自己存在もなく、又自由もない。卽無は彼に於ては人間の有限性の本質を示すものであるが、有限性を絕對他者として否定的に限界づける原理でなくして、却つて現存在の有限的時間性を內在的に本源的時間性に對して自己を限界づける原理である。併しキリスト敎的神學が創造主たる神(ens increatum)に對して被造物たる人間及其他神以外の存在に無性を歸するやうな存在的把握ではない。若しそうならば無が人間の本質にのみ從屬的ではあり得ないであらう。現存在とは彼によれば無の中に保たれること(Hineingehalten in das Nichts)なのである。(92) そして現存在が隱された不安の根據の上に、無の中に保たれることが超越に外ならないのである。從つてこゝでは純有は純無に等しと云はれるにしても、無は有の消極面として、相關關係に立つに過ぎない。無が有を限定し、否定し有に對する矛盾對立的意義を有しない。このことは無が不安の根本狀態性に於て顯現せられると見る彼の態度と一致するのであらう。歷史的社會的なる人間存在否歷史的社會的行爲の主體としての人間存在の本源的有限性は、常に自己の存在を否定し限定する矛盾對立者としての無の前に直面し、自己を全的に否定することによつて却つて有限なる自己を自己として把握し自己の本源的有限性を最も深き根柢に於て把握し得るのである。このことは併し存在的に乃至客體的に超越的絕對者を立て、これとの存在的矛盾對立に於て自己を絕對者の有限なる被造物と見ると云ふのではない。又絕對者を完成せる全體として自己をその中の一部分として止揚すると云ふのでもない。さりとて無限を潛勢的相對的統一の目指す理念と解し、前者は後者への無限の近接として可能であると見るコーンの批判的辨證法の立場に立つのでもない。所謂瞬間（Augenblick）に於て、人間存在の有限性は其最深の根據に於て無限性の深淵の前に立つ。併しそれは「永遠の今」が時間の中に現はれると云ふやうな意味に於てゞない。却つて歷史的行爲の瞬間に於て有限は無限と否定的に相卽せられ、云はゞそこに於て創造せられる。眞の時間はかゝる瞬間の非連續の連續的構造に於て成立つ。このことは併し固より空間化された「今點」の連續として時間を考へんとするものでもなく、又通俗的な「今繼續」の時間を本源的時間と見やうとするのでもない。却つてそれ等凡べての時間形態を可能ならしむる最も具體的な本源的時間に外ならぬ。歷史的社會的なる人間存在は、行爲の主體として、歷史的社會的なる行爲を通して、自己の有限的全存在を確保し、又かくすることによつて自己を眞に超越して、自己を限定するものに直面する。瞬間は、云はゞ此否定的限定面として、有と無、有限と無限との辨證法的統一面を形くるであらう。それ故に現存在の行爲的超越は瞬間的限界境位的超越として、常に否定を媒介とする辨證法的矛盾對立を含む。それが眞に純粹推移性格を示すと共に、否定を通して有より無への超越的の方向と其逆方向とを内面的構造契機として包含する。時間は或意味に於てヘーゲルの云つた如く das angeschaute Werden と云ひ得るであらう。併しそれは抽象的な外面性、自外存在のそれなのではなくて、却つて最も具體的な歴史的社會的存在の内面的本質的時間構造に於てそうなのである。それは一瞬の過去にも返り得ない現存在の現實性の根據として眞の現在であると共に、無への超越としての眞の未來を含み、同時にその逆方向に於て否定を通して有の辨證法的止揚を成遂ぐる意味に於て、眞の過去を含む。それは或意味に於てベルグソンの純粹持續の如く、凡べての過去を含み、無限の未來を孕むとも云ひ得るであらうが、單に存在的に志向された有機的生命の非辨證法的な連續的發展を意味するのでなく、――かくては眞の創造、眞の歴史は說明し得られないであらう――却つてそれの形而上學的基礎事態の辨證法的存在論的構造に於てそうなのである。瞬間は直線的に考へられた時間の未來と過去を區切る點の如きものでないのは勿論、單に過去を連續的に内含し、それによつて自己を擴充增大しゆく意識的生命の尖端を指すのでもない。却つて歴史的社會的なる現實存在が行爲を通して自己存在の有限性を無への超越に於て獲得する場合に、云はば行爲的に體驗し了得するところの形而上學的根本的現實事態に外ならぬ。過去は單なる記憶ではない。動かすべからざる現實である。單なる記憶の集積增大としての心理的過去は、歷史的過去の動かすべからざる實在性を說明する原理とはなり得ないであらう。歷史的過去は、歷史的現在によつて常に新しく創造せられ見直されると考へられると同時に、それは常に何等かの意味に於て現在を否定し、現在に働きかけ現在によつて如何ともすべからざる運命的性格を擔ふものである。單なる過去の連續的增大としての現在は歷史的過去の否定的契機を見遁がすものであらう。

12

然らばかくの如き現實在の本源的時間性に固有なる辨證法的構造によつて、我我は時間に固有なるアポリアを根本的に解決し得るであらうか。時間に關するアリストテレス的、アウグスチヌス的アポリアは時間の存在・本質並にその計量に關するものであつたが、ベルグソンに於てもハイデッガーに於ても、等しく非本源的時間に纒ひつくものとせられた點に於ては共通であり、從つて非本源的時間に對して如何に考へるかゞ兩者の分るゝ問題の中心であつた。卽ハイデッガーに於ては通俗的時間の發生は主として、世界時間の水準化に基き「今」が內時間的存在者の如く見なされ自然存在者の理念の地平に於て見られる結果と考へ、ベルグソンの如く時間が空間化せられると見るとは關係を異にする。(93) 併しまた遡つて考へれば、前者に於ては空間が時間の水準化並にそのアポリアの解決に對して持つ意義が、殆んど認められて居ないとも云ひ得るであらうが、他方時間の水準化が現存在の頽落性に基き、「今」をその充實せる構造を失へる「純粹今」として、主として現在に於て把握し、空間はまた現存在の特有な空間性に基くが、しかも現存在の空間的であり得るのは、それが頽落的實存として存在可能であることに基くことを知るならば(94)兩者に內面的な縛がりのあることも認められねばならない。只ハイデッガーは空間を飽く迄現存在の特有な空間性に基けやうする結果、ベルグソンと異つて、所謂通俗的時間・自然時間等と自然空間との相互獨立性はよくこれを説明し得るが、之等を結局本源的時間に基かしめることによつて、夫々の所謂本源的時空の辨證法的相互否定的相卽聯關性は、これを認めるに至つて居ない。ベルグソンに於て空間性を直に物質性と考へ、持續の逆方向に於て考へんとしたことはデカルト的物心二元論の傳統に從ふものであり、ハイデッガーが自然空間の根柢に空間性を考へこれを現存在に歸屬せしめたのは存在論的純化と考へられるが、同時にそれを本源的時間に基かしめたことは果して妥當であらうか。空間性は直に物質性ではないが――恰も時間性が直に精神性でないやうに――何等かの意味に於て時間性に對立するものでなければならぬ。何故であるか。

ハイデッガーは內世界的存在者に從屬しそれをして內時間的ならしめる所謂內時間性を、世界-內-存在としての現存在の配慮的時間としての世界時間から區別するやうに內世界的存在者が一般に空間に於てあるとせられ乃至場所を占めると考へられる內空間性(Inwendigkeit)を現存在の空間性から區別する。併し彼が世界時間を更に根源的時間性に基けると同じく、配慮的空間性をもこれに基かしめんとする。果してそれは可能であるか。固よりハイデッガーが現存在の空間性を時間性に基かしめやうとすることは、所謂內世界的に發見される空間を直に內世界的な時間から演繹することと或は前者を純なる時間に融解することを意味するのではない。又カントが考へたやうな意味で云はれるのでもない。內世界的空間の發見が現存在の空間性に存在論的に基けられ、更に後者の可能性が時間性に制約されて居ることを意味する。(95) それ故現存在が空間的であるとのことは、それが肉體を持ち、乃至、他の延長的事物の如く所謂空間の内に在ることを意味するのでなく、却つて寧ろ空間内に於て自然存在的に存在じないことを意味する。現存在は空間を取り入れ、自ら一つの活動空間(Spielraum)を區切るのである。現存在は精神的なるが故に却つて物質的存在に不可能な仕方に於て空間的であり得るとも云へる。即現存在の空間性は内世界的存在者に從屬する隔離(Entferntheit)を意味せず、却つて道具的存在者、自然的存在者の近接(Nährung)を意味する。現存在が環境世界に於て配慮的に生存し、自己の方向づけの作用(Ausrichtung)によつて道具的存在者が環境世界に於て一定の場所を占め一定の方位地帶(Gegend)に在ることを豫期し、これと配慮的に關係することによつて近接することが現存在の空間性に外ならぬ。そして近接作用が現存在の頽落性に基くことを知るならば、空間性が時間性に基礎を置くことも了解されるであらう。何故なら頽落的近接作用の背後には現在の豫期的忘却(das gewärtigende Vergessen der Gegenwart)が潛んで居るからである。それ故ハイデッガーに取つては世界が空間の内に在るのでなくて、空間が世界の内に發見せられるのであり、世界内存在の超越の脱自的地平的性格が空間をも可能ならしめるのである。

併し眞の空間性は單なる現在ではない。現在に於て時を否定するものでなければならぬ。空間性が時間性より獨立であるとのことは、ハイデッガーが考へるより、より深い事態に於て見出されねばならぬ。勿論このことはカントが時空を感性的直觀の形式と名けた場合に、二者を夫々主として內官•外官の形式と考へ、これを並列せしめたと同一の意味に於てゞはない。存在論的超越の最も深い辨證法的世界構造に於て二者が相互否定的相卽關係に立つことを意味する。現存在の世界への超越は、單に內在の超越であつてはならぬ。云はゞ辨證法的超越でなければならぬ。現存在の行爲的超越に於ては、それは世界と配慮的關係を通して連續的に相縛がるのみではない。否定を通す辨證法的聯關に於て非連續的に連續する。「我」と「汝」の對立否定を通す共同存在がなければ、眞實の社會は成立し得ないであらう。文化的自然的環境も單に道具的、乃至それよりの抽象としての自然存在的環境として單に利用され見出されるばかりでなく、却つて歷史的社會的なる主體的存在を否定し限定する對立者として、初めてその存在性を明にする。現存在の世界への超越は辨證法的構造を持たねばならない。眞の本源的空間性は現存在の世界への超越に於て見出される。恰も現存在の無への超越に於て本源的時間性が見出されるやうに。

現存在の歴史的社會的環境に於ける行爲的超越に於ては現存在は同時に世界内存在と云ひ得るとしても、單子が世界を自己の中に映すが如き意味に於てそうなのではない。却つて自己の自己性と自己に對立する他の現存在的並に非現存在的存在者の獨立性を、否定を通して相互的に限定することによつて、却つて其相卽を可能ならしめる意味に於てそうなのである。空間性とは現存在が世界環境に於て行爲を通して自己を否定的に限定する場面に外ならない。併しこのことは現存在を何等か内世界的存在者と考へ、他の自然存在者と共に空間内に在ることを意味するのでない。却つて行爲を通し、否定を媒介として、自己を場所的に限定することによつて、現存在は自己存在を自己性に於て把握し、社會存在をその固有なる本質に於て現象せしめる。空間性は、此意味に於て、現存在の眞實なる超越を可能ならしめる根本構造に屬するであらう。超越の世界的構造に屬する空間性は、行爲的主體をその固有なる場所に於て限定する原理であると共に、それが「於てある場所」たる環境世界に於て、「我」・「汝」及「彼」の「於てある場所」を限界づける原理でもあるであらう。かくて空間性は個體と個體を否定性を媒介として非連續的に連續せしめる原理として、夫自體辨證法的性格を持たねばならない。

時間及空間が、本源的時間性及本源的空間性として一般形而上學の基礎概念に屬することと並にその辨證法的構造を明にし得た我々は、辨證法そのものが存在一般の根本的形態として把握されなければならない理由を略推知し得るであらう。時間性は現存在の無への辨證法的超越、空間性は現存在の世界への辨證法的超越として夫々規定した我々は、辨證法こそ現存在の行爲的超越の根本構造に屬することを知り得る。現存在は歷史的行爲の瞬間に於て常に自己を有限なる存在として負目あるものとして限定する無に直面すると共に、他方に於て自己を眞に自己性に於て把握し、歷史的社會的環境に於てある個體として限定する。しかも空間的超越は時間的超越の單なる頽落的形態ではない。兩者相互否定的聯關に於て行爲的超越の內面的構造を形くる。時間的超越は辨證法的超越地平の云はゞ動的面を構成し、空間的超越はその靜的面を構成する。辨證法的超越の具體的全機構は、動靜二面の云はゞ辨證法的統一をなすであらう。

所謂時間に伴ふ根本的アポリアは時間そのものの辨證法的本質に伴ふもので

あり、しかもそれが解き難き謎として凡ての哲學的思索に根本的に附纏ふ所以は、時間そのものが存在一般の根本的なる存在形態に屬するが爲である。しかも此辨證法的な時間の性格が、その本質に於て明に把握されず、人間存在の存在體驗に於ては、先づ何よりも、存在の客體的把握が前面を蔽ひ、存在論的把握が蔽はれ隱されるが爲である。

かくて辨證法は歴史的社會的存在の超越論的根本構造を示すものであり本源的時空の辨證法的否定的相卽聯關に成立つ。しかもこのことは唯一の歴史的社會的なる存在としての人間存在の歴史的社會的行爲を通して具體的に把握され且つ了解されるのである。それにも拘らずそれ自體は歴史そのものをも超越する。何故ならばそれが歴史に於てあるものでなくて、却つて歴史がそれに於て成立つものだからである。否歴史のみでなく自然もそれに於て成立たねばならない。それは歴史と自然を自己に於て成立たしめる根據なのである。然らば本源的時空は如何にして歴史的時空及自然的時空として顯現するか、又その根本形態及種々の樣態は如何。此課題の遂行は、歴史的社會的存在の現實を行爲的に把握し、存在論的超越を眞に完行することによつてのみ可能とせられる。此課題の遂行の困難なる今は、只次の二三の點を示唆するに止め度い。(一)本源的時空の辨證法的構造は存在の最も具體的全體的な樣相に屬し、歷史的時空及自然的時空はそれの何等かの意味に於ける抽象的形態として導來せられ得ること。(二)卽此點に於ては飽く迄ヘーゲルに追隨すべきであつて、ベルグソンの本源的時間の空間化、乃至ハイデッガーの本源的時間よりの通俗化は時空の本源的辨證法的性格を見失はしめ、前者は精神の物質化と云ふ存在的客體的形而上學の契機を含み、後者は本源的時間が通俗化するとすることによつて、恰もそれがかくして初めて公開的社會性を獲得するかの如く思はしめ、本源的時間は世界性と共存性を有すると主張せられるに拘らず、却つて眞實の社會性・具體性を失つた抽象的原理に墮する虞れあらしめること。(三)かくして一般形而上學乃至基礎的存在論として、本源的時空の辨證法を論ずる形而上學的論理學が體系の基礎に橫たへられると同時に、歷史存在論・自然存在論が之に續くべきこと。此際辨證法は歷史より自然へと抽象化するに從つて其具體性・全體性を喪失し、從つてその辨證法的性格は平板化し、一面化する。アリストテレスの時空論は恐らく自然存在論に於ける本源的時空の抽象的形態として考へられるべく、それに伴ふアポリアも恐らくこれの擔ふ必然的の運命として、具體的辨證法が抽象化によつてその本源的性格を蔽はれ隱されるに基くと考へられること。(四)ヘーゲルは精神現象學と論理學とを切離すことによつて後者の抽象性を齎したと考へられるが、寧ろ兩者を密に結合し、ハイデッガーの基礎的存在論の方向に具體化することによつて、ヘーゲルの論理學に新しき生命を吹き込み得ること。(五)存在の主體的把握と客體的把握の別も結局具體的全體的把握と抽象的部分的把握の別に歸着し、凡ての客體的形而上學は存在の客體的把握に方向づけられ、眞主體を逸することにより存在の把握を一面的にし、抽象に陷らしめる、眞に存在の主體的なる把握を目指す存在論的形而上學にして初めて最も具體的・全面的なる原理を確立し得るであらうこと、等。

註

（1）Vgl. Aristoteles, Physica. 217 b 29—218 a 30.

（2）ib. 223 a 22.　（3）ib. 223 b 18—20.　（4）ib. 219 b 33—220 a 1.

（5）Heidegger, Grundprobleme der Phänomenologie. Kolleg. Marburg. S/S. 1927.（當地伊藤教授の所持せらるるものの複寫）による。ハイデッガーは、此講義に於て、可成り詳細に彼獨特の解釋をアリストテレスの時間論に加へて居るが、從來の解釋、例へば Ad. Torstrik (Über die Abhandlung des Aristoteles von der Zeit, Phys. Δ 10 ff. Philologus. 1868.) とか、Schilling-Wollny (Aristoteles' Gedanke der

Philosophie) などの見逃がした點を明確にして居ることは興味深く感ぜられると同時に、これによつて彼の時間性とアリストテレスの時間——勿論彼の解釋に基く——とが如何に親近な内面的連繫を持つかを知り得る。尚此點については後に關説する機會を持ち得るであらう。

(6) Sein und Zeit. S. 428 ff.　(7) Hegel, Encyclopädie. S. 216. (Lasson).

(8) Physica. 222 a 10—20.　(9) Hegel, op. cit. S. 218.　(10) S. u. Z. S. 435.

(11) ib. S. 434.　(12) Hegel, Encyclopädie. S. 323. Zusatz. (Bolland).

(13) Encyclopädie. S. 217. (Lasson).　(14) ib. S. 514 f.　(15) Augustinus, Confessiones. X. 8.

(16) ib. XI. 14.　(17) ib. XI. 27.　(18) ib. X. 17.　(19) ib. X. 8.　(20) ib. XI. 28.

(21) ib. XI. 28.　アウグスチヌスの時間論を歴史的に明にすることを目的としない我々は、凡ての時間を創りまたこれに先つところの「神に屬する永遠の今日」(hodiernus tuus aeternitas)が、精神に於ける時間成立の基礎となる現在と如何に聯關するかと云ふ問題に此際立入らうとは思はない。我々に取つては只時間のアポリアの解決の地盤として、彼に於ては先づ精神が見出されたと云ふことが此際重要なのである。精神が時間成立の地盤となり得るのは、「記憶の宮殿」を通じて「永遠の今」に縛がる道がある爲であることは、勿論彼に於て否定せらるべきではないであらう。

(22) Bergson, Introduction etc. p. 215.　(23) ib. p. 227.　(24) ib. p. 207.

(25) Bergson, Durée et simultanéité. p. 55.　(26) Bergson, Essai etc. p. 92 f.

(27) ib. p. 94.　(28) Confessiones. XI. 16.　(29) ib. XI. 14, 15.　(30) Bergson, Essai etc. p. 57 ff.

(31) *Physica*. *208* a *31—32*.　(32) ib. 210 a 3—4.　(33) ib. 211 a 12—13.

(34) Cf. Ross, Aristotele's Physics. p. 573. 尙 211 b 5 以下の原文の解釋は Ross (op. cit. pp. 375, 573), Prantl (Acht Bücher Physik. S. 167, 497), Taylor (A Commentary on Plato's Timaeus. p. 673) 夫々異つて居るが、こゝではロッス及オックスフォード譯に從ふ。

(35) Physica, 212 a.　(36) ib. 212 b.　(37) Cf. Ross, op. cit. p. 578.　(38) Physica. 211 a 35.

(39) Categoria. 5 a.　(40) Hegel, Encyclopädie etc. S. 321. Zusatz. (Bolland).

(41) Hegel, Encyclopädie etc., S. 215. (Lasson).　(42) ib. S. 315. Zusatz. (Bolland).

(43) Hegel, Wissenschaft der Logik, I. S. 182. (Lasson).

(44) Hegel, Werke. VII. 2. S. 180. (Vollständige Ausgabe).

(45) Hegel, Encyclopädie etc., S. 323. Zusatz. (Bolland).

(46) Hegel, Phänomenologie des Geites. S. 515. (Lasson).　(47) ib. S. 520.

(48) Hegel, Encyclopädie etc., S. 221. (Lasson).　(49) Hegel, Phänomenologie des Geistes. S. 5 ff. (Lasson).

(50) Hegel, Werke. IV. S. 201.　(51) Hegel, Werke. VII. 2. S. 317.　(52) ib. S. 317 f.

(53) Bergson, Essai etc. p. 72.　(54) ib. p. 68.　(55) ib. p. 176.　(56) ib. p. 183.

(57) ib. p. 182.　(58) L'Évolution créatrice. p. 218.　(59) Matière et mémoire. p. 235.

(60) L'Évol. creat. P. 220.　(61) Mat. et mém. p. 235.

(62) L'Évol. creat. p. 225.　(63) Mat. et mém. p. 273 ff.　(64) ib. p. 231.

(65) L'Évol. creat. p. 219.　(66) ib. p. 269.　(67) L'Évol. creat. p. 270.

(68) Mat. et mém. p. 243.　(69) S. u. Z. S. 433. Anm.

（70） Bergson, Mat. et mém. p. 235.　（71） ib. p. 163.　（72） ib. p. 158, 164.

（73） Hegel, Phän. d. G. S. 22. (Lasson).

（74） Heidegger, Grundprobleme der Phänomenologie. による。 Vgl. S. u. Z. S. 233 u. S. 420 ff.

（75） Heidegger, Grundprobleme etc. による。　（76） Heidegger, S. u. Z. S. 326.

（77） Vgl. Hegel, Phän. d. G. S. 511. (Lasson); Heidegger, Kant und das Problem der Metaphysik. S. 28.

（78） S. u. Z. S. 324; Kant u. das Problem etc. S. 233.　（79） S. u. Z. S. 427 Anm.

（80） ib. S. 334.　（81） ib. S. 408.　（82） Vgl. Heidegger, Vom Wesen des Grundes. S. 1.

（83） Vgl. S. u. Z. S. 244 f., 263.　（84） S. u. Z. S. 423 f., 427 Anm　（85） Grundprobleme etc. による。

（86） S. u. Z. S. 427 Anm.　（87） ib.; vgl. Kant etc. S. 236.

（88） 邦譯「形而上學とは何か」に與へた原著者序文參照。　（89） S. u. Z. S. 338 u. Anm.

（90） Kierkegaard, Phil. Brocken. S. 29.　（91） Vgl. S. u. Z. S. 283 ff.; 330, 343.

（92） Heidegger, Was ist Metaphysik? S. 20.　（93） S. u. Z. S. 423 f.

（94） ib. S. 367.　（95） ib. S. 367.

道徳的法則に於ける當爲的と價値的、形式的と實質的、普遍的と個別的

世良壽男

道德的法則に於ける當爲的と價値的形式的と實質的、普遍的と個別的

先驗的自由に於ける實在の自由と人格の自由―自由の現實性の問題、卽ち自由より自律へ―自律の原理に於ける二方面、卽ち存在論的、現象學的價値概念(アリストテレースに於ける存在と善との聯關、シェーラー、ハルトマンに於ける價値の實質的先天性)と理想主義的當爲概念(カントに於ける當爲の形式的本質と實質的本質)―プラトーン、アリストテレース、プロチヌスに於ける質料と形相との聯關―道德的法則に於ける形式性と實質性、普遍性と個別性との透徹―價値に對する當爲の優位

一

自然の因果性と自由による因果性との二律背反、即ちかのニコライ・ハルトマンの所謂『因果二律背反』(Kausalantinomie)の解決によりて到達せられたるカントの先驗的自由の概念は、これによりて或は行爲の絶對的なる存在論的始源としての實在の自由の可能が示され得るとしても、しかも行爲する眞實の主體としての人格の自由は證示せられない、或はまたハルトマン自からの言ふやうに、自然的因果組織に對する當爲原理の自由は保證されても、當爲原理そのものに對する自由はそこに含まれてゐない、しかもかかる當爲原理に對する自由をも人格の自由は要求する、とも考へられるであらう。ハルトマンに從へば、元來道德の究極根據としての自由は、それ自から行爲の根源であるとともに、またどこまでも自己の行爲に對して責を負ひ罪を荷ふことを得るところの人間存在の獨立性でなければならぬ、それがために人間的存在としての人格は、それ自からの中に、その自由にもとづく當爲要求を有つとともに、同時にかれはこの當爲要求に從ふことも、また從はぬことも出來ねばならぬ、若しかれにして絶對に當爲要求によつて强制せられるならば、それはかの自然的要求によつて强制せられる場合と同様に、決して眞に自由として行爲の責任の主體となり得ないであらう。かくして自由は單に自然に對してのみならず、又當爲に對しても成立しなければならぬ、從つてここに更に當爲と意欲との二律背反、卽ちハルトマンの所謂『當爲二律背反』(Sollensantinomie)が成立せねばならぬ。然るにかの因果二律背反の解決に從へば、意志の自由決定はただ倫理的原理にのみもとづかねばならぬに對し、この當爲二律背反の場合には、意志決定は倫理的原理そのものからの自由をば含まねばならぬ、從つてまた因果二律背反に於ては自由は積極的意味の自由であるに對して、當爲二律背反に於てはそれは消極的意味の自由である、そして更に因果二律背反に於ては自由は普遍的なる實踐理性の自由であつて、何等個別的意義を有たないのに對し、當爲二律背反に於ては、自由はただ個別的人格の自由でのみあり得る。かくしてこれ等二つの二律背反の解決に於ける二つの自由はそれ自からまた相互に二律背反の關係に於て立つ、卽ちハルトマンの所謂『自由二律背反』(Freiheitsantinomie)がここに成立しなければならぬ。そしてこの自由二律背反を解決することによりて始めて眞の具體的なる自由は基礎付けられると考へられる。ハルトマンは自由に於けるこれ等二つの要素、即ち當爲の自由と人格の自由との對立をば承認しながら、しかもこの對立は眞の『二律背反的對立』でなくして、むしろ『積極的なる、複雜なる相關々係』、否な『補充關係』であること、換言すれば『價値は明らかに、自から價値に對して自己を定めるところの人格的意志なくしては、――かれの自己規定に於て――決定することを得ない、然るに意志は、かれに向けられたる、自律的價値の當爲要求――それに對してのみかれの自己規定が決定の意味を有つところの要求――をば眼前に有ちそしてかかるものとして感ずることなくしては同じく自己自からをば規定することを得ない。この二つの契機、即ち客觀的理念的契機と主觀的實在的契機――原理の自律とそれに對して成立する人格の自律とが結合して始めて、このかれ等の獨自的補充關係によりて、かの積極的意味の自由として因果二律背反を解くところの、非因果的決定素を構成する』それがために『當爲原理に對する自由は、因果組織に對する自由に反對しないのみならず、むしろこの後者は前者によりて始めて現實的に成立する』、從つて『意志は道德法(又は價値)へのかれの對立によつて少しも自然法の奴隸に墮することなく、むしろかかる對立によつてこの奴隸たることを免かれる。しかもこれと同時に意志はこれ等二つの異種的法則性に對する二重の對立に於て始めて、かれをして道德的意志たらしめるもの又はかれが自然法のみに對立してあり得ないところのもの、卽ち個別的に自由なる意志となる』といふことによりて、かの自由二律背反をば解き、當爲の自由と人格の自由とを結付けようとするのである(N. Hartmann, Ethik, S. 625—7, 645—7, 707—8)。然しながら今かやうに因果二律背反に對して當爲二律背反を、この兩者に對して更らに自由二律背反をば要求することは實際必然的であらうか。ハルトマンはかの因果二律背反の解決によりて到達せられたるカントの先驗的自由をば、單に普遍的なる實踐理性に於ける當爲要求の自由として全く非人格的なる自由と解するのであるが、然し先驗的自由はカント自からが規定したやうに『理性自からが、現象の系列をば創始するかれの因果性に關して、感性界のあらゆる規定的原因から獨立的であること』(K. d. r. V. S. 665)、又は『自然的法則に從ふて進むところの現象の系列をば、それ自からで創始するやうな、原因の絕對的自發性』(Ib. S. 404)として考へられる限りに於て、一面に於て自然法則に對する理性の當爲法則の絕對的獨立とともに、他面に於て現象の系列をばそれ自から行爲を通じて創始する絕對自發性として人格の絕對氣隨の可能の根據を含まねばならぬ。かの『第二批判』に於て、因果二律背反の解決によりてそれの可能が證示された先驗的自由が、『第二批判』に於ける當爲の自由としての實踐的自由又は道德的自由の根據となるとともに、また『單なる理性の限界内に於ける宗敎』に於ける人格的なる絶對氣隨としての宗敎的自由の根據として考へられるのはこれがためでなければならぬ。そしてかやうに先驗的自由が當爲の自由とともに人格の自由をば含み得るのは、この先驗的自由が吾々の人格のよつて成立する自覺の本質をなすがためでなければならぬ。自覺とは、繰返へして强調されたやうに、自己認識が直ちに自己意志であり、自己意志が直ちに自己產出であるところの辨證法的運動であり、そしてこのやうな辨證法的運動をば可能なしめる自覺の地盤はやがて自覺に於ける自我と非我との根源的對立とこの對立の超越とがそれに於て可能となるところの、言はばフィヒテの絶對我のごときものでなければならぬであらうが、しかしこの絶對我はどこまでも知るものと知られるもの、作用と對象、生產と所產とがそれに於て一つであるところの純粹事行として、主なき主體、働らくもののなき働らき、基礎なき基礎付け、卽ち假定そのものでなければならぬ。そしてこのやうな基礎付けとして、又は假定としての自覺の根柢に於て吾々は始めてかの先驗的自由の場所を見ることが出來るのである。何故ならば先驗的自由はかの因果二律背反の解決に於て認められたやうに、決して外に時間的系列の無始の始めに於て規定せらるべき『根源的事象』としての『原因』(Ur-sache)を意味しないで、どこまでも內にこの無限なる系列をば產出し、支持するところの『根據』(Grund)を意味しなければならぬ。根據とは決してかの根源的事象としての原因のやうに時間的系列そのものの究極に於て思惟せらるべきものではなくして、この時間的系列をば內に超えることによりて、却つてこれを自から包み得るやうな、從つてあらゆる對立がそこに成立し、またこの對立がそこへ超越せらるべき自覺の根源的なる無の場所でなければならぬ。卽ち根據とは決して根柢に橫はるものでなくして根柢を橫へることであり、根柢を橫へることは根柢を求めることであり、根柢を求めることはやがて根柢を假定することでなければならぬ。吾々は自覺の如何なる一斷面からしても、從つてまたこの時間的系列の如何なる一點からしても、かかる根據へはいつて行くことが出來るであらう、何故ならば根據とはかく假定であり、從つて假定を通じて無限に自己へ沈潛することを得るからである。假定とはそれに於てあらゆる實在の深みが見らるべき無の在り方であるとともに、またかかる無への唯一の通路である。

吾々はただ假定の深みに於てのみ無としての根據の深みに沈潛し、先驗的自由を實現することが出來るであらう。かやうにして現象の系列をばそれ自からで創始すると考へられる根據としての先驗的自由は、實は自覺の根據であり、自覺の根據は自覺の根據付けであり、自覺の根據付けは自覺の假定である。しかもこの假定、卽ちὑπόθεσιςはそれ自からの語義が示すやうに、一方に於て純粹自發的なる自己超越として純粹氣隨であるとともに、同時に他方に於て自己自からへの條件付けとしてそれは純粹法則性である。そしてかの先驗的自由が、當爲の自由とともに人格の自由を、卽ち法則性とともに氣隨をば、それに於て同時に基礎付けることが出來ると考へられるのは先驗的自由がかかる意味に於ける假定をばそれの本質とするがためでなければならぬ。かやうにして因果二律背反の解決による先驗的自由は、それ自からの中に自然に對する當爲の自由と、當爲に對する氣隨の自由とを含むがゆゑに、卽ちそれに於て當爲と氣隨との二律背反が成立するとともに、この二律背反がそこに超えらるべき場面であるがゆゑに、かの因果二律背反に對して當爲二律背反をこの兩者に對して更に自由二律背反が成立することを要しない。それゆゑにここに問題はかかる三重の二律背反の解決といふことではなくして、かの當爲の自由と氣隨の自由との內面的一致としての先驗的自由は如何にして且つ如何なる形態に於て吾々の生活の中に實現せられるか、換言すれば先驗的自由の現實性とは如何なる意味であるかといふことでなければならぬ。

二

先づ一般に物の『現實性』(Wirklichkeit)とは如何なる意味であるか。現實性とは普通可能性との聯關に於て考へられる樣相的概念であるが、カントは周知のごとく『經驗の形式的制約(直觀及び概念に關する)と一致するもの』が『可能的』であるに對して、『經驗の質料的制約(感覺)と連結するもの』が『現實的』であるとして、現實性を規定した。(K. d. r. V. S. 249)。しかしここに注意せらるべきは、このカントの規定はどこまでも『感覺と連結するもの』が現實的であるのであつて、決して感覺に於て與へられたものそのものが直ちに現實的であるのではない、從つて現實性は單に感覺に於てではなくして、感覺との聯關に於て基礎付けられるといふことを意味せねばならぬといふことである。感覺とは普通吾々に對して直接的に與へられたる最も現實的のものと考へられるのであるが、しかし感覺そのものはそれの本性上決して直ちに現實的でも、また現實的のものでもない。現實性は決して感覺によつて規定せられるのではなくして、感覺はむしろコーヘンのいふやうに現實性の問題に對する『指標』(Anzeichen)をつくるに過ぎぬ、そしてこの現實性の問題そのものを取扱ひ、解決するのは創造的思惟のはたらきでなければならぬ。即ち現實的のものは綜合的原則の主題であり、思惟による直觀の多樣の綜合的統一といふ意味に於てのみそれは感覺との聯關を有つのである (Cohen, Kants Theorie der Erfahrung, S. 75—6; Ethik des reinen Willens, S. 399)。かやうにして現實性は感覺によつて規定せられず、感覺は單に現實的のものの指標に過ぎないならば、物の現實性を構成する思惟の基礎的働らきは何であるか。今物の現實性が直接もとづくところの概念としては、いふまでもなく空間及び時間の概念が考へられるであらうが、然し時間概念が物の現實性に關係するのは主として現在、即ち同時存在の樣相に於てであり、しかも同時存在はやがて共存としての空間概念に結付くべきであるゆゑに、物の現實性を構成する基礎的概念は先づ空間概念であるとも考へられることが出來るであらう。 空間は周知のごとくカントに於ては時間とともに、『物一般の關係の比量的或はいはゆる一般的概念』ではなくして、『純粹直觀』又は『感性的直觀の純粹形式』として規定されてゐるに對し、コーヘンに於ては時間が多數性の判斷に於てはたらく範疇であるやうに、空間は總體性の判斷に於てはたらく範疇として考へられてゐるのであるが、然しこの空間と時間とは、むしろ自己認識と自己直觀とがそれ自からに於て一つに結付くところの自己意志としての自覺の根本形式と考へられ得る限りに於て、それは直觀の形式にして同時に思惟の形式であるとも考へられることが出來るであらう。　また普通には時間が内界、又は自然の主觀的形象を産出するに對し、空間は外界、又は自然の客觀的形象を産出すると考へられるのであるが、然し自覺の形式としては、かく自覺が自己意志であり、自己への豫科をばそれの本質となす限りに於て、むしろ時間そのものが自覺の本質を構成し、空間はむしろ同時存在として時間が時間自からを寫すところの、又は内そのものが外として自からを實現するところの統一の場面と考へられねばならぬ。　卽ち一面に於て、空間は時間を、外は内を超越するとともに、他面に於て空間は時間そのものの空間であり、外は内の外である。　かくして物の現實性は時間から捨象せられたる空間に於て成立すると考へられる限り、それは全く抽象的であつて、眞の現實性ではなく、眞の現實性はどこまでも空間をば自己自からを寫す場面とするところの時間そのものに於て成立せねばならぬ。物の現實性から區別せられたる自由の現實性は、まさしくかかる意味に於ける時間に於て成立しなければならぬ。しかも時間はかく自覺の形式として、豫料に於て、卽ち未來に於てその具體的本質を有つ限りに於て、自由の現實性は、かの物の現實性の場合とは異り、現在ではなくして、却つて未來がそれの根源的本質であらねばならぬ。然し未來が現實性の本質であるとは如何なる意味であるか。もし現實性にしてかく現在でなくして未來に於て成立するならば、吾々は世界史の如何なる點に於ても全き意味に於て自由の現實化を想定することを得ないであらう、何故ならばかかる意味に於ける現實化は世界の終り又は道德的世界の終りを意味するであらうから。然しこのやうな疑問はかの未來の概念に對して與へらるべき特殊的なる意味に於て答へられるであらう。卽ちここに現實性の本質としての未來とは決して單なる『まだない』としての心理的未來ではなくして、現在に於て絶えず自己自からを實現しつつある未來である、未だ在らざるがゆゑに常に在り、未だ完からざるがゆゑに常に完きものとしての未來である、單なる豫料でなくして『永久性』(Ewigkeit)そのものの豫科である。自由の現實性の本質としての未來は實にこの永久性といふことに於て特徴付けらるべきである。この永久性てふ概念はコーヘンのいふやうに本來一つの根源的時間概念であるとともに、それはまた『世界』への關係を有つ。卽ちこの永久性、卽ち αἰών はかの κόσμος が『世界秩序』(Weltordnung)として世界の空間的意味を表はすと相並んで、『世界時代』(Weltalter)として世界の時間的意味を表はす (Cohen, Ethik d. rein. Willens, S. 403)。然しこの未來としての永久性はそれがために決して未來的時間の無限的總和と考へられてはならぬ、かくのごときは單なる『靜止の永久性』であつて、眞の未來としての永久性ではないであらう。永久性は決して永久的時間でなくして永久的仕事又は永久的課題でなければならぬ。然しこの永久的仕事又は永久的課題とは決して永久に續く仕事又は課題といふことではなくしてこは永久性の仕事又は永久性の課題を、從つて永久性の基礎付けを、永久性の假定を意味しなければならぬ。永久性はかやうに永久性の仕事又は課題として、基礎付け又は假定として、始めて永久の『自己にまでの意志』としての自覺の内容となるのである。そしてかく自己にまでの意志の内容として考へられたる永久性の基礎付け又は假定そのものがやがて『理想』(Ideal)として特徴付けられるものであつて、これこそかの未だ在らざるがゆゑに常に在り、未だ完からざるがゆゑに常に完き未來そのものの本質として、自由の現實性の內容をなすものでなければならぬ。即ち普通には理想は現實性に相對立するものと考へられるのであるが、然し自由にありては、かかる意味に於ける理想こそ却つて現實性をば現實性たらしめるそれの本質でなければならぬ。そして自由の現實性を構成するかかる理想が客觀的に限定されたものがやがて道德的法則に外ならないのである。

然しながら今かやうに基礎なき基礎付けとしての、又は假定としての自由の現實性たる理想の概念からして、法則の概念が如何にして成立するかといふに、これはまさしくそれの基礎付け的、又は假定的性格そのものにもとづくと考へられる。即ち假定とは、前にそれの語源的構造を通してその意義が限定せられたやうに一方に於て全く自發的なる自己超越として氣隨の性質を有つとともに、他方に於て自己措定への條件付けとして法則性の性質を荷ふ、否な假定に於ては自己の超越が直ちに自己への條件付けとなり、自己の氣隨が直ちに自己の法則性となる限りに於て、それはやがて自からの中に、自己法則性又は自律の概念を含む。そして假定の有つかやうな自己法則性又は自律の概念を通してかの自由の現實性としての理想はそれ自からまた自己法則性又は自律として自からを表はすことが出來るのである。　然るに今この『自律』、即ち *αὐτονομία* なる語は *αὐτό* 即ち自己と *νόμος* 即ち法則との二つの部分から成ることに於て、自己法則性又は自己立法性を意味するのであるが、しかもこの場合自己とは自覺の自己として、決して所與として又は既に存在するものとして想定せらるべきでない。　自覺即ち自己意識は決して單なる自己認識でなくして、自己意志又は自己への意志であると考へらるべきである限り、自覺の自己は決して如何なる概念的形態に於ても、それが自からを發現する以前に現存するものでない、それは單に與へられたものでなくして課せられたものであり、從つて始めて産出せらるべきものでなければならぬ。　それがためにかの自己法則性又は自己立法性としての自律は、法則が自己から出でねばならぬといふことではなくして、法則が自己へ導くといふことをば意味せねばならぬ、即ちそれは『自己からの立法』(Selbstgesetzgebung aus dem Selbst)ではなくして『自己への立法』(Selbstgesetzgebung zum Selbst)でなければならぬ。　即ち自己法則性又は自己立法性としての自律は自己をば前提に有たないで、却つて立法に於て自己の課題は解かれ、自己は始めて産出せられるのである。　かくして課題としての自覺に於て、自己の課題と法則の課題とは一致する、何故ならば『自覺の課題』とは『自覺の假定』であり、自覺の假定はやがて『自覺の法則』であるから（Cohen, Ethik d. rein. Willens, S. 341, 268。そしてかの自由の現實性としての理想は、この自覺の法則の確立に於て自己の産出が可能となる場合に、始めて具體的且つ客觀的に實現せられることが出來るのである。

三

しかしながらかやうに自由の原理が理想を通じて自己自からを現實化するところの自己への立法としての、從つて自覺の課題、自覺の假定としての自覺の法則は、自由の原理の現實性としてのこの理想がそれによりて客觀化せらるべき實現の法則であるとともに又それによつて行爲の道德的價値、卽ち正邪善惡が判定せらるべき評價の法則でなければならないのであるが、しかしかやうに實現の原理にして同時に評價の規範となるやうな最も原本的なる道德的法則をば吾々は如何やうにして規定することが出來るか。吾々はこのやうな問ひについて考察することによりてかかる道德的法則の本性をば一層具體的に限定することが出來るであらう。　今吾々は一般に哲學的方法の場合と等しくかかる問ひに對して二つの態度をば區別することが出來るであらう、卽ち一つは道德的法則をば、吾々の具體的なる生の中にそれの本來的なる在り方に於て、卽ちそれの本質に於て、從つて價値自體に於てこれを限定しようとする存在論的態度であり、他はそれをばその在り方に於てではなくして、あるべき筈の仕方に於て、卽ち當爲に於て限定しようとするところの理想主義的態度である。　卽ち前者は價値をばあらゆる主觀から獨立してそれ自體に於て成立するところの實質的なる存在領域となし、從つて自覺に於ける法則の意識としての當爲はこのやうな自體的存在としての價値によつて基礎付けられるのであつて、決して當爲が價値をば基礎付けるのではないとするものであり、そして後者は、これとは反對に、あらゆる價値はそのやうな自體的存在ではなくして、吾々の自己への意志としての自覺の當爲の深き根柢に於て、要求せられ、產出せられるところの生產的對象である、從つてこゝでは前者の場合のやうに、價値によつて當爲が成立するのではなくして、却つて當爲によつて價値が可能となるのである。　そして善をば存在の在り方と見て、それの本質的形態と、これが體得としての德の考察を目指すところの、換言すれば道德的義務といふことよりもむしろ道徳的價値の究明といふことをば主要問題とするところのアリストテレース及び古代及び中世のアリストテレース的倫理學、及びあらゆる價値をば情緒的體驗の志向的對象としての實質的なる本質又は形相となし、そしてかかる本質又は形相としての價値の體驗の分析を通して價値の體系をば確立し、價値認識をば基礎付けようとするところの、從つてカントへの對立を通じてアリストテレースへ歸り行かんとするところの、現象學派の所謂實質的價値倫理學の態度は前者に屬し、そしてかく善又は徳といふやうな道徳的價値をば主として目指すところの、在來のアリストテレース的倫理學の考察方法に反對し、どこまでも實踐理性卽ち意志そのものの批判を通じて、それの根源的且つ本來的なる働らき方としての純粹形式を明らかにし、そしてかかる純粹理性又は純粹意志の根柢の上にそれの對象として善惡が限定せられるところの、從つて道徳的價値といふことよりもむしろ道徳的義務又は當爲といふことを中心問題とするところのカントの當爲倫理學又は義務倫理學は後者に屬すると思ふ。吾々は先づ一方に於てアリストテレースの存在論的價値倫理學に於ける存在と善との關係を明らかにし、他方に於てシェーラー、ハルトマン等の現象學的價値倫理學に於ける、カント倫理學の批判を通じての價値と當爲との關係を反省することによつて、道德的法則に於ける價値的契機と當爲的契機との關係を考察して見たいと思ふ。

先づ存在とは何であるか。一般に存在の何たるかを問ふこと、又存在者をば存在に於て基礎付けようとすることは周知のごとく殆ど哲學とその起源を同じうするといひ得るのであつて、例へばかのギリシャ最初の哲學と稱せられてゐるミレトス派の哲學も全く存在の本性を目指せるものであつたが、唯だかれに於ては存在は未だ存在そのものとしてではなくして、却つて或る特定の存在者に於て規定されたに過ぎなかつた。存在がどこまでも純粹思惟の對象として考察せられ、經驗的存在者に於けるあらゆる附帶的、偶有的契機が否定せられ、端的にその存在の絕對的本質の規定を試みたのはかのエレア派であつたが、然しそれがかやうに存在者に於けるすべての感性的契機をば拒否した結果、それに於ける運動又は變化の存在性格が理解され得ず、かくして存在の純粹抽象性を超えることが出來なかつた。眞に『存在をば存在として考察する』(Met. 1003 A)ために先づ存在そのものの論理的本性と形而上學的意義とを深く、精しく反省し、これに於てすべての存在者の存在性格をば理解し、基礎付けようとしたものは一般に知られてゐるやうにアリストテレースの所謂『第一哲學』であつた(Ib. 1026 A)。 彼によれば、この『存在』(τὸ ὄν)てふ無限定なる言葉は種々の意味を有つのであるが、然しこれは大體次の四種に分つて考へることが出來るであらう、卽ち第一は『偶有的なるもの』、第二は『眞なるもの』、又は『僞なるもの』、第三は『範疇の形態』に於て示されるもの、第四は『可能的及び現實的なるもの』である(Ib. 1026 A—B)。 先づ第一に『偶有的なるもの』とは、それ自身の本性によらない存在であつて、從つてこれにつきては何等學的取扱ひが存し得ない(Ib. 1026 B)。 第二の『眞であるといふ意味に於て在るもの』又は『僞であるといふ意味に於て在らぬもの』は『結合』及び『分離』に依存する、卽ち眞なる判斷は主語と述語とが實際的に結合される場合には肯定し、彼等が分離される場合には否定する、そして僞なる判斷はその反對である。 しかしかやうに『結合及び分離は思惟の中に存し、そして決して事物の中に存しない』ゆゑに『虛僞及び眞理は決して事物の中に存せず、これはむしろ思惟の中に存する』 從つて『かやうな意味に於て存在するものは、充分の意味に於て存在するものとは異つた種類の存在である』限りに於て、この『眞』であるといふ意味の存在はかの『偶有的』存在と同樣に學的に度外視されることが出來る(Ib. 1027 B)。第三の『範疇の形態』によつて示されるところの存在は、『範疇』が『結合によらずして言ひ表はされたもの』(Kategoria, 1 B)として事物の類を表はす普遍概念である限りに於て、『それ自體による存在』であり、從つてそれは『範疇の存在するだけ存在する』といふことが出來る(Met. 1017 A)。然しながら今これ等の範疇によつて示されたる種々の存在は、それが存在であるといふことのために直ちに相結付き得るものではない、卽ち量による存在と質による存在とは、かの雪の白さと鉛白の白さとがその白さに於て同一であるといふ意味に於ては同一であり得ない、卽ち『存在についての範疇の間には何等共通のものが存しない』(Met. 1065 B)。しかもこれにかかはらず各の範疇によりて表はされるものがすべて存在として一つに結付き得るやうに考へられるのは何によるのであるか。今『雪が白い』『鉛白が白い』といふ場合の『白さ』の概念は『性質』といふ同じ範疇によりて規定されてゐる限りに於て概念的に一義的であり、從つて類による統一が可能であるに對し、『存在は事物の類であることは不可能である』、何故ならばすべて或るものが類であるためには、それは種差によつて種から區別されねばならぬ、それがために、『若し存在にして類であるならば、如何なる種差も存在を有つべきでない』にもかかはらず、『すべて類の種差は各自存在を有たねばならぬ』限りに於て、種差は類と區別せられ得ない、かくして存在は類であることを得なくなるからである(Ib. 998 B)。 かやうにして存在は決して類ではない、從つて範疇ではない、しかもなほ『存在』がすべての範疇によつて示され、又すべての範疇によつて示されるものが『存在する』といはれ、從つて『一つ』(ἕν)として考へられるのは何によるのであるか。 アリストテレースによれば、およそ事物が『一つ』として考へられるのは次のやうな四つの場合に於てである、卽ち或る事物は、『數』に於て又は『種』に於て、又は『類』に於て、又『類比』に於て一つである。 それの『質料』が一つであるものは『數』に於て一つであり、それの『概念』が一つであるものは『種』に於て一つであり、それにまで『範疇』の同じ形態が適用されるものは『類』に於て一つであり、又第三の事物が第四の事物に關係せしめられるやうに關係せしめられる二つの事物は『類比』に於て一つである(Ib. 1016 B—1017 A)。然るに上述のごとく相互に共通的のものを有たざる各範疇によりて示されるところの存在はもとより『質料』に於ても、『概念』に於ても、『範疇』に於ても一つであり得ない、從つてそれは『數』に於ても、『種』に於ても、『類』によりても一つでない。 かくして『範疇の形態』による存在は、ただ『類比』に於てのみ一つでなければならぬ、卽ちこれ等の存在は『存在の各範疇に於て類比が見出される』限りに於て一つとして結付くことが出來るのである(Ib. 1093 B)。それではこの『類比』(ἡ ἀναλογία)による結付きとは如何なる意味であるか。今この『類比』は普通認められてゐるやうに二つの種類に於て見出される、卽ち一つは『比例』の類比であり、他は『一者及び或る一つの本質性』への關係による類比である。第一の『比例』の類比とは、『關係の同等』を示すものであつて、これには『幾何學的比例』と『算術的比例』との二つの種類が存在するのであるが(Eth. Nicom. 1131 A—B, 1132 A; Met. 1003 A)、しかしこのやうな關係の同等といふことのみによつて特徴付けられる比例的類比によりては、かの存在の諸範疇はただ外面的にのみ結付くに過ぎぬゆゑに、これ等諸範疇をより內面的に結付ける類比はかの第二の『一者及び或る一つの本質性への關係』による類比でなければならぬ。今物が『在る』と言はれる場合、この『在る』といふことは、前述のごとく範疇の區別に從ふて種々の意味を有ち得るのであるが、然しこれ等の意味に於てなほ『在る』といふことが含まれ得るのは、單に『存在』といふ『同名語』を共通に有つといふことにとどまるのではなく、それ等が『一者及び或る一つの本質性への關係』

を有つてゐる、又は『一つの原理』へ關係するがためでなければならぬ、卽ち彼等が嚴密なる意味に於て在ると言はれ得るのは、一つの最も根源的なる本質性又は原理、換言すれば最高範疇としての『實體』(οὐσία)に關係することのためであり、そしてこの限りに於てのみ彼等は相互に結付くことが出來るのである。卽ち、或るものはそれが『實體』であるがゆゑに、他のものはそれが『實體の性情』であるがゆゑに、又他のものはそれが『實體への過程』であるがゆゑに、又は『實體の破壞又は奪去又は性質又は創造又は生產』であるがゆゑに『存在する』と言はれるのである。吾吾が『非存在』についてすら、それは非存在で『ある』といふのはこれがためでなければならぬ(Met. 1003 A—B)。かくして實體は『第一次的に存在するところの、そしてそれへあらゆる他の存在の範疇が關係せしめられるところのもの』(Ib. 1045 B)であり、從つて『實體以外の如何なる他の範疇も實體をはなれて存在し得ない』(Ib. 1069 B)と言はれ得るのである。それではこのやうに類比的統一によつてあらゆる存在成立の根源となるところのこの實體そのものの存在性格は如何なるものであるか。アリストテレースに從へば實體てふ範疇は普通に少くとも次のやうな四つの主要な存在性格を有つ、卽ち第一は『本質的存在』(τὸ τί ἦν εἶναι)、第二は『普遍者』(τὸ καθόλου)、第三は『類』(τὸ γένος)、第四は『基體』(τὸ ὑποκείμενον)である(Ib. 1028 B)。この中にて第一の『本質的存在』は『それ自體によつてある』ところの存在である(Ib. 1029 B)。しかもこの本質的存在は、τὸ τί ἦν εἶναι の本來的語義が示すやうに『それであつたところのものの存在』としてやがて『或るあつたもの』卽ち或る純粹に個體的のものの存在を表はすものでなければならぬ。それゆゑに本質的存在はこの第一次的意味に於てのみ實體に屬し、その他の意味に於ては他の範疇に屬するのである(Ib. 1030 A)。然るに第二の『普遍者』は、第一次的意味に於ては決して實體に屬しない、何故ならば、『實體は主語につきて述語し得ざるものを意味するのに、普遍的のものは常に或る主語につきて述語し得べきものである』から(Ib. 1038 B)。そして同樣に第三の『類』も實體たることを得ない、これ『類は普遍者である』から(Ib. 1042 A. 1069 A)。ただこれ等類も普遍者も、それが『第一次的實體を含む』限りに於て第二次的意味に於て實體と稱せられるのである(Categoria, 2 A)。かくして最も眞實且つ第一次的意味に於ける實體とはやがてかの第四の『基體』としての實體でなければならぬ。『基體』とはアリストテレースによれば『それについて他のものが述語となり得るが、しかしそれ自からは他の何ものにつきても述語となり得ないもの』である。

そしてかやうに他のものの主語となつて決して述語となり得ないものこそ『第一次的に事物の根柢に横はるもの』としてまさしく『最も眞實なる意味に於て事物の實體』と考へられねばならぬ(Met. 1028 B—1029 A)。 然るに今この基體は或る意味に於ては『質料』であるとせられ、他の意味に於ては『形態』であるとせられ、更に他の意味に於ては『これ等兩者の結合』と考へられてゐる(Ib. 1029 A)。そしてここに『質料』とは『現實的にこのものでなくして可能的にこのものであるもの』を意味し、『形態』又は『形相』とは『このものであるので、概念上分離され得るもの』を意味し、そして『質料と形相との結合』とは『それのみが生ぜられ、且つ滅せられ、且つ直定的に分離され得るもの』を意味する(Ib. 1042 A)。 今これ等三つの中第三の『質料と形態との結合』としての實體は、この場合學的に度外視されることが出來る。 何故ならばそれは後に出來たものであり、そしてその本性は明瞭であるから(Ib. 1028 A)。 かくして問題は『質料』と『形態』又は『形相』とに於て何れが最も眞實且つ第一次的意味に於て基體としての實體の本性を構成するかといふことである。 然しながら吾々はこの問題をば、かの存在の第四種と考へられる『可能的及び現實的存在』との關係に於て一層明らかに限定することが出來るであらう、これアリストテレースに於ては質料は存在の可能態、形相はそれの現實態と考へられ得るから。さて『可能性』と『現實性』とはかれに從へば、生成、變化、運動といふやうな存在の在り方を成立せしむべき二つの契機である。　卽ち可能的に在るところのものから現實的にあるところのものへの移行きが『變化』であり(Ib. 1069 B)、又『可能的のものそのものの現實性』がやがて『運動』として特性付けられるものに外ならない(Ib. 1065 B)。然るにすべて變化するものは、或るものとして、或るものによつて、且つ或るものへ變化するのである、そしてそれによつて或るものが變化せしめられるものは『原動者』であり變化せしめられるものは『質料』であり、そしてそれへ或るものが變化せしめられるものは『形相』である(Ib. 1069 B—1070 B)。　そしてこの中に於て『形相』はそれが獨立的に存在し得る限りに於て現實的であるに反し、『質料』は全く可能的にのみ存在するものである(Ib. 1071 A)。然し今かやうに質料は可能的であり、形相は現實的であるならば、運動又は變化に於て質料をば形相に於て現實せしめるところの『原動者』は如何なるものであるか。　先づこの原動者にして、單なる可能性であるとするならば、そこには必ずしも『運動』は存しないであらう、これ『可能性をもつものは必ずしもこれを行使することを要しない』から。　かくして若しそこに變化又は運動が存在すべきであるならば、『それの實體が現實性であるところの原理』が存在せねばならぬそしてそれがためにはかかる實體は『質料なきもの』(ἄνευ ὕλης)でなければならぬ、これ質料は上述のごとく純粋可能性に外ならず、純粋可能性に於て變化又は運動は存しないから。かくして實體は『質料なきもの』として『現實性』でなければならぬ(Ib. 1071 B)。然しかやうな非質料的、現實的なる實體としての『原動者』とは如何なるものであるか。これはまさしくそれ自ら非質料的、現實的なる『形相』そのものと相蔽ふものではないであらうか。卽ち上述のごとく『それへ或るものが變化せしめられるところの形相』は、一方に於て『それの善のために行爲が爲され、又それをば行爲が目指すもの』としての『目的因』としてのみならず、又『それによつて或るものが變化せしめられる』ところの『原動者』卽ち『動力因』として、變化又は運動の原理でないであらうか。かくして吾々は現實性と可能性、從つて形相と質料と、そしてこの兩者を結付くべき『原動者』との根本的なる本質的聯關を見るためにかの所謂『四原因』の原理の性質について考察しなければならぬ。

さてアリストテレースの『範疇』についての規定は、上述のごとく、事物の最高類の規定であつた、換言すれば事物の存在をばその最も一般的なる在り方に於て規定することであつた。そしてそのやうにして規定された諸範疇はそれがすべて最高の範疇たる『實體』の範疇に關係するといふ『類比的』統一によつて彼等自からの實在性と相互の結付きとを獲得することが出來たのである。この意味に於て實體は『あらゆる意味に於て第一次的に存在する』ものとしての最高の存在規定となるのである。然しながらかやうにして範疇の規定に於て、あらゆる存在の在り方と、實體の範疇によるこれ等のものの統一が行はれたとしても、それはどこまでもあらゆる存在樣態の類比的統一的規定にとどまり、決して『原理』(ἀρχή)及び『原因』(αἰτία)そのものからの規定ではない、換言すればそれはどこまでも事物の最高類の規定ではあるが、然しそれの最高の根據による基礎付けではない。然るに吾々の究極的に求むるところのものは、決して單に存在の一般的在り方にとどまるものではなくして、それは『原本的原因の知識』(ἐπιστήμη τῶν ἐξ ἀρχῆς αἰτίων)でなければならぬ、何故ならば『吾々は第一原因(ἡ πρώτη αἰτία)を認識すると考へる場合にのみ各事物を知るといふ』からである(Ib. 983 A)。從つてかかる原理又は原因は決して單なる存在の在り方としての範疇に於て見出さるべきものでなくして、範疇よりも一層根源的なる、言はば、範疇の範疇として、範疇を通して『類比的』に自からを分化するところの、存在の最高根據でなければならぬ。　吾々はこれをばかのラスクに從ひ『最高の超範疇的原理』(höchstes überkategoriales Prinzip)として特徴付けることも出來るであらう(Lask, Logik der Philosophie, S. 233)。　今アリストテレースに從へば、この『原理』又は『原因』—— かれに於ては『すべての原因は原理である』——は、『それからして或るものが存在するか、又は存在するやうになるか、又は知られるかするところの、第一次的のもの』である(Met. 1013 A)。　そしてこのやうな原理又は原因をば彼は周知のごとく四種に分つて考察した、卽ち第一は『質料因』(αἰτία ὡς ὕλη)であつて、これは『それからして或るものが存在にまで來る、もの』であり、第二は『動力因』(αἰτία ὡς κινοῦν)で、これは『それからして變化又は休止が始まるもの』であり、第三は『形相因』(αἰτία ὡς τὸ εἶδος)で、これは『本質的存在の概念』としてあらゆる存在の『範型』(παράδειγμα)であり、第四は『目的因』(αἰτία ὡς οὗ ἕνεκα)で、これは『それのために或るものが存在するところのもの』、卽ち『目的』(τέλος)及び『善そのもの』(τἀγαθόν)である(Ib. 1044 A, 1013 A, 983 A)。　今超範疇原理としてのこれ等四種の原因は相互に如何なる關係に立つかといふに、先づこれに於て、存在の成立に關して最も根本的なる聯關を有つものは言ふまでもなく『質料因』と『形相因』とであらう。かのプラトーンはこの生成變化の現象界をば『非限定者(ἄπειρον)と限定(πέρας)とから成る混合的生成的存在』として規定したのであるが(Philebos, 27 B)、このかれの『非限定者』と『限定』とがアリストテレースに於ける『質料』と『形相』とに對應すべきものであることは一般に認められ得ることであらう。然しアリストテレースに於ける『質料』はもとよりそれが單なる『可能性』として『それ自體に於て特殊的事物でもなければ、或る量的のものでもなく、又それによつて存在が規定されるところの範疇の中の或るものとしても示されないところのもの』(Ib. 1029 A)である限りに於て、プラトーンに於けるやうに『無限定的のもの』であるのは勿論であるが、しかもそれはかのウィンデルバンドの解するごとく、決してプラトーンに於けるやうな『單純無差別なる空虚』でなくして、却つて一つの『基體』(ὑποκείμενον)でなければならぬ。又かの『形相』も、それが『現實性』として『それへ或るものが變化せしめられるもの』である限りに於て、もとより『限定』であらうが、しかしそれもプラトーンに於けるやうに單なる『數學的形式』による限定にとどまるものでなく、『本質によつて內容的に規定された內實』でなければならぬ。 卽ち質料は『出來上つた事物に於て形式によつて現實的になつてゐるものの可能性』であり、從つて質料に於て本質は可能的にのみ與へられ、そして形式によつてそれは始めて現實的存在となるのである。 かくして『生成』は本質が單なる可能性から形相を通して實現せられゆくところの過程に外ならない(Windelband, Lehrb. d. Gesch. d. Phil. S. 117)。然しこの場合かやうに本質が單なる可能性から現實性へ移り行くこと、換言すれば質料が形相と結付くことは如何にして可能であるか。 これには必然的にかのプラトーンの所謂『非限定者と限定との混合の原因』(Philebos, 23 D)のやうな『原動者』が豫想せられるのであるが、かかる原動者は如何なるものであるか。 アリストテレースによれば可能的なる質料が現實的なる形相に於て自からを形成發展し得るのは、この兩者が單にその存在樣相を異にするのみであるところの、從つて抽象化によりてのみ分たれ得るところの、唯一なる現實的實在の二方面に過ぎぬがためでなければならぬ、卽ち質料が『現實的にこのものでなくして、可能的にこのもの』であるに對して、形相は『このものであるので概念上分離され得るもの』であるに過ぎぬ、從つて『究極的なる質料と形相とは同一物である、ただ一方は可能的に存在し他方は現實的に存在するのみである』といふことが出來る(Met. 1042 A, 1045 B)。かくして問題は、この質料と形相、從つて可能性と現實性とが同一物の二つの存在様態の必然的聯關である場合、それの何れが果して『先行的』($\pi\rho\acute{o}\tau\epsilon\rho o\nu$, prior)として原動者の意味を有ち得るか、といふことである。アリストテレースに從へば、現實性は可能性に對して、『概念』に關しても、『實體』に關しても先行的であり、又『時間』に關しても或る意味に於て先行的である(Ib. 1049 B)。先づ現實性は『概念』に關して可能性に對して先行的である、これ『第一次的意味に於て可能的であるものは、それが現實的になり得るといふことのために可能的である』から。次に『時間』に關しても現實性は可能性に對して先行的である、これ『假令個々物はそれが現實的となる前に可能的であるとしても、種の現實的者は同じ種の可能的者に對して先行的である』から。最後に、現實性は『實體』に關してもまた先行的である、卽ちそれは先づ『生成に於て後行的であるところのものは形相及び實體に關して先行的である』といふ意味に於て、次に『すべて生成するところのものは原理卽ち目的の方へ動き行く』といふ意味に於て先行的である、何故ならば『それのために或るものが存在するところのものは原理であり、そして生成は目的のために存在する、そして現實性は目的であり、且つ可能性が獲得せられるのはこの目的のためである』から(Ib. 1049 B, 1050 A)。かくして吾々はここにかの四原因の中にて、質料と形相とが同一物の二つの存在様相、卽ち可能性と現實性との相關であり、そして『質料はそれがいつか形相に到達し得るといふまさしくその理由で可能的狀態に於てあるのであり、そしてそれが現實的にある場合には、それは形相に於てある』(Ib. 1050 A)ばかりでなく、又現實性が可能性に對して、上述のごとく、概念、時間、實體性に關して先行的である限りに於て、現實性に於て可能性を、從つて形相に於て質料を發展せしむべきかの『原動者』、卽ち『動力因』そのものも、形相の中に見出されねばならぬ、これ形相は前述のごとく、『本質の概念』としてあらゆる存在の『範型』であるのみならず、又同時にかの藝術的制作に於ける形式のごとく、素材を形成するところの力であるから、卽ち『働らき(ἔργου)は目的(τέλος)であり、そして現實性は働らきである、それがために現實性卽ち ἐνέργεια といふ言葉すらもこの働らき卽ち ἔργου から引出されたものである』から(Ib. 1050 A)。それゆゑにかれは『第一の動力因にまで概念及び形相が屬する』と言つてゐる(De generatione animalium, 732 A)。然しながら今かやうに形相が同時に動力因であり得るのは、現實性としてのこの形相が、それ自から前述のごとく合目的活動性を荷ふのみならず、それが同時に、かの單なる可能性としての質料に對して目的因となり、かくして『自己自からを形相化せんとする衝動をば質料の中に喚起する』ところのものであるからでなければならぬ(Windelband, Lehr. d. Gesch. d. Phil., S. 121)、何故ならば『目的因は善であり、そしてこれは行爲及び運動の領域に於て見出される、そしてそれは原動者である、といふのはそれが目的の本性であるから』(Met. 1059 A)であり、そして『この目的因と形相因とは同一のものである』から(Ib. 1044 B)。

以上に於て吾々はアリストテレースの所謂『四原因』に於て、それの中心的位置を占めるものはもとより現實性として『各事物の本質及びそれの原本的實體』を表はすところの『形相』であるが、しかも單に可能的なるものとしての質料をば『現實的なるこのもの』たる形相に於て實現すべき動力因としてこの同じ形相が可能であるのは、それが同時に目的因たる根源的性格を荷ふがためであることを見た。

然し今このことは果して何を意味するであらうか。吾々が最初出發したるかの最も一般的且つ最も無規定なる『存在』概念は、かの範疇論、特に最高範疇たる實體の概念の分析を通じて、それの最も根源的且つ本質的なる存在形態が明らかにせられるにかかはらず、しかも存在そのものの眞義は決してかやうにただ『存在を存在として考察する』ところの、卽ち存在をば、いかばかり原本的であつても單にそれの在り方に於てのみ考察するところの存在論的分析のみによつて明らかにせられ得ず、存在の眞義はむしろ存在が自己自からを超えることによりて、卽ち存在が存在ならざる存在に於て、卽ち主觀への反省に於て、目的に於て、善に於て考察せられる場合に、始めて實現せられ得べきではないかといふことを示すものでないであらうか。或は目的又は善も存在の在り方の一種と考へられるでもあらう、そしてアリストテレースに於てこれ等目的や善がより多く存在論的に取扱はれてゐることも事實である。然しこの目的又は善にしてどこまでも存在の在り方の一種に過ぎぬとするならば、吾々は更らにかかる存在をば目的又は善たらしむべき、存在の存在ならざる眞の意義又は根據を求めなければならぬ。アリストテレースの存在の概念は、それが目的又は善をばそれの意義として本質として見出す場合にそれは始めて具體的なる『眞の存在』となるのではないであらうか。それがために吾々は進んで存在と目的又は善との內面的關係をば一層明らかに考察しなければならぬ。

今善又は目的と存在との關係を考察するに當り、先づ善とは如何なるものであるか。アリストテレースによれば一般に善とは『それをばあらゆるものが目指すもの』又は『それのためにすべての他のものが爲されるところのもの』である、それゆゑに『若しそこに吾々が爲すところのすべてに對して目的(τέλος)が存するならばそれは行爲によつて到達せられ得べき善(ἀγαθόν)であるであらう』(Eth. Nicom. 1094, 1097 A)。然しながら今かやうに『すべての技術、すべての探究、そして同樣にすべての行爲及び決意』の目指すところのものが善であるならば、これ等に於て善の概念は丁度かの白さが雪に於て、また鉛白に於て同一的であると同じ意味に於て同一であらうか。例へばかの名譽、智慧、快樂が善と稱せられる場合の善の意味は決して同一でなく、相互に區別せられる、卽ち『善は決して一つの觀念に屬する共通的の或る要素ではない』(Ib. 1096 B)。善の概念は丁度かの存在の概念と同樣に、すべての範疇に於て、卽ち實體の範疇に於ても、性質、分量、關係、時間、場所等の範疇に於ても表はされるのであるが、しかもこれ等存在の範疇に對して何等共通的のものが存し得ないとまさしく同樣に『これ等すべての善に對しても何等の共通的觀念が存し得ない』のである。善はかの存在と同樣にあらゆる範疇に於て自からを表はす限りに於て、『善は存在があるだけ同じだけの意味を有ち』從つて決してそれ自から單なる範疇でないゆゑに、『善は明らかにあらゆる場合に於て普汎的に存するところのしかも單一的なる或るものではあり得ない、何故ならばその時善はすべての範疇に於て述語せられることを得ず、ただ一つの範疇に於てのみ述語され得るに過ぎなくなるであらうから』(Ib. 1096 A)。然し若しかやうに善にして共通的なるものを有たず、從つて何等範疇的統一をば有たないならば、あらゆる範疇に於て示される種々なる善が、一様に善として表はされ得るのは何によるのであらうか。素より『これ等の善はたまたま同じ善いといふ名稱を有つに過ぎぬやうなものではない。然らば善は唯だ一つの善から導き出され又はすべての善がこの一つの善に貢獻することによつて一つであるのか、それとも彼等はむしろ類比によつて一つであるか』。かれによれば善はたしかにかの存在の場合と同様に質料に於ても、概念に於ても、範疇に於ても一つでない、從つてそれは數に於ても、種に於ても、類に於ても一つではない、善は丁度『視力の身體に於けるは理性の精神に於けるやうなものである』といふやうに『類比によつて一つ』であるのである(Ib. 1096 B)。即ちアリストテレースは善をば、かの存在と同様にそれ自から範疇でなく、むしろ範疇に於て類比的に自からを分化するところのものとしてすべての範疇を貫くところの『超範疇的原理』となしたのである。そして善に於けるこの類比的統一が、それの本質的意義をば、かの『關係の同等』としての『比例の類比』に於てでなくして、むしろ『二者及び或る一つの本性への關係』に於て見出されるのもまた存在の場合と同樣である。即ちかの存在の範疇に於て、實體の範疇が他のすべての範疇の基本であり、他の範疇はすべてこの實體に對し內屬的に關係することによりてのみそれの實在性を獲得すると同じく、この實體の範疇によつて表はされる善、即ち實體的善はすべての他の範疇に於て表はされる善をして、善といふ性格を荷はしめる類比的統一の基礎となるのである。即ち『善は實體の範疇に於ても、性質や關係の範疇に於ても表はされるが、然しそれ自體によつてあるもの、即ち實體は、その本性上、關係的のものよりも先行的である、これ後者は存在の派生的のもの且つ偶有的のものに過ぎぬから』(Ib. 1096 A)、又は『實體の中には特にすべて或るものの最善が含まれてゐる、そしてそれ自身に於て望ましくある、といふ方が或る他のものに對して望ましくあるといふよりも、一層すぐれてゐる』(Topica, 149 B)。かやうにしてここに問はるべきは各自とも何等類的又は範疇的一般性を有たず、しかもあらゆる範疇を通じてそれ自からを分化し、そして實體の範疇に於て類比的に統一せられると考へられるところの存在と善とは果して如何やうなる關係に於て立つかといふことである。

今存在とは、前述のごとく、あらゆる範疇を通じて自からを表はすものとして、苟くも吾々がそれについて言表はすところの感性的及非感性的のあらゆる對象に關係する最も一般的なる概念である、從つてこの存在の概念は、かのラスクの解するごとく、『實體概念よりも一層上位を占める』ところの最高の『構成的對象性一般』の原理として、言はばあらゆる範疇的存在がそれに於てあるところの『領域範疇』(Gebietskategorie)とも稱すべき『超範疇的原理』(überkategoriales Prinzip)である。かの實體概念に於ける純粹形相としての『神性』(τὸ θεῖον)すらも、『この神性が特定の實體範疇に於て言表はされた存在を意味する』限りに於て『存在』概念に屬し、從つて存在概念は神性の概念をすら超えるのであるが、このやうな超範疇的なる存在概念を充たすために要求せらるべき『超感的のもの』こそやがて善の概念でないであらうか(Lask, Log. d. Phil. S. 232—3)。　かくしてここに問はるべきは、善の概念がかく存在の概念に結付くためには、それは如何なる關係に於てであるか、といふことである。先づ普通には善は存在に對して內屬の關係に立つと考へられるのであるが、然し善はかやうに一般に存在の屬性として考へられ得るであらうか。元來『屬性』には『偶有的』と『本質的』との二種が區別せられる、卽ち第一の偶有的屬性とは『或る事物に屬し、且つ實際に言表はされるが、しかし必然的にも又は一般的にも然からざるもの』を意味する、從つて偶有的屬性に對しては何等確定せる原因もなく、ただ偶有的原因、卽ち不定的原因が存するのみである(Met. 1025 A)。第二の『本質的屬性』はアリストテレースに於ては偶有性の別種として、卽ち『事物そのものに歸屬する偶有性』としてあらはされてゐるものであつて、これは『事物それ自身に屬するが、しかしそれの本質の中に含まれてゐないもの』である、例へば、それの內角の和が二直角といふことが三角形の本質的屬性といはれるやうなものである(Met. 995 B, 1025 A)。然るに今善は決して存在の偶有的屬性であり得ないのみならず、又本質的屬性でもあり得ないであらう、何故ならば若し善にして事物の偶有的屬性ならば、事物の本質と善との結付きは全く偶然的となり、從つて善は事物の本質に對して全く外面的關係に立つこととなり、又若し善にして事物の本質的屬性ならば、そのとき善は事物の本質に對して必然的關係に立つが、しかしそれが事物の本質の中に含まれてゐない限り、この善はやはり事物の本質に對し分離的に存立することとなり、かくして善そのものはかのプラトーンのイデアのごとき超越的觀念性に陷り、それがために『各のものに本來的であるところのものが各のものに對して最上のものである』(Eth. Nicom. 1178 A)又は『最善のもの』は『それ自身望ましいもの』として『本質』の中に含まれてゐる(Topica 149 B)として規定せられる善の意義を失ふからである。 かやうにしてかの存在と同じくすべての存在の範疇を超越し、しかもすべての範疇に於てそれ自からを表はし得る善は、事物の偶有的屬性でも又本質的屬性でもあることを得ない、卽ちそれは事物の本質に對して外的關係に立つを得ず、從つてそれは必然的に事物の本質と同一であらねばならぬ。 然るに事物の本質とはその事物そのものであることであり、その事物であることはやがてその事物の存在そのものに外ならないゆゑに、善は事物の本質として、事物の存在そのものと同一でなければならぬ。 善が存在と同樣に超範疇的原理としてあらゆる存在の範疇に於て自から分化し得るのは、善と存在とのかかる根源的同一のためでなければならぬ、卽ち善は存在の善であつて、存在とは善の存在であるがためでなければならぬ。 そしてかやうに善と存在とが相蔽ふことによつて、存在は始めて『眞の存在』(τὸ ὄντως ὄν)となり、善は始めてそれの實在性を保證せられ、對象一般の意義と價値との根據となることが出來ると思ふ。しかもそれにかかはらずなほ存在と善とが區別せられるのは、存在が言はば善の形態であるに對し、善はどこまでも存在の意義であり、魂であり、この意味に於て存在を超えると考へられるとともに、この意義又は魂そのものも、一つの在り方として存在に於て考へられるがためである。ただ存在はそれが善に於て考へられる場合に始めて、上述のごとく眞の存在となる、否な善そのものこそかへつて眞の存在と考へられる限りに於て、丁度かの現實性が可能性に對し、形相が質料に對して、それの根源的同一にもかかはらず、優位を有つと考へられるやうに、善は存在に對して優位を有つと考へられ得るのである。かのプラトーンの『善のイデア』が『存在の最も光輝あるもの』τοῦ ὄντος τὸ φανότατον)(Politeia, 518 D)として規定され、又後にアウグスチヌスが『存在するものはすべて善である』(Omnia bona, quaecumque sunt)(Confessionum XII)といひ、又トーマス・アクヰナスが『すべての存在は善である』(Omne ens est bonum)(Summa Theologica I, Quaest V, Art. III. p. 37)と言つたのも、善に於て存在の意義を認め、存在に於て善の形態化を認めたものでなければならぬ。そしてこの存在に於ける善の意義と、善に於ける存在性格、換言すれば存在と善との内的聯關に於てここに『あるべき筈のもの』、即ち『存在當爲』(Seinsollen)の概念が成立するのである。 然しこの存在當爲はどこまでも存在の善であつて直ちに『何を吾々は爲すべきか又は避くべきか』を定めるところの、アリストテレースの所謂『人間の善』(τἀνθρώπινον ἀγαθόν)(Eth. Nicom. 1094 B)、從て『行爲當爲』(Tunsollen)ではない。 アリストテレースは上述のごとく『各々のものに本來的であるところのものが、各のものに對して本性上最上のもの(κράτιστος)であり(Ib. 1178 A)、又『最善のもの』(τὸ βέλτιστος)は『それ自身に於て望ましきもの』として『本質』(οὐσία)の中に含まれてをり(Topica, 149 B)そして『善と見えるものが體欲の對象であるに對し善であるものは理性的欲求の第一次的對象物である』(Met. 1072 A)と言ふが、然し如何にして事物に本來的のものが最上のもの、最善のものとして理性的欲求の第一次的對象となるべきであるか、換言すれば如何にして存在當爲は行爲當爲とならねばならず、又なることが出來るのであるか。 吾々は何等かの行爲當爲を豫想することなくして嚴密なる意味に於て當爲をば存在に於て想定することが出來るであらうか。 かのカントが『もし人が單に自然の經過のみに着眼するならば、當爲といふやうなものは全く何等の意味をも有たぬ。 吾々は自然に於て何が起るべき筈であるか、を全く問ふことは出來ぬ、それは丁度圓は如何なる性質を有つべき筈であるか、と問ひ得ないと同樣である、吾々はむしろ何が自然に於て起るか、又は如何なる性質を圓は有つか、と問ひ得るのみである』(K. d. r. V. S. 479—80)と言つたやうに存在そのものの立場に於ては、それが『そのものであるもの』たると『かくあるもの』たると、又は實體たると屬性たるとを問はず、すべては『ある』ものであつて、これと區別せらるべき『あるべき筈』のものといふやうなものの想定は全く無意義であるであらう、そこではあるべき筈のものはどこまでもあるものの一つの在り方として考へられ得るに過ぎぬから。　それゆゑにもし『あるべき筈』のものが『ある』ものに對して區別せらるべき獨自的意義を有ち得るためには吾々はこの存在そのものの抽象的一般性を超えて具體的行爲の立場に於て存在を反省せねばならぬ、存在に於て善を見るのみでなく、善に於て存在を見なければならぬ、否なこの存在と善との一致をば具體的なる行爲の主體に於て見なければならぬ、卽ち存在當爲の背後に行爲當爲を見なければならぬ。　或は存在の止揚はただ存在に於てのみ可能である、存在はただ存在へのみ超越することが出來るといふでもあらう。　然し存在の立場に於ける存在の否定は眞の否定でなく、存在への存在の超越は眞の超越ではない、眞の否定、眞の超越はただ存在と非存在、有と無との對立がそれに於て基礎付けられるやうな具體的なる無の立場に於てのみ可能でなければならぬ。そして吾々はこのやうに存在と非存在、有と無との對立がそれに於て媒介されるやうな具體的無をば、前に强調された意味に於ける『假定』の立場に於てのみ把捉することが出來ると思ふ、何故ならば吾々は假定の最も根源的なる基礎なき基礎付け的立場に於てのみ空無と實有との絕對的同一を見ることが出來るであらうから。假定とは決して單なる想定ではなくして、自己自からの眞の豫料であり、また同時に自己自からの眞の想起である、それは單なる氣隨ではなくしてむしろ自己條件付けによる自己超越である、從つて假定の立場は單なる觀照の立場ではなくして同時に行爲の立場である、單なる反省の立場ではなくして同時に基礎付けの立場である、否なそれは働らきを見ることとの立場であるとともに、見ることを働らく立場である、基礎付けを反省する立場であるとともに、反省そのものを基礎付ける立場である。假定の本質をなすところの『條件付け』は、條件と歸結との生ける綜合として、かやうに見ることと働らくこと、自己認識と自己意志との內面的統一の成立する自覺の場所でなければならぬ。吾々はこのやうな假定としての自覺の場所に於てのみ、必然に於て自由を見、存在を超えて純粹當爲の世界に直面することが出來るであらう。そしてかの善の概念は始めてかやうな假定の條件付けにもとづく自由の世界、當爲の世界に於て正當に意義付けらるべきである。即ち善はアリストテレースに於けるやうに決して單に觀らるべきものでなくして働らかるべきものである、觀照の對象ではなくしてどこまでも意志の對象である、吾々によつて目指されるために與へられたる絕對に成立せるエイドスではなくして、解決せらるべきものとして吾々に課せられたる問題としてのイデアでなければならぬ。それゆゑに善なるがゆゑに意志によつて目指されるのではない、意志によつて必然的に目指されることによつて善はむしろ產出せられるのである、否なそれが意志によつて目指されるゆゑに善であるのではない、それが意志によつて目指さるべきであるゆゑに善であるのである。意志によつて目指さるべきであるのは、それが善であるがためではない、それが假定としての、自己條件付けとしての意志の原本的なる自覺的本質にもとづくがためでなければならぬ。かやうにして善の善たるは單にそれの存在性にのみ存するのでなくして、それの當爲性に存する、しかもそれはかの存在當爲にもとづくのではなくして、行爲當爲にもとづくものでなければならぬ、否なアリストテレースに於てのやうに、存在が善に於てそれの意義を得、善が存在に於てそれの實在性を獲得するのは、この存在と善との兩者が行爲當爲に於て內面的に結付くがためでなければならぬ。吾々はこのやうな勝義に於ける行爲當爲の立場に於てのみ、本來的意味に於て善の目的論的性質をば理解することが出來るであらう。そしてかやうに善の存在論的考へ方からして目的論的考へ方への轉向こそ、やがてかの『善惡の概念が道德的法則(一見善惡の概念がその根柢に橫はらねばならぬやうに見えるが)の前にではなくして、却つてそれの後に且つそれによつてのみ規定されねばならぬ』、換言すれば善の概念から意志法則即ち當爲を導き出すのではなくして、却つて意志の法則即ち當爲からして意志の對象として善の概念が限定せらるべきである、となすところのカントの所謂『實踐理性批判に於ける方法の逆說』(Paradox der Methode in einer Kritik der reinen Vernunft) の根本精神であり、そしてここに實踐的領域に於けるかれのコペルニクス的轉回の意義が存することと思ふ。

以上に於て吾々はアリストテレースに於ける存在概念及び善の概念の超範疇

的性格を通じてこの兩者が內面的に相要求し、相結合すべきものであること、卽ち存在の價値性格とともに價値の存在性格が必然的に要求せられること、しかもこのやうに主として存在に於て善を考察する立場にあつては、この存在と善との一致に於て存在當爲は得られてもなほ行爲當爲は獲得せられない、これに於ては行爲當爲はむしろ存在當爲に基づけられてゐるのであるが、然し存在の善は必ずしも直ちに人間の善を基礎付けないで却つて存在の善とともに人間の善は吾々の行爲當爲によつて基礎付けらるべきではないであらうか、換言すればアリストテレースの存在論的價値倫理學はカントの當爲倫理學を豫想すべきものではないであらうか、といふことを見たのであるが、吾々は今やここにこのカントの當爲倫理學に反對して再びアリストテレース的なる價値倫理學に歸り、しかもかれに於ける價値槪念の存在論的優越性をば、現象學的本質直觀の立場に於て具體化し、所謂實質的價値倫理學を打建てやうとしたところのマックス・シェーラー、ニコライ・ハルトマン等の主張を反省することによりて、道德的法則の基礎槪念たる當爲と價値、法則と善との關係をば一層嚴密に規定し、道德的法則の原本的性質を明らかにしたいと思ふ。

四

先づシェーラーの實質的價値倫理學の根本的意圖が、その主著の序文に於てかれが言つてゐるやうに、『倫理學に對して問題となるすべての本質的なる根本問題に關して哲學的倫理學の嚴密に學的且つ積極的なる基礎付け』であり、そしてこれについての方法が、『先天的理念組織の領域をば、倫理學に對しても、かのカント以來慣例的に認められたる、純粹形式的實踐的者の先天的領域以上に擴張せしめる方法』である限り、かれの態度は全くフッサールの現象學的方法の實踐的適用に外ならない、そしてこれはかれ自からが、『私は實質的價値倫理學をば現象學的經驗の最も廣い基礎の上に發展せんと欲する』又『現象學的立場の統一及び意味についての方法的意識をば……吾々はエドムンド・フッサールの重要なる業績に感謝する』と言つてゐることからも明らかである(Scheler, Der Formalismus in der Ethik und die materiale Wertethik, Vorwort, S. V, VII, S. 1)。 そしてかれはかかる意圖をばかかる方法に於て實現せんとするに當り、その根本に於てかれと對立的立場として考へられるところのカントの先驗的當爲倫理學の批評から始める。 かれに從へば、カントの主張の徹底にのみ注意を拂ふところのすべての所謂『內在的批評』は、上述のごとき意圖に對して、あまり價値を有たぬ、吾々はむしろかのただ一部のみがカント自身から形成せられ、しかもその大部分はかれから默せしめられてゐるところのかのすべての『前提』をば顯はにすることが必要である、そしてこれ等の前提を通して、カント倫理學がそれの最も偉大且つ徹底的なる代表者であるところの『形式的倫理學一般の理念』をば批評に引入れなければならぬ(Ib. S. 2—3)。それではカント倫理學に於けるそのやうな諸前提とは如何なるものであるかといふに、シェーラーはこれをば形式的倫理學と實質的倫理學との對立に於ける八つの場合として指示してゐるのであるが、然しその中にて最も根本的なる前提として考へられるものは、その第二の『すべての實質的倫理學は必然的にただ經驗的歸納的且つ後天的妥當を有つものであり、形式的倫理學のみが先天的で、且つ歸納的經驗から獨立して確實である』(Ib. S. 3)といふことであらう、何故ならばカントの他の諸前提に於ける對立、卽ち財倫理學及び目的倫理學と當爲倫理學、結果倫理學と心情倫理學、快樂主義と嚴肅主義、他律的と自律的、適法性と道德性、人格の方便性と尊嚴、利己主義と人道主義等の對立は、カントに於てはその終極に於て道德的原理の後天性と先天性、及び實質性と形式性との對立にもとづくと考へ得るとともに、又シェーラー自からの倫理學の主要動機が、どこまでもカントの先天主義との聯關に於て、形式主義の克服と實質主義の救護をば行ふこと、換言すれば先天的であつてしかも形式的でなく、實質的であつてしかも後天的でないところの先天的實質的なる倫理學をば打建てることに外ならないからである。

シェーラーによればカントが歴史的、心理學的又は生物學的の歸納的經驗にもとづくあらゆる倫理學をば排斥したのは全く正當である。然しかやうに倫理的命題は經驗的でなくして先天的であらねばならぬ、といふカントの主張が正しいにしても、如何やうにしてこの先天性は理解せらるべきか、といふことについてのかれの説明は不定的である。かれは道德法をば『理性の事實』としてそれの先天性を證示しようとするでもあらうが、然しこの理性の事實と單なる自然的又は心理的事實との間の區別はかれに於て充分明瞭にせられてゐるといふことを得ない。如何にして道德法といふやうな法則が事實と稱せられ得るか、といふことは、『自然的及び學的經驗の中に既に形相又は前提として附着してゐるところのものが、そこに直觀の事實として指示せられるところの現象學的經驗』(Ib. S. 42)の立場に自覺的に立たないカントに於て充分明らかにせられ得ないのは當然で、あるであらう。元來先天的とは如何なる意味であるか。カントに於ては先天的とは『經驗から、そして感能のあらゆる印象からすらの獨立』(K. d. r. V. S. 48)、從つてまた『必然性と嚴密なる普遍性』(Ib. S. 49)であり、それゆゑにそれはまた非質料性に於て『形式的』と歸一する(Ib. S. 76)のであるが、然し具體的に考ふれば、『それを思惟する主觀及びこれ等主觀の實在的自然性質の措定のすべての種類と、それが適用され得べき對象の措定のすべての種類とを離れて、直接的直觀の內實により自己所與性に到達するところのあらゆる理念的意味統一及び命題』が眞に先天的として特徵付けらるべきであつて、從つてあらゆる先天性が必ずしも形式的であるのではなく、直接的直觀の內實と聯關することに於てまたそれは實質的たることが出來るのである。そしてかかる直覺の純粹事實のみが、それ自から與へられる限りに於て、むしろそれの聯關とともに『洞察的』又は『明證的』となるのである(Scheler, Formal. i. d. Eth. u. Werteth. S. 43, 47)。

以上のごとき『先天的』といふことの意味からして、次のことが明らかとなる、卽ち『先天的-明證的のもの』の領域は形式的のものと何の關係もなく、又先天的と後天的との對立は、形式的と實質的との對立と何の關係もない』(Ib. S. 48)。そしてその中に於て、第一の先天的と後天的との區別は『絶對的』であり、そしてこれは『概念及び命題を充たすところの內實の相異』にもとづいてゐるに對し、第二の形式的と實質的との區別は『相對的』であり、そしてただそれの普遍性に關して概念及び命題の上へ、同時に關係せしめられてゐるのみである。例へば純粹論理の命題と算術の命題とは同樣に先天的であるが、しかも前者は後者に比して形式的であり、後者は前者に比して實質的であることを妨げない、何故ならば後者に對してはそを充たすに直觀質料の餘分が必要であるから(Ib. S. 48)。かくして先天的に洞察されたものの領域內で、形式的のものと實質的のものとの最も廣い區別が存する、そして價値論に於ても同樣に『形式的に先天的のもの』と『實質的に先天的のもの』との極めて重要なる區別が見出される。 然るに他方に於てただ後天的にのみ妥當するところの、從つてただ觀察の事實によりてのみ充たされ得べきすべての命題に於ても、それの『論理的形式』とそれの『實質的內實』とが區別せられる、卽ち後天的と考へられるものも、やはり形式的契機を有つ。 それゆゑに先天的と形式的、後天的と實質的との同一視は、カントの敎說の根本誤謬である、そしてこの誤謬は、その倫理的形式主義に對してのみならず、又かれの所謂形式的理想主義に對しても、その根柢に横はつてゐるのである(Ib. S. 49)。

右のごとき先天的と形式的、後天的と實質的との同一視と聯關して、カントに於ては、又先天的と思惟的、後天的と感性的との同一視が行はれてゐるが、然しかかる同一視が理論的領域に於ても實踐的領域に於ても正當でないことは言ふまでもない。例へば、色又は音の中に存する如何なるものも感性的でないと同樣に、努力及び意志に對しても、その實質は必ずしも感性的であるを要しない、卽ち『理性の法則のかはりに、實質によつて規定されてゐるところの意欲は、それがこの場合吾々の感性的感情狀態へ、意欲に於て實在性に達するところの內容が隨時に反應することから規定されてゐるといふことのために、既に先天的に規定されてゐない、といふカントの主張は、事實に於てすべての基礎を失ふものである』(Ib. S. 49—50, 56)。卽ちカントが意欲のすべての實質をば、快不快の經驗によつて規定されたものとなした場合に、それはまさしく眞の事實の顚倒であつた、否な法則の理念が意欲に對して規定的であるところでも、法則はなほ意欲の(少くとも純粹意欲の)實質である、卽ちここでは法則の實現が、意欲の可能的實質の一つとして意欲せられてゐるのである、しかもこの實質は、意欲の形象内容がよつて始めて規定されるところの價値性質に於て成立するがゆゑに、先天的たり得るのである(Ib. S. 58)。しかのみならずかく實質的と感性的とが必ずしも相蔽はないのと聯關して、先天的と思惟的とも必ずしも相卽しない。直觀に對して『與へられたもの』は直接には先天的であり、又判斷に於て『思惟された』命題は、それが現象學的經驗の事實によつて充實を見出す限りに於てのみ先天的と稱せられるのである。認識の要素は感覺的內實か、それとも思惟されたものかであらねばならぬといふ敎說ほど經驗の理說を妨げるものはない。思ふに純粹なる作用及び作用法則をもつものは、吾々の全精神生活であつて、決して單に對象的認識及び存在認識の意味に於ける思惟のみではない、精神の『情緖的なるもの』(das Emotionale)、卽ち『感得』(Fühlen)『選取』(Vorziehen)、『愛』(Lieben)、『憎』(Hassen)、『意欲』(Wollen)等もまた決して思惟から借り來られざる、そして倫理學が論理學から獨立的に示さねばならぬところの『原本的先天的內實』を有つのである。かのパスカルが適切にも言つたやうに、そこには先天的なる『心情の秩序』(ordre du coeur)又は『心情の論理』(logique du coeur)が存するのである。然るにこれに對してかの『理性』(ratio)てふ語は、それが感性に對立された場合には、特に精神の論理的側面のみを示して、それの非論理的先天的側面をば示さない。かくしてカントは純粹意欲をば實踐理性に歸せしめ、そしてこれとともに意志作用の原本性を見失つたのである(Ib. S. 58, 59)。それゆゑに人間精神は理性と感性との對立によつて盡されるといふ古くからの臆見が徹底的に止揚されることによつて始めて『先天的實質的價値倫理學』は可能となる。『價値現象學』と『情緒的生活の現象學』とは論理學から獨立せる、全然自立的なる對象領域及び探究領域であらねばならぬ(Ib. S. 60)。それゆゑに吾々がカントに反してここに決定的に要求するのは『情緒的のものの先天主義』(Apriorismus des Emotionalen)と、從來先天主義と合理主義との間に認められた誤れる統一の分離とである。合理的倫理學から區別された情緒的倫理學も、上述のごとき意味に於て充分先天的であり得る、卽ち感得、選取、愛憎等のごとき情緒的なるものも、かの純粹思惟法則と同樣に歸納的經驗から獨立的であるところの先天的內實を有つ、そしてここにもまた作用及びそれの實質、それの基底付け及び聯關等について本質直觀が存する、それゆゑにまた現象學的確立の明證と最も嚴密なる正確性とが存するのである(Ib. S. 61)。

かやうにしてすべての『價値先天』、從つて『道德的價値先天』の本來的所在は『かの感得、選取に於て、結局愛憎に於て自からを打建てるところの價値認識又は價値直觀、並びに價値及びそれの高下の聯關の認識又は直觀、卽ち道德的認識』である、そしてこのやうな認識はあらゆる知覺及び思惟から絕對に異るところの、そして價値の世界への唯一可能の通路をつくるところの特種的なる機能及び作用に於て起るのである。そしてそれ自からの先天的內實と明證とを有つたかかる價値認識の上へ、道德的意欲、否な道德的態度一般は、『各意欲は先づ第一にこの作用の中に與へられたる價値の實現へ向けられてゐる』といふやうに基底付けられてゐるのである。そしてこの價値が道德的認識に於て『事實的に與へられてゐる』限りに於てのみ、意欲は盲目的意欲から區別されたる『道德的に洞察的なる意欲』となり、そしてかの『すべての善なる意欲は善の認識に於て基底付けられてゐる』といふソクラテース的命題が囘復せられるのである(Ib. S. 64—5)。然るにカントはかかる根本的關係をば全く見失つてゐる、かれは道德的認識の全領域、從つて倫理的アプリオーリの本來的所在をば看過してゐる。卽ちかれが理論哲學に於てアプリオーリをば、すべての判斷の根柢に存する直觀の內實からのかはりに、判斷機能から導出したやうに、ここでもかの感得、選取、愛憎等に於て本質必然的に行はれるところの道德的認識の內實からのかはりに、アプリオーリをば意志作用から導出さんと欲する、それがためにかれには道德的洞察の事實は知られないで、そのかはりに『義務意識』が現はれて來る。然るにカントに於ては義務とは『原理に從ふ行爲の必然性』として『當爲』を表現する概念である限り、たとひそれは『可能的なる道德的洞察の內容の自動的主觀的實現の可能的形式の一つ』であるとはいへ、決して道德的洞察そのものではない、何故ならば義務意識は、充分の意味に於ける道德的洞察が缺けてゐる場合にも、それのみで現はれ得るからである(Ib. S. 66)。しかのみならず、すべての義務、卽ち當爲必然性は價値の間の先天的聯關に於ける洞察へ歸着する、しかもかかる洞察が當爲必然性へ歸着するのではないのである。それゆゑに善であるところのもの又はそれが善であるゆゑに必然的にあるべき筈であるもののみが義務となり得るのである、從つて義務又は當爲必然性をば善であるところのものの洞察の前におくことは誤りである。かやうにして一般に『すべての當爲は價値に於て基底付けられねばならぬ、卽ちただ價値のみがあるべき筈であつたり又あるべき筈でなかつたりする、卽ち積極的價値のみがあるべき筈でありそして消極的價値のみがあるべき筈でない』といふことが出來るのである (Ib. S.

72, 79)。

然しながらここに問はるべきことは、義務としての當爲、卽ち『義務當爲』(Pflichtsollen) 又はハルトマンの所謂『行爲當爲』(Tunsollen)が價値に於て基底付けられるといふことは如何にして可能であるか、卽ち情緒的なる感得、選取、愛憎の對象として直觀せられる理念的存在又は本質としての價値が行爲の對象として義務當爲、又は行爲當爲となることが如何して出來るかといふことである。今この理念的存在又は本質としての價値が現實的なる義務當爲又は行爲當爲に移行き得るのは、この兩者の間にそれを結付くべき『理念的當爲』(ideales Sollen)又はハルトマンの所謂『理念的存在當爲』(ideales Seinsollen)が想定せられることにもとづくのであるが然しこの價値と理念的當爲又は理念的存在當爲と及び義務當爲又は行爲當爲との間の聯關についてシェーラーとハルトマンとに於て必ずしも一致しない。先づハルトマンに從へば、價値はそれの實質が『非實在的』であるゆゑに『あるべき筈のもの』であるのではない、『人はかれが現にある通りにあるべき筈である』といふことは何等の矛盾でも、また同義反復でもない。そして若し人がこの命題を飜へして『人はかれがあるべき筈である通りにある』とするならば、それは有意義なる、完全に一義的なる價値賓辭を表はし、しかもこの價値賓辭は當爲の形式を有つのである。このことからして當爲の要素は既に價値の本質にともに屬してをり、從つて價値の理念的在り方の中に含まれてゐなければならぬといふことが分明する。しかもこの意味に於ける當爲は、決して意欲する主觀の上へ向けられるところの行爲當爲でなくして、それは單に理念的なる存在當爲に外ならない。卽ち『或るものがそれ自體に價値がある』といふことは直ちに『或る人がそれを爲すべき筈である』といふことを伴はない、しかもそれは充分に『それはあるべき筈である、しかも無制約的にあるべき筈である』といふことを表はす。そして何人かにこの存在當爲が缺如し、しかもそれがかれから努力によつて達せられ得る場合にそれは行爲當爲となる、從つて行爲當爲は常に存在當爲によつて制約せられるが、然しすべての存在當爲に行爲當爲が附着してゐるのではないのである。それではこの存在當爲は價値に對して如何やうに聯關するかといふに、この存在當爲は價値自からの中に於ける二律背反にもとづくといふことが出來る卽ち價値はそれ自からの本性上實在的存在及び非存在に對して全く無關係であると同時に、またそれに對して決して無關係ではない、換言すれば、『それは理念的でありながら、しかも同時に實在性と緊密に關係せしめられてゐる』、しかもこの『二重性』に於てまさしく價値に於ける『理念的存在當爲』は成立するのである、從つてそれは『價値が現實的のものの領域へ向けられてゐることの理念』又は『理念的のものから實在的のものへの價値發現の理念』であるといふことが出來る。それではかやうに價値と理念的存在當爲とが密接に結付いてゐることのためにそれは一つに歸するかといふに決してさうでない、卽ち理念的存在當爲は『或るものへの方向』を意味するに對して、價値は『方向が向ふところの或るものそのもの』である、又は前者は『價値の在り方』であり、決して實質の構造に歸着しないところの價値の様相であるに對して、後者卽ち價値は『當爲の內容』であり、『理念的存在當爲の存在様相をばその存在様相とするところの範疇的構造』である、略言すれば、存在當爲が『價値の形式的制約』であるに對し、價値は『存在當爲の實質的制約』であると言ひ得るであらう (N. Hartmann, Ethik, S. 154—5)。 かやうにハルトマンに於ては理念的存在としての價値は、それ自からに於ける二重性を通じて同時に理念的存在當爲を含む、しかもこの存在當爲と價値とは決して同一的でなくして、嚴密なる『相關々係』又は『交互的制約性』に於て立つのであるが、これに對してシェーラーに於ては、理念的當爲又は理念的存在當爲と價値との聯關は、かの『すべての積極的に有價値のものは、あるべき筈でありすべての消極的に有價値のものはあるべき筈でない』といふ根本命題に於て想定せられ得るやうに、價値に於て當爲が基底付けられるのであつて、當爲に於て價値が基底付けられるのではない、從つてこの兩者の關係は決してかのハルトマンに於けるやうに『交互的聯關』ではなくして『一方面的聯關』である。卽ち價値は實存又は非實存に關して原理的に無關心的に與へられてゐるに對して、すべての當爲は直ちに實存又は非實存の領域へ關係せしめられてゐる、卽ち『或るものがあるべき筈である』といふ場合には、吾々はこの『或るもの』をば『實存せざるもの』として、又非存在當爲の場合には、『實存するもの』として把捉するのである。かやうに存在當爲は必然的に積極的價値の何たるかを示すを得ない、却つてそれは常に消極的價値の反對としてのみ積極的價値を規定する、從つてすべての當爲は不價値を排除することの上へ向けられ、積極的價値を定立することの上へ向けられてゐないのである。それではこのやうな存在當爲は如何にして行爲當爲又は義務當爲へ移行くかといふに、この理念的存在當爲は、それの內容が同時に努力によるそれの可能的實現に關して體驗せられる間に『要求』(Forderung)となる、そしてこの要求にもとづいて、『何故に私はあるべき筈のものを爲すべき筈であるか』といふこと、卽ち理念的存在當爲から行爲當爲への移行きが可能となるのである。卽ち『價値が非存在として與へられてゐるところにのみ當爲について語られる』といふことが理念的存在當爲の本性中に存するやうに『努力が原本的志向に於て既に關係せしめられてゐないところの價値の措定へ命法(Imperativ)は常に關係する』といふことが、すべての種類の命法に屬すのである。そしてこのことは、すべての命令的命題の根柢には『努力の理念的非存在當爲』(ein ideales Nichtseinsollen eines Strebens)が橫はるといふことを意味する。それがために吾々のすべての『命令的倫理學』(imperative Ethik)は本來『單に消極的批判的且つ抑壓的なる性格』を有つといふことを見るのである(Scheler, Formal. i. d. Eth. u. mat. Werteth., S. 210, 212, 215)。かやうにハルトマンに於ては理念的存在當爲は價値の含む二律背反的二重性にもとづくもの、從つてこれと當爲との關係は全く相關々係又は交互制約關係であるに對し、シェーラーに於ては、價値が全然存在及び非存在に對して無關心的であるに對して理念的存在當爲は決して存在及び非存在に對し無關心でなく、常に『或るものの存在當爲』としてこの或るものの實存及び非實存に關係を有つ、從つてこの存在當爲と價値との關係は交互的でなくして一方面的である、ただこの理念的存在當爲が何人かに缺けてをり、しかもそれの實現が努力の對象となるときこれは行爲當爲となるといふことに於て兩者とも一致する。吾々は價値と當爲との內的關係に於て彼等がともに當爲に對する價値の優位の立場に立ちながら、ハルトマンがかく價値と存在當爲との相關々係又は交互制約關係を認めたところに、丁度その倫理學の出發點に於て『何を吾々は爲すべきであるか』といふことをば『何が生に於て、否な世界一般に於て有價値であるか』といふこととともに倫理學の二つの根本問題として認めたやうに、ここでも當爲倫理學と價値倫理學との調和についてのかれの意圖を見るとともに、この意圖の實行がその形式的整合にもかかはらず、却つてそのためにかの當爲倫理學に反對して出發せられたる先天的情緒倫理學としての價値倫理學の本來的特質が稀薄となり、抽象的形式的となつたことを否定し得ないのに對し、シェーラーに於てはどこまでも價値の純粹理念性と存在當爲に於ける理念と實在性との緊張關係とを價値への聯關に於て認めることによつて、價値と存在當爲との間の一方面的關係をば强調し、かくして當爲に對する價値の優位、從つてまた當爲倫理學に對する價値倫理學の優位の思想をば却つてより充分に徹底してゐることを否定することを得ない。

以上に於て吾々は、現象學的實質的價値倫理學がカントの先驗的當爲倫理學の諸前提、特に先天的と形式的、後天的と實質的との同一視、及び先天的と思惟的、後天的と感性的との同一視の批評を通じて、先天的にしてしかも實質的なる領域をば價値に於て見出すことによりて先天的實質的値價倫理學の可能を證示するとともに、精神に於ける理性的と感性的との領域の外に、同様に原本的なる情緒的ののの領域を認めることによりて、かのカントに於て實踐理性としてどこまでも理性的のものの領域に屬せしめられたる意志をば、むしろこの情緒的のものの領域に移し、かくして理性に對する意志の獨立性をば回復するとともに、これまで理性的のものの領域に於て認められたる價値をば情緒的のものに於ける本質直觀の對象となすことによりて、カントに於ける實踐理性としての意志の倫理學に對して情緒的のものの倫理學をば確立したところに、現象學的價値倫理學がカントの先驗的當爲倫理學に對して自からを特徴付ける深き意義と價値とが存する所以を比較的立ち入つて敍述したのであるが、然しそれにもかかはらずここに問はるべきことは、かやうにしてカントの純粹意志の倫理學としての當爲倫理學をば超えたものと考へられる實質的價値倫理學は、道德的事象の極めて具體的且つ本質的なる把捉と規定とに拘はらず、むしろかのアリストテレースの價値倫理學への歸還であつて、これは再びカントの實踐的領域に於けるコペルニクス的轉回として先驗的當爲倫理學によつて超えらるべき根本契機をば依然として含んでゐるのではないかといふことである。先づカントの當爲倫理學の前提として揭げられた先天的と後天的、形式的と實質的との二つの對立の結合に於て、かのシェーラーの指摘したやうに、前者の對立が絕對的對立であるに對して、後者の對立は相對的對立であるゆゑにこの兩者は直接的に結付けられることを得ない、卽ちあらゆる先天的なるものが必ずしも形式的でなく、またあらゆる實質的のものが必ずしも後天的たるを要しない、從つてそこに先天的にして且つ實質的なる倫理學の可能であることはこれを否定することを得ないであらう。然しながらそれにもかかはらず、この形式的と實質的との對立をば先天的と後天的との對立に結付けることは決してカントに於て始めて想定せられたものでなくして、後に一層詳しく論ぜられる機會があるやうに、言はばギリシャ時代以來の質料と形相、感性的者と非感性的者との對立に結付く傳統的考へ方であり、しかもこの對立が人生及び世界の哲學的意義に對して深い關係を有つと考へられる限りに於て、カントがこれに從ふて『一切の現象の質料がただ後天的にのみ與へられてゐるに反し、現象の形式は感覺に對してすべて先天的に心性に具へられてゐる、從つてそれは一切の感覺からはなれて考察せられ得なければならぬ』(K. d. r. V. S. 76)と言つても必ずしも無意義又は不正當として排斥せらるべきでないであらう。それゆゑに若し一度形式的と實質的、先天的と後天的とをばかかる意義に於て規定し結付けることが許されるならば、その時實質的倫理學は必然的に歸納的經驗にもとづく後天的のものであつて、從つて當然普遍妥當性を要求し得ないものとして排除せらるべきものであるといふこと、又他方に於てかやうな限定に於ける形式的倫理學もそれがために決して無內容ではなく、卽ち意欲のすべての實質が快不快の經驗によつて規定されたものとして排除せられ、そこに意欲の純粹形式として法則のみが殘された場合に於てすら、法則そのものが却つて意欲の、少くとも純粹意欲の實質であるといふことをばシェーラー自からも認めてゐる(Formal. i. d. Eth. u. mat. Werteth. S. 58)。かやうにしてカント的意味に於て規定せられたる實質的倫理學はどこまでも經驗的後天的であつて先天的たることを得ず、又實質的といふことシェーラーに於けるやうに存在論的に理解せられるならば、カントの形式的倫理學もまた實質的たることが出來るのである。ただカントに於てかやうに承認せられ得べき先天的實質的なるもの、例へば法則又は法則性といふやうなものは、かの現象學的倫理學に於ける價値が實質的レギオンを有つ『實質的本質』である對して、言はば單に形式的レギオンを有つ『形式的本質』に過ぎぬとも言ひ得るであらう。かくして問題はカントの先天的形式的倫理學は果して實質的レギオンを有つ實質的本質の學として可能でないであらうか、換言すれば、カント倫理學に於ける當爲といふやうな形式的なる概念こそ却つて眞に實質的本質的なるものであつて、かの實質的價値倫理學に於ける上述のやうな價値の概念はむしろ抽象的なる形式的本質的なるものではないであらうか、從つてまた分析的立場に於て當爲が價値の概念に於て『基底付け』られてゐるとしても、しかし綜合的立場に於てはむしろ當爲の概念によつて價値の概念が『根據付』けられてゐると考へ得ないであらうか。吾々はこれ等の疑問を解決するために、當爲の概念から出發するところのカントの道德的原理の形式性の意味を一層立入つて反省することによりて、この形式性そのものに於ける先天的實質性を明らかにし、當爲と價値、意志と情緒的のものとの原本的關係を規定し、上述のごときシェーラーやハルトマンの批評に對してカントの當爲倫理學が如何やうに救護せらるべきかを考へて見たいと思ふ。

五

先づカントに於ける道德的法則は如何なる特質を有つか。カントに從へば一般に『道德的原則』(praktischer Grundsatz)とは『多くの實踐的規律が從屬するところの意志の普遍的規定を含むところの命題』であるが、これは『制約がただ主觀の意志に對して妥當するものとしてのみ主觀から見られる』場合には主觀的である、卽ち『格率』(Maxime)であるに對し、『制約が客觀的として、卽ちすべての理性的存在者の意志に對して妥當するものとして承認される場合』にはそれは客觀的である、卽ち『實踐的法則』(praktisches Gesetz)である(K. d. p. V. S. 23)。然るに今かの自然認識の場合に於ては、理性の使用は理論的であつて對象の性質によつて規定されるゆゑに、生起する事象の原理は同時に『自然法則』であるに對して、實踐的認識に於ては、ただ意志の規定根據のみがそこに問題とせられるゆゑに、人が自からつくるところの原理はかれが必ずその下に立つてゐるところの法則ではない。それゆゑにこの實踐的規律は、かやうに理性が意志の唯一の規定根據でない存在者に對しては『命法』(Imperativ)として、卽ち行爲の客觀的强要を表はすところの『當爲』(Sollen)によりて特徴付けられる規律として自からを表現するのである。然るに命法は『動力因としての理性的存在者の因果性の制約をば、結果並びに結果を生ずるに充分といふ點についてのみ規定する』か、それとも『意志が結果を生ずるに充分であるかないかに關せず、意志をのみ規定する』かである、そして前者は必然的に『假言命法』(hypothetischer Imperativ)であつて、單なる『熟練の敎則』に過ぎぬのに對し、後者は『定言命法』kategorischer Imperativ)であつて、これのみが『實踐的法則』であり得るのである(K. d. p. V. S. 24)。それゆゑに實踐的法則は意志の因果性によりて到達するものをば考への中に入れることなくして先づ意志自からにのみ關係する、從つて實踐的法則がそれの純粹性に於て確立せられるためには、かの意志の因果性によつて到達せられるもの、卽ち意志の實質が捨象せられねばならぬ。そして意志のすべての對象物、卽ち實質が法則から捨象せられるときそこに殘るものは、純粹なる意志の働き方そのもの、卽ち『普遍的立法の單なる形式』に外ならないのである(Ib. S. 34)。

かやうにして實踐的立法はあらゆる經驗的契機を捨象し、意志の單なる形式のみを內容とするゆゑに、これが認識は必然的に經驗そのものから來るを得ないのみならず、それはまた理性の先行の與件、例へば自由の意識といふやうなものから導出すことを得ない、何故ならば道德的法則はそれ自から自由の概念に於て基礎付けらるべきものではあつても、然し自由の意識はむしろ道德的法則の意識を通してのみ可能であらねばならぬ、換言すれば、自由は『道德的法則の實在根據』であるが、然し道德的法則は『自由の認識根據』であらねばならぬからである。かやうに實踐的法則はただに經驗的直觀のみならず純粹直觀にももとづかず、しかも無制約的、必然的に妥當するところの先天的綜合命題として吾々に迫り來るのである、即ちこの實踐的法則は、それが如實に遂行せられる實例をば經驗に於て發見し得ないにしても、それは先天的に吾々に意識せられ、且つ普遍的に妥當するものである、從つてこの法則の客觀的實在性は理論理性に於ける如何なる演繹によりても證明せられない、しかもそれ自身だけで絕對に確立してゐるのである。カントが道德的法則をば『理性の事實』(Faktum der Vernunft)として特徵付けたのは、この法則の認識の右のやうな直接性と絕對性とのためでなければならぬ、換言すればこの法則の所與性が『經驗的事實ではなくして、この法則をば原本的立法的(余はかくのごとく欲する、余はかくのごとく命ずる、sic volo, sic iubeo)として示すところの純粹理性の唯一の事實』であるがためでなければならぬ(Ib. S. 40—1, S. 4 Anm.)。かくしてあらゆる經驗的契機を捨象し、理性の純粹なる働らき方、卽ち普遍的立法の單なる形式に於てのみ成立すべき定言命法は周知のごとく先づその第一の形式として次のごとく表はされる、卽ち『汝の意志の格率が常に同時に普遍的立法の原理として妥當し得るやうに行爲せよ』(Ib. S. 39)、又は『それが普遍的法則となることをば汝が同時に意志し得るやうな格率に從ふてのみ行爲せよ』(Grundl. z. M. d. Sitt. S. 44)。然しながらこの法則の普遍性又は普遍的法則性といふことは、カント自からも認めてゐるやうに、どこまでも道德的法則の『形式』又は形式的規定であつて眞の內實ではないであらう。ヘーゲルがこのカントの定言命法の第一の型式を評して言つたやうに、汝の格率が普遍的原則として立てられ得るかどうかを考へよといふ命題は、爲すべきことに關する特定の原理をば吾々が既に有つた場合には妥當であらうが、しかしそこにかかる原理の存在しない場合には、かやうな命題は全く空虛で、何ものをも產出し得ない、とも考へ得るであらう(Hegel, Phil. d. Rechts, herausg.

s. Glockner, S. 195 Zusatz)。それゆゑにこの法則の普遍性又は普遍的法則性といふことは道徳的法則の形式又は形式的內實であることが出來ても、しかしそれは法則の眞の內實又は實質的內實であり得ないといふことは拒否することを得ない、卽ちこの定言命法の第一の型式は、ヘーゲルのいふやうに必然的にそれの實質的內實を有つところの法則をば豫想することに於てのみそれの意義を全うするものでなければならぬ。それでは道徳的法則のかかる實質的內實を構成するところのものは何であるか、といふに、カントはこれをば『目的』(Zweck)の概念に於て見出す(Grundl. z. M. d. Sitt, S. 62)。この目的そのものの概念はかの『第三批判』の序說に於て示されてゐるやうに本來、悟性の概念でも、判斷力の概念でもなくして、理性の概念、又は意志の概念である(判斷力に於ける合目的性の概念は理性的意志に於けるこの目的自體又は究極目的の概念にもとづくものでなければならぬ)。實踐理性としての意志とはカントに從へば、『規律の表現に從ふて自からの因果性を規定する能力』(K. d. p. V. S. 41)又は『或る法則の表象に從ふて自己自からを行爲にまで規定する能力』(Grundl. z. M. d. Sitt. S. 51)である限りに於て、それは必ず行爲の動機、從つて行爲に於て實現せらるべきものに關係する、そしてかく『意志に對してその自己規定の客觀的根據に役立つところのもの』がやがて『目的』に外ならない、意志が『目的の能力』として規定せられるのはこれがためでなければならぬ(Grundl. z. M. d. Sitt. S. 51; K. d. p. V. S. 77)。然るに今理性的存在者が自己の行爲の結果として任意に定めるところの目的、卽ち『實質的目的』はすべて相對的であつて、これは假言命法の根據であるに過ぎぬのに對し、若しそこに、それの存在がそれ自體に於て絕對的價値を有つところのもの、卽ち『目的自體』(Zweck an sich)といふやうなものが可能であるならば、それこそ定言命法の根據となり得るものでなければならぬ。それゆゑに若しそこに人間的意志に對して定言命法が存在すべきであるならば、それは目的自體であるがゆゑに何人に對しても必然的に目的であるものの表象から意志の客觀的原理を構成し、從つて普遍的實踐的法則に役立ち得るものであらねばならぬ(Grundl. z. M. d. Sitt. S. 52, 53)。然るに人間は自己自からの存在をば必然的に目的自體として表象するのみならず、又あらゆる理性的存在者も、同一の理性根據からして、かれの存在をば目的自身として表象するゆゑに、この目的自體の原理はそれがその本性上主觀的原理であると同時にまた客觀的原理であるといふことが出來る。かくしてカントの道德的法則の形式的內實の規定としてのかの第一の型式は、この目的自體といふ普遍的實質的內實に於て成立するところの第二の型式に於てそれの充實を見出すといふことは全く當然であらねばならぬ。卽ち『汝は汝の人格に於てもまたすべての他の人格に於ても、人間性をば常に同時に目的として取扱ひ、決して單に手段としてのみ取扱はぬやう行爲せよ』(Ib. S. 54)。そしてこの目的自體としての人間性の原理がただに實質的であるのみならず先天的であるのは、第一にはそれがあらゆる理性的存在者に妥當するといふ普遍性により、第二には人間性が、人間の主觀的目的としてではなくして吾々がどんな目的を有たうと欲しても、法則としてすべての主觀的目的の最上の制約を構成すべきであるところの客觀的目的として表象せられ、從つてそれは純粹理性から生じなければならぬといふことによるのである(Ib. S. 56)。かやうにして吾吾は今やこの第二の型式に於て始めて眞の意味に於ける道德的法則の實質的規定を見る、卽ちここでは道德的法則は決してかの第一の型式に於けるやうに、普遍化せられたものとしての自我とその格率との一致といふやうなものではなくして、目的自體としての自我とその格率との一致である、卽ちかの第一の型式が、自然法則をば範型とすることに於て、むしろ抽象的普遍化の法則と見えるに對して、これは目的自體としての人格の自己立法の法則であり、そしてこの自己立法の法則は、單に自己からの立法の法則ではなくして、自己への立法の法則である限りに於て、これはどこまでも具體的普遍化の法則、卽ち普遍化が同時に個別化であるやうな眞實なる法則であると言はねばならぬ。かくしてカントが以前に、感情をば刺戟し、欲求をば目覺ましめる對象の表象と同一なるものとして斥けた目的の概念は、ここに新しく且つ深き意味に於て復活せられて來たのである。そしてこの目的の概念とともに、人格と物件、個體たると同時に普遍性を荷ふものとしての理性的存在者と、單なる特殊的個體としての物的存在者との區別が深く意義付けられたのである。卽ち目的自體の概念を外にしては自律的人格の概念は充實せられず、この自律的人格の概念を外にしては自由の實現としての道德性の概念は空虛に終るであらう。吾々の道德的對象界は實にかかる目的自體としての人格の概念に於て始めて所謂『目的の王國』として成立すると言はねばならぬ。かの定言命法の第三の型式、卽ち『普遍的立法的意志としてのすべての理性的存在者の意志の理念』(Ib. S. 56)は、實にかの第一の型式に於ける『意志の形式の統一性(意志の普遍性)の範疇』から、第二の型式に於ける『實質(對象物卽ち目的)の多數性の範疇』へ進みゆき、これが更に、この第三の型式に於て『これ等實質の體系の全體性又は總體性の範疇』へ移行したものに外ならない(Ib. S. 63)。かやうにしてここにかの普遍的立法の單なる形式に對して、より廣き實在的意義が生じて來るのである、そしてこのことは當爲の存在が、共同社會的法則の下に於けるすべての理性的存在者の體系的結合とともに、すべての道德的認識及びすべての意志の對象の體系的結合をばそこに見出すところの目的の王國に於て可能となるのである。純粹實踐理性の唯一的規定根據と考へられたる普遍的立法の形式はかのコーヘンの解するやうに今や常に同時に目的として、決して單に手段としてのみ考へられ且つ使用されることを許さないところの『自律的存在者の共同社會』として充實される。思ふに道德的自覺は『先づ法則の共同社會』から生ずる。道德が主觀の感情に根ざさないで、却つて客觀的法則にもとづいてゐなければならぬと考へられるやうに、今や法則は實際共同社會の思想に依存し、またこれに於てのみ意味を有つ。法則のかかる共同社會はやがて『立法の共同社會』、從つて『立法者の共同社會』であり、そしてこれは同時に『絕對的目的の共同社會』であらねばならぬ。かくして自律的存在者の共同社會は形式的道德的法則をば充たす實質的內容であらねばならぬ(Cohen, Kants

Begründung der Ethik, S. 226, 227)。

今若しカントに於ける定言命法としての道德的法則の性質にして以上のごときものとするならば吾々が道德的價値として特徴付けるところの『善及び惡』は如何なる性質のものであり、また道德的法則に對して如何なる關係に於て立つであらうか。カントによれば、この善及び惡は言ふまでもなく實踐理性そのものの目指す對象である。實踐理性の對象とはかれによれば『自由による可能的結果としての對象物の表象』である。それゆゑに、或るものが純粹實踐理性の對象であるかどうかの判定は、若し吾々にして所要の能力さへあれば、或る對象がそれによつて實現されるところの行爲をば意欲することが可能であるか又は不可能であるかの區別に外ならない。そしてこの場合、若し對象物が吾々の欲求能力の規定根據であるとするならば、それについての物理的能力の可能又は不可能は、それが實踐理性の對象であるかどうかの判定に先立たねばならぬ、然るに若し先天的法則が行爲の規定根據として考へられ得るならば、或るものが實踐理性の對象であるかどうかの判斷は、それについての吾々の物理的能力に依存しないで、行爲の道德的可能性といふことがどこまでもそれの物理的可能性といふことに先行せねばならぬ、何故ならば行爲の規定根據はここでは對象ではなくして意志の法則であるから。そして若し吾々にして或る對象物の存在に向けられてゐる行爲をば意欲すべきであるならば、それは善であり、若し然らざればそれは惡である。かくして『實踐理性の唯一の對象は善及び惡の對象物である』といふことが出來る、これ前者は『欲求能力の必然的對象』であり、後者は『嫌忌能力の必然的對象』である、しかも兩者とも理性の原理に從つてゐるものであるから(K. d. p. V. S. 75—6)。

然しながら實踐理性とそれの對象との右のやうな關係をば更に立入つて考へるならば、實踐理性卽ち意志は既述のごとくそれが自己意志又は自己への意志として、先づ外へ卽ち對象物へ向はないで、內へ卽ち自己自からへ向ひ行くものである限り、それの働らきそのものが直ちにそれの對象であり、從つてこれに於ては、それの作用と內容、形式と實質、それゆゑに法則と對象とが同一的であらねばならぬ。卽ち實踐理性の對象は道德的法則それ自身の實現又は不實現といふことの外何ものでもあり得ない、善及び惡が實踐理性の唯一の對象であるとはこの意味に於てでなければならぬ。然しながらこれにもかかはらずこの兩者がそれぞれ法則として又對象として考へられる限り、それは吾々の道徳的意識に於て全く同一の位置を要求することを得ないといふことを否定することは出來ぬ。卽ちカントの言ふやうに『善又は惡は意志が或るものをばその對象物となすやうに理性法則によりて規定せられる限りに於て、常に意志への關係を意味する、これ意志は對象物及びそれの表象によつて決して直接的に規定せられないで、却つてそれは理性の規律をば行爲の動機になす能力であるから。それゆゑに善又は惡は本來人格の行爲へ關係せしめられるものであつて、決して人格の感覺狀態へ關係せしめられるものではない、そしてあるものが直定的に善又は惡であり、又はさういふやうに考へられるべきであるならば、それはただ行爲の仕方、意志の格率、從つて善人又は惡人として行爲する人格そのものであつて、決して善又は惡と名付けられ得る物件ではないであらう』(K. d. p. V. S. 78—9)。それがために若し吾々にして善惡の概念から出發し、そしてそれからして意志の法則を導出さうとするならば善なるものとしての對象に關する善の概念は同時にこの對象をば意志の唯一の規定根據として指定するであらう。然るにこの善の概念はこの場合その標準として何等先天的なる實踐的法則をも有たぬゆゑに、善又は惡の試金石は、對象が吾々の快不快の感情と一致すること以外の何ものにも置かれ得ないであらう。これに反して若し吾々にして實踐的法則をば先づ吾々の道德的意識に於けるそれの原本的成立に於て反省するならば、吾々は對象としての善の概念が道德的法則をば規定し且つこれを可能ならしめるのではなくして、却つて逆に道德的法則が當爲として善の概念をば規定し且つ可能にすることをば發見するであらう。道德的法則は吾々の道德的意識に於て善の概念に比して一層根本的であると言はねばならぬ、卽ち善なるがゆゑに道德的法則が命ずるのではなくして、道德的法則が命ずるがゆゑに善であるのである、道德的法則の本質として深き行爲當爲の要求に從ふことそのことが吾々に於ける善の概念の唯一の制約であらねばならぬ。善の概念はそれが實踐理性の對象である限りに於て、それはどこまでも實踐理性そのものの働らき方としての道德的法則に於てのみそれの根源的意義を發見すべきであつて、決してこれが道德的法則そのものを規定する原理であることを得ない、換言すれば善惡の概念は純粹實踐理性卽ち純粹意志、從つて善意志の純粹活動としての道德的法則の自覺としてのみ成立する概念であらねばならぬ。カントがその『道德形而上學の基礎付け』の始めに於て『すべてこの世界に於て、否一般にこの世界以外に於ても、無制約的に善として主張され得べきものは善意志の外には考へることを得ない』(Grundl. z. M. d. Sitt. S. 10)と言つたのも、あらゆる善の究極的根源が善意志即ち純粋意志の活動に見出さるべきであることをば强調したものでなければならぬ。

六

前節に於て吾々はカントに於ける道德的法則の一般的特質と、この道德的法則が善及び惡としての道德的價値に對する關係とについて考察したのであるがこのカントの見解はかのシェーラー、ハルトマン等現象學的又は存在的立場からの批評に對して何を答へ得たであらうか。先づ第一に先天的と後天的との對立が絶對的であるに對して、形式的と實質的との對立が相對的であると考へらるべきである限りに於て、この二つの對立が直接結付き得ないといふシェーラーの批評は正當であるであらう、しかもそれにかかはらず對象物への關係を含むといふことを實質的といふこととの表徵としたカントの規定をば、しばらく有意義として認めるならば、かかる意味に於ける實質的原理が經驗的、後天的であるといふことは決して不正當でないのみならず、又カント的意味に於ける形式的原理も、ただに先天的であるばかりでなく、またその形式性、非實質性も決して直ちに無內容性、空虛性を意味しないで、却つてそこに眞の意味に於ける內容性、又は實質性をば見ることが出來る、といふことは上述の道德法の確立に於て容易に見ることを得るであらう。今カントの道德的法則がそれの成立に於てあらゆる經驗的實質をば捨象するといふことに於て形式的と稱せられるのは素より當然であるであらうが、しかしこの經驗的實質の捨象は法則の內容そのものの捨象ではなくして、却つて法則の內容をば純粹にしそれを充實することであるとも考へ得るであらう、卽ち經驗的實質の捨象によつてかれはそこに法則の形式的內實としての法則の普遍性又は普遍的法則性を、そして更らに意志の自覺的本質に於てこの形式的內實を充たすものとして目的自體としての人格性又は人間性の概念をば實質的內實として獲得することが出來るのである。則ちカント的立場に於ても、たとひかれが實質的といふことをば上述のごとく對象物への關係として主として經驗的意味に於て使用したとはいへ、實質といふ概念は一般的にはどこまでも形式が『限定』(Bestimmung)であるに對して、『限定され得べきもの一般』(das Bestimmbare überhaupt)として考へられてゐる限りに於て(K. d. r. V. S. 295)、意志がそれの對象物に向はないで、先づ自己自からに向ひゆくとき、卽ち意志の對象が經驗的對象でなくして意志自からであるとき、從つて限定するものと限定されるものとが一つであるとき、それの形式とそれの實質とは同一に歸し、それがために意志の實質はここに非經驗的意味を有つことが出來るのである。かの目的自體の概念及びこれにもとづく人格性又は人間性の概念は實に先づ自己自からへ向ひゆくものとしての純粹意志の先天的實質的內實であるとも考へ得るであらう。それゆゑに吾々はカントの立場に立ちながら、それの形式と實質との本來的意義に於て、實質そのものに於ける形式性とともに形式そのものに於ける實質性をば認めることが出來ると思ふ。今カントに於ては、丁度判斷に於て『所與概念』が論理的實質、そして『判斷の關係』がその形式と稱せられ、又あらゆる存在體に於て『その構成要素』が實質であり、『それが一つのものに結合されてゐる仕方』が本質的形式であるやうに、實質とは上述のごとく被限定的のもの一般を意味し、形式とはそれの限定として考へられるのであるが、然し形式と實質との意義及びそれの聯關をばかやうに規定することは前にも述べたやうに決してカントの肆意的想定ではなくして、これはギリシャ時代に溯り得べき傳統的考へ方に屬するものであり、吾々はかのプラートン、アリストテレース、プロチヌス等に於てそれの根源的意味をば見出すことが出來るであらう。 吾々は進んでこれ等の人々に於ける形式と實質との聯關について回顧し、道德的法則に於ける形式性と實質性との關係をば一層嚴密に限定せねばならぬ。

先づプラトーンに於ては、この形式と實質又は質料との對立は、『イデア』(ἰδέα)と『メー・オン』(μὴ ὄν)即ち理念と非有との對立として表はされた。 然るにこの『メー・オン』即ち非有はプラトーンに於ては二つの種類に於て考へられてゐる、即ち一つは『イデアと同名にして、これに類似せるもの』、從つてイデアの模像であつて、感性的事物はこれに屬し、そして他はイデアを受取るところの、そしてあらゆる限定がそれに於て可能となるところの『永久的空間』(χώρα ἀεὶ)で、これこそ眞の意味に於ける質料であらねばならぬ (Timaios 52 A—B)。 そして吾々はかのアリストテレースの用語に從ひ、前者をば『第二次的質料』(ὕλη ἐσχάτη)(Met. 1045 B)と稱し得るならば、後者をば、『第一次的質料』(ὕλη πρώτη)(Ib. 1015 A)として特徴付けることが出來るであらう。そしてかのイデアが恆常不滅の眞實在であるに對して、第二次的質料は、變易無常の感性的個物であり、そして第一次的質料は、あらゆる限定を受取るべき恆常不滅なる、しかもそれ自から空虚なる場所である。それがためにまたイデアが非感性的で、ただ『思惟』によりてのみ把捉せられるに對して、第二次的質料は感性的でただ『臆見』によつてのみ把捉せられ、そして第一次的質料は非感性的であるが、しかし『非眞實なる思惟』によりてのみ把捉せられるものに外ならない(Timaios 52 A—B; Baeumker, Problem d. Materie i. d. griech. Philosophie, S. 135—7)。次にアリストテレースに於ては、この形式と實質との對立は、プラトーンに於けるイデアとメー・オンとの對立に聯關して、『形相』(εἶδος)と『素材』(ὕλη)との對立として表はされた。周知のごとくアリストテレースはプラトーンがイデアに於て事物の非感性的本質をば事物の感性的現象から區別したのに對し、この非感性的本質をば事物の外にそれ自身で成立せる普遍者として考ふべきではないと主張したのであるが、しかしこの兩者の區別そのものの根據はプラトーンと同一であつた、卽ち非感性的形相のみが認識の對象であり、そしてこれのみが現象の變易に於ける恆常者である、といふ確信がこれである。アリストテレースはプラトーンがこの現象界をば『無限定的のもの』と『限定』との『混合』として說明した間に、現象界のすべての事物に於て形態化された素材を見た、卽ちこれに於て素材は形相によつて現實化されてゐるものの可能性であり、そして形相はこれをば形態化する現實性そのものである、換言すれば素材とは『現實的にこのものであるのではなくして、可能的にこのものであるもの』であり、そして形相とは『このものであるので、概念上分離され得るもの』である(Met. 1042 A)。 即ち素材に於ては本質は可能的にのみ與へられており、形相によりてこの本質は始めて現實的となるのである、從つて『素材はそれが形相へ到達し得るがゆゑにそのために可能的に存在する、そしてそれが現實的に存在する場合にはそれはその形相に於てあるのである』(Met. 1050 A)。 かやうにして形相は『現勢』(ἐνέργεια)又は『完現態』(ἐντελέχεια)で、素材は『潛勢』(δύναμις)であり(De Anima 412 A 414 A; Met. 1050 A)、そしてこの兩者の內的結合に於て現象の事物が成立すると考へられるゆゑに、この兩者の關係はまた素材が『含まれる』ものであるに對して、形相は『含むもの』であり(Physica 207 A)、又は『働らきを受けること』又は『動かされること』が素材の特質であるに對して、『働らくこと』又は『動かすこと』が形相に屬すると考へられるのである(De generatione et corruptione, 335 B)。 しかのみならず形相と素材との間のかやうな存在論的關係はまた同時に價値論的關係をも含む、即ち形相は素材よりも『先行的でより多く存在』(πρότερον καὶ μᾶλλον ὄν)であり、又は『より多く本質』

(μᾶλλον οὐσία)である(Met. 1029 A)。 そして『惡が善の實現される空間(τοῦ ἀγαθοῦ χώρα)であり』、又は『惡が潜勢的に善であるもの(τὸ δυνάμει ἀγαθόν)である』と考へられる限りに於て、かの『潜勢的に各物であるところのもの』又は『成立及び消滅をば受取るべき基體(ὑποκείμενον)』としての素材は、たとひプラトーン派のやうにそれが直ちに惡ではないにしても、惡の根源を荷ふものと考へられ得るであらう(Met. 1092 A; Die generat. et corrupt. 320 A)。 なほアリストテレースは素材をばプラトーン的意味に從ふて『第一次的』と『第二次的』とに區別したのみならず、又プラトーンの後期の敎說に於て『限界』と『限界付けられざるもの』との區別が單に物的世界ばかりでなくまた數學的のもの及び抽象的概念の上へも及んだやうに、『感性的素材』(ὕλη αἰσθητή)に對して更に『叡智的素材』(ὕλη νοητή)をば數學的なるもの及び概念的なるものに於て想定することによりて、後にプロチヌスに於ける叡智的質料についての深き考察の先驅をなした。 卽ち『素材はそれ自體では不可知的のものである、が、しかし或る素材は感性的であり、或る素材は叡智的である、感性的素材とは例へば、眞鍮や木材や、變化し得べきすべての素材であり、叡智的素材とは、感性的事物の中に非感性的に現存してゐるもの、卽ち數學的對象に於て存するやうなものである』(Met. 1036

ん)。そしてこのやうに形相と素材との對立をば單に感性的事物のみならず非感性的對象に於て想定し、叡智的素材の概念を通じて、光明に於ける暗黑、神に於ける自然の概念をば示唆したものはかのプロチヌスである。

　プロチヌスに從へば、『形相』(εἶδος)と『イデア』(ἰδέα)とは同一である、これイデアは『叡智』(νοῦς)と異つたものでなく、そしてこの叡智の總體は『形相の總體』であつて、それは『自己自からに於てあり、そして靜止的自己所有に於て全くそれ自から永久的充實である』から(Enneaden V. Buch IX, 8, übers. v. Kiefer)。然るにこの叡智としての形相はプラトーン、アリストテレースの場合と同樣に、それが『形造るもの』(τὸ μορφούμενο)であり、限定するものである限り、これによりて形造られ、限定されるもの、卽ち『形相を受取るもので且つ常にその根柢に橫はるもの』をば豫想する、そしてこれがやがて『質料』(ὕλη)に外ならないのである(Enn. II, Buch IV, 4)。それゆゑに質料は形相のやうに形造るものでも、叡智でも、魂でも、生命でも概念でも、限界でも、現勢でもなくして、『あらゆるものの背後に殘留するもの』であり、それがためにそれは『存在するもの』といふ表現を有ち得ず、從つて『非存在』(μὴ ὄν)でなければならぬ、しかもそれは運動及び靜止が非存在であるといふ意味の非存在ではなくして、眞實の非存在である(Enn. III, Buch VI, 7)。　かやうにして質料は『基體にして且つ形相を受取る場所』(ὑποκείμενον καὶ ὑποδοχὴν εἴδει)として定義せられるのであるが、然しこの基體の本性が如何やうに規定せられるか、又この基體は如何なる形相を、如何なる仕方に於て受取るかといふことについてその見解が異つて來る。　即ち或る見解に於ては、そこには『唯一つの質料』があるのみであり、そしてこれは『元素の根柢に横はるもの』で、それ自から『存在』であるに對し、他の見解に於ては、『非物體的質料』が想定せられる。そしてこれには二種ありて、それの一つは『物體の根柢に横はるもの』としての質料であり、他は叡智的のも[illegible]に於ける高次の質料、即ち『叡智的のものに於ける形相及び非物體的本質の根柢に横はるもの』としての質料である(Enn. II, Buch IV, 1)。そしてプロチヌスが特に強調したのはこの後者、即ち『叡智的質料』(νοητὴ ὕλη)(Ib. Buch IV, 5)と稱せられる非感性的質料であつた。　かれによれば、若しこの現世界が『叡智的世界』(κόσμος νοητός)の模寫であり、そしてこの現世界に於けるすべてが、質料と形相とから成立してゐるならば、この叡智的世界に於てもまた形相とゝもに質料が存せねばならぬ、何故ならば若し叡智的世界に、形相によつて形態化されるところの質料が存しないとするならば、如何にして人は『世界』(κόσμος)について語ることが出來たであらうか、又この形相に對して基體がないならば、如何にして形相について語り得たであらうか。卽ちこの叡智的世界は絶對的に考察すれば素よりどこまでも分たれざるものであるが、しかも或る點に於てそれは再び分たれるものである、そして若しこれ等の部分が相互に分離されてゐるならば、かれ等の分離そのものはやがて質料の形態である、これ質料は分たれるものであるからである(Ib. II, Buch IV, 4)。 それではこの叡智的質料と感性的質料とは如何やうに區別せらるべきかといふに、叡智的世界の質料はそれ自から『特定の且つ思惟する生活』を有つに對して、現世界に於ける質料は決して生活するものでも、思惟するものでもなくして、却つて『裝はれた死骸』に等しい、これ感性的事物の形態は單に『模像』に過ぎず、從つてそれの根柢に横はるものとしての質料もまた模像に外ならないのに對し、叡智的事物の形相は『眞の現實性』を有つ、從つてそれの根柢に横はるものとしての質料も同樣に眞の現實性を有つ、それがために人はかかる質料をば正當に『本質性』(οὐσία)と稱することが出來るのである(Ib. buch IV, 5)。

以上はプラトーン、アリストテレース、プロチヌス等に於ける形式と實質との關係をば、形相と質料との關係として考察したのであるが、要するに彼等に於ては形式と實質との對立は眞實有と非有、形造るものと形造られるもの、限定するものと限定を受取るもの、現實的と可能的、光明と暗黑、善の原理と惡の原理の對立として示される、そしてこの質料に於て第一次的と第二次的とが區別されるのみならず、又感性的質料に對して叡智的質料が想定され、そしてここでは質料は本質性と一致するのである。今形式と實質との對立についてのこのやうな考へをば豫想する場合、カントが形式をば決して實質の單なる容器ではなくして實質をば對象にまで構成する機能となし、又實質をば感性的として特徴付けながら、しかもその根源をば非感性的なる物自體にまで關係せしめたことは決して偶然且つ無意義ではないであらう。元來形式と實質との二つの概念は、一般に認められてゐるやうに、あらゆる反省の基礎に置かれてゐるものであつて、それほど不可分離的に悟性の使用と結付いてゐるものである。しかも『被限定的のもの一般』を意味するところの實質と『その限定』を意味するところの形式とは、具體的には決して相分離して存するのでなく、互ひに相要求し、相透徹して存するのである。それゆゑに若し形式にして實質の死せる、活動なき單なる容器に過ぎず、又實質にしてこの容器を充たす純粋に無限定的なる或るものに外ならないとするならば、これ等についての知識は眞理に對して極めて無力且つ無用の知識に過ぎぬであらうが、しかし實際にはこれ等の概念が、上述のごとくあらゆる反省の基礎に置かれ、眞理の探究に對して重要なる方法的意義を有するのは、形式がどこまでもヘーゲルの言ふやうに『現實的なるものの生ける精神』(Encycl. S. 158)であり、そして實質が、それに於てこの精神が自己の内容をば産出すべき場所又は基體として、形式に對して不可分離的なる内面的聯關を有つがためでなければならぬ。かのラスクが『形式の中へ實質一般への關係がとり入れられてゐるやうに、特個形式の中へ特殊的實質への關係が既にとり入れられてゐる、そしてこのことは實質の方から見るも同様である。……卽ち特定の實質は特定の範疇を要求して決して他の範疇を要求しない』(Lehre vom Urteil, S. 105)と言つたやうに、或る特定の實質は特定の形式を要求し、決して任意の形式が任意の實質と結付き得るやうな、外的且つ抽象的なる關係に立つものでなく、むしろ形式はかのコーヘンの言ふやうに、實質をば内容へ構成すべき『内容の産出、並びに形成の法則』であらねばならぬ(Kants Theorie d. Erfahrung, S. 276)。かやうにして、あらゆる形式なき純粋實質としての第一次的實質も、それがすべての限定を受取るべき單なる場所として非存在を意味する限り、それは却つてあらゆる實質なき純粹形式と相一致し、又この純粹形式も、それが純粹作用として眞に自己自からを對象とすることによつて、卽ち自己が自己自からを受取る場所となることによつて、却つて純粹實質となるとも考へ得るであらう。かの叡智的質料の概念は純粹意志のかかる自覺的作用にもとづくものでなければならぬ。否な更に一歩をすすめて、丁度かの光明が暗黑の基體に於てのみ輝やき、又暗黑があらゆる光明を自からに吸ひ盡せるものとしてのみその存在を有つやうに、換言すれば光明は暗黑そのものの輝やきであり、暗黑はあらゆる光明の母胎と考へられるやうに、純粹形相は形相なき質料の形相として、また純粹質料は質料なき形相の質料として、この兩者は純粹自覺としての純粹意志に於て全く同一的として結付くものでなければならぬ。

かやうにして形式と實質との根本關係は吾々が道徳的法則に於ける形式と實質との關係、換言すれば意志に於ける形式と實質との關係に於て最も明らかに證示せられ得るであらう。卽ち意志の形式とは意志そのものの働らき方であり、そしてこの意志の最も根源的なる働らき方を規定したるものがやがて意志の法則として道德的法則でなければならぬ。そしてこれに對して意志の實質とは言ふまでもなく意志がそれに向ひゆく對象物の表象であるが、然しこの意志の實質はかの認識の實質と直ちに同一性質のものと考へることを得ない。今すべての認識は必然的に對象に關係せしめられる、認識の問題はやがて對象の問題であると考へられるに對し、意欲はそれが『生産的表象作用』(Hervorbringungs-Vorstellen)である限りに於て、もとより『生産せらるべき對象』(hervorzubringender Gegenstand)として考へられる對象に關係せしめられねばならぬ從つてすべての意欲は不可避的にそれの對象を有たねばならぬのであるが、しかもそれは先づ第一にそれの對象に關係するやうなものではなくして、却つてそれは先づ自己自からに關係せねばならぬ。即ちかの認識の場合に於ては、コーヘンの言ふやうに『何に於て(worin)認識の必然性、即ち事物の必然性は成立するか』が問題であつたのに對して、ここでは問題は『何の中へ(worein)意志そのものの必然性は立せられ得るか』といふことでなければならぬ。それゆゑにここでは意志表象に於て生産せらるべきものとして考へられる對象についても、又それの合法則性についても、その實在性についてもまづ問題ではなくして、却つて『意志そのものに對して合法則性が規定され得るかどうか、又この可規定性は、勿論意志がそれへ關係せしめられねばならぬところの對象によつて制約されないかどうか』といふことが根本問題でなければならぬ(Cohen, Kants Begr. d. Eth. S. 190)。かやうに實踐的認識に於ては意欲の目指す對象そのものが先づ問題ではなくして、意志の合法則性といふことが問題であるゆゑに『意欲された對象からの獨立性』として意志の純粹性が要求せられるのは當然であらねばならぬ。然しながらこの意志の合法則性といふことは決して單に意志が感性的なるものから獨立して、自己自からの法則に從ふといふことではない。意志とは前述のごとく自己意志又は自己への意志であり、從つて意志の自己法則は單に『自己からの法則』ではなくして『自己への法則』である限りに於て、意志の合法則性とは單に意志が法則の下に立つといふことではなくして、この法則性は意志自からの自己をば創造し確立するための法則性でなければならぬ。意志の普遍的法則の概念が單に普遍性てふ法則の形式にとどまらないで、かの目的自體としての人格性又は人間性てふ實質によりて充たされることが出來るのは、この意志の法則性が、かく自己への意志の法則性又は意志の自己への法則性として、それが單に批判の原理ではなくして直ちに實現の原理であるがためでなければならぬ。かく意志に於ては、それが自己への意志であるゆゑにその法則は自己への法則であり、それがためにも意志は必ず先づ外へ、對象へ向はないで、內へ、自己自からへ向ひ行くのである、從つてこれに於ては作用自からが直ちに對象であり、形式自からが直ちに實質であり、生產自からが直ちに所產であることが出來るのである。意志に於てあらゆる限界をば受取る基體としての實質とそれをば限定するものとしての形相とが同一であるといふのは、かやうな意味に於てでなければならぬ。それゆゑに吾々は道德的法則に於て、それの實質をば普遍的法則性又は普遍的立法性といふことに於て見失ふのではなくして、却つてこれに於て見出すのである。しかもこれにかかはらず普遍的法則は一方に於て『それがすべての個々の內容をば方法上自からの中に含まない場合には普遍的方法と呼ばれ得ない』かのやうに見え、又他方に於て普遍的法則は『それがどこまでも普遍的法則として殘らねばならぬ限りこれら個々の內容をば開展するを要しない』かのやうに見える(Cohen, Ethik d. reinen Willens, S. 350)のは如何なる理由によるのであらうか、卽ち普遍的法則は果して個別的法則として可能でないであらうか。かくして道德的法則に於ける形式と實質との關係の問題はそれに於ける普遍性と個別性との關係に移り行かねばならぬ。

七

道德的法則に於ける形式と實質との關係は上述のごとく普遍性と個別性との關係の問題に導くのであるが、道德的法則に於ける普遍性はその個々の內容的規定に對して如何やうに關係するのであるか、卽ち普遍的法則は如何にして個別的法則として可能であらうか。

先づ普遍性とは如何なる意味であるか。普遍性とは普通には一般性として妥當の範域に關係せしめられる概念であるが、しかしそれの論理的重要性は、かのコーヘンやジムメル等も認めてゐるやうに、かやうな妥當の外延的關係に存するのではなくして、むしろ必然性といふやうな內面的關係と密接なる聯關を有つものでなければならぬ。例へばコーヘンに從へば、推論式に於てその普遍的大前提は決して始めて證明せらるべきものの詐取又は先取を含むのではなくして、むしろ單に絕對的必然性、證明法の必然性が利用すべき指示及び手引きを含むのである。卽ちこの普遍的大前提に於て『總て』といはれても、それは決して『個々のもの』をば先取したのではなくして、却つて個々のものをば見出すために『總て』といふのである、人はこれによつてただ個々のものを求むべき方法を與へるに過ぎぬ。普遍的命題はかくしてただ歸納的推論式の大前提としてのみそれの重要なる意義を有つのである。そしてこの普遍的命題が數學的自然科學的演繹の問題に對して演繹的命題として言ひ表はされるところでは、それの論理的意味は『原理の基礎付け』に存するのであつて、決して『普遍的判斷の形式』に存するのではないのである。かくして普遍性は全く歸納的推論式の方法的手段であり、從つてそれの範疇であるといふことが出來るのである(Cohen, Ethik d. rein. Will. S. 278—9)。今若し普遍的命題に對してかやうに個々のものの先取でなくして却つて個々のものを求めるための方法的手段であるとするならば、かの普遍的道德的法則に於てもそれの普遍性は決して個々の內容をば先取するものでないとともに、また決して個々の內容をば排除するものでもなくして、むしろ個々の內容をば求むべき方向を與へるものとして、個別的、實質的意義を有つものでなければならぬ。そしてこれは道德的法則に於ける普遍性がそれの法則性又は立法性に存し、しかもこの法則性又は立法性はやがて自己への法則性、又は自己への立法性である限りに於て、それは自己創造、自己構成のための法則性又は立法性として個別的、實質的意味を有ち、そこに自己目的又は目的自體としての自己の實現の要求を見るからである。或はこのやうな自己への法則性又は自己への立法性に於て成立する自己目的又は目的自體としての人格性又は人間性の概念は、それ自から既に理念的なる形式的概念であつて、道德的法則の眞の具體的なる個別的實質をつくり得るものでないとも考へられるであらうが、然しかの普遍的法則性又は普遍的立法性はそれがかく自己への法則性又は自己への立法性である限り、これは單なる普遍化の原理ではなくして、自己を普遍化することによりて、却つて自己を個別化し、又は自己を個別化することによつて、却つて自己を普遍化する原理である、又は自己を目的とすることによりて、却つて他の目的自體性を承認し、又は他を目的自體として認めることによりて、却て自己の目的自體性をば全うすることを表はす原理である。かやうにして普遍的法則性又は普遍的立法性の概念に於て成立すると考へられる道德的法則は決して何等實質なき單なる形式的普遍的法則ではなくして、同時に自己產出、自己確立の具體的個別的法則を含むものであつて、かく普遍化の原理が直ちに個別化の原理であり、個別化の原理が直ちに普遍化の原理であることをば要求するといふことに於て、かの普遍化するといふことが個別化の通路であるべきでありながら、しかもこの個別化が目的概念の排除により單なる特殊化として必然的に抽象化に陷らざるを得ないところの理論的普遍的法則に對して、實踐的普遍的法則がそれ自からを區別すべき重要なる意味を見ることが出來ると思ふ。そして吾々はまたここにカントの定言命法の第一の型式が、自然的法則をば範型としながら、しかもそれに於ける普遍的法則性又は普遍的立法性の概念が、自然法則に於ける理論的普遍性にとどまらないで、目的自體の人格性又は人間性の概念に於て成立するところの第二の型式に移行かざるを得ず、又移行くことが可能であるべき理由をば認めることが出來ると思ふ。それゆゑに若しカントの定言命法の三つの型式に於て、第一の型式をば普遍化の原理、第二の型式をば個別化の原理、そして第三の型式をば全體化の原理として特徴付けることが許されるならば、第一の型式は一般に社會成立の原理であり、第二の型式は個性成立の原理、そして第三の型式は社會と個人との內面的結合としての國家成立の原理であるとも考へ得るであらう。しかもそのためにこの三者は相互に密接なる內的聯關を有つものであつて、實踐的領域にありては、上述のごとく、第一の普遍化は必然的に第二の個別化をば要求するとともに、この個別化はまた普遍化を制約とし、しかもこの兩者の聯關は更に第三の全體化の地盤に於て成立すると同時に、この全體化もまた普遍化と個別化との內的結合に於てのみ確立されることが出來ると考へられる。かのコーヘンが人間の概念の成立をば、單一性の範疇に於ける個人と、多數性の範疇に於ける社會と、總體性の範疇に於ける國家との聯關に於て見、そして『人間の概念が表はすところのものは複雜なる形象である、即ち單一性と、多數性又は特殊性と、總體性とがこれである。そして總體とは同時に一つに於ける總體である、何故ならば終りがむしろ始めである、といふことは、プラトーンが人間の國家精神とともに倫理學へ導入れたところの方法の意義であるから。終りと始めとは方法的にも事實的にも相互に分たれてゐない。人間の概念がそれに對して道標となるところの三つの道、即ち個體と特殊的多數性と總體性とは決して交叉路ではなくして、その道程の一歩一歩に於てそれ等は同行しなければならぬ、そしてそれ等の統一に於てのみ人間の道は存するのである』と言つたのは深き意味を有つものでなければならぬ(Cohen, Ethik d. rein. Will. S. 7—8)。かやうにして個體は、理論的領域に於ては、全然合法則的普遍者の下に從屬し、ただ法則の事例としての意味しか、有たないのに對して、實踐的領域に於て始めて個體の本來的價値が基礎付けられる、そしてこれはここでは個體が自己への意志に於て成立する目的自體としての人格性又は人間性の概念をばそれの本質とすることによりて、目的の王國の成員として、社會的及び國家的生存の深き意義を擔ふことが出來るからである。そしてかの上述の矛盾、卽ち普遍的法則はそれが普遍的に妥當し又妥當し得るがゆゑにそのために私を義務付けるべきであるが、しかもこの場合、如何にして私は、この法則がまた私に對しても妥當するといふことを知る前に、それの普遍的妥當をば主張し得るか、といふことの矛盾は、實踐的領域に於ける個體と普遍と全體との內的聯關に於てのみ、換言すれば、これに於ては普遍化によりてのみ個別化が行はれ、個別化によりてのみ普遍化が行はれる、しかもこの個別化と普遍化との結付きは全體化の地盤に於てのみ全うせられるといふ具體的聯關に於てのみ始めて解かるべきであると思ふ。そしてこのやうな個體と普遍と全體との內的聯關は、決して單なる論理的想定ではなくして、社會及び國家への內的關係に於ける個體の具體的なる生の全體的聯關から來るのである。生はかのジムメルのいふやうに、最も大なる不連續に於て自からを表はす最も大なる連續性である、又は分別するところの、そして部分統一をつくるところの間隙をばそれの中へ立てることが全然矛盾であるところの統一である、それがために生は決して單なる主觀的のものではなくして却つて個體へのかれの制限をば失ふことなくして直定的に客觀的である。個別性と主觀性との誤れる結合は、普遍性と法則性とを直ちに相卽する誤れる結合とともに止揚せられねばならぬ、そしてこれによりて個別性と法則性との間に新しき綜合が成立し、普遍的にして同時に個別的なる法則性の概念が、國家生活に於ける社會人としての個體の具體的生の全體的聯關に於て成立することが出來るのである(Simmel, Indevíduelles Gesetz, Logos IV, S. 641, 152)。

若し以上のごとく道德的法則にして、形式が必然的にそれの實質を含み、普遍化が必然的に個別化を含むところの、從つて單なる限定の原理にとどまらないでまた反省の原理であり、又は單なる包攝の原理でなくして、實現の原理であるとするならば、かの當爲と價値、道德的法則と善及惡の概念との間の關係の問題も自から明らかとなると思ふ。先づ當爲とは自己への意志としての意志の自覺に於て成立するところの原本的なる辨證法的關係であり、そしてこの關係をば規定したものがやがて道徳的法則に外ならない。それがために當爲從つて道徳的法則は自覺に於ける自己が自己に對する關係であるとともに、また自己が自己ならざる自己に對する關係である。自己への意志としての自己は、決して單一者としての自己を意味することを得ない、この自己は必然的に自己ならざる自己への關係を含む。そしてこの自己ならざる自己とはやがて我ならざる我としての汝に外ならない。汝と我とは端的に相屬する、卽ち我は汝をば我の上へ關係せしめることなしには、又汝をばこの關係に於て我と統一することなしには汝といふことを得ない、しかもこれとともに我は汝を考へることなしには我を考へることは出來ぬ、我は決して單なる『對自的存在』卽ち『自己だけの且つ自己からの存在』でなくして同時に『他者からの存在』、又は『汝からの存在』であらねばならぬ。若し自覺にして自己への意志としての意志の統一を意味すべきであるならば、この意志の統一は我と汝との結合をば形造らねばならぬ、自覺とは決して我と非我との結合の單なる主觀的制約ではなくして、それに於て我と汝とが互ひに相喚びかけ相要求することによつて人格的存在として自己を實現するところの客觀的制約である、そしてかくのごとき意志の自覺に於ける我と汝との結合がやがて道徳的法則の課題であり、又それの實質でなければならぬ。　かやうにして若し道德的法則の原始的課題、從つて實質にして、自覺としての意志に於ける普遍と個別、汝と我との最も根源的なる關係であるとするならば、吾々の所謂道德的價値としての善及び惡の概念がかかる根源的關係の肯定又は否定、承認又は不承認によつて成立するのであつて、善及び惡の概念によつてかの根本關係が成立するのではない、といふことは明らかであらう。　何故ならば、善及び惡の概念はどこまでも意志の對象として、それの創造的主觀たる純粹意志の原本的働らきに依存する、換言すれば、丁度かの自然の對象界が自然の範疇、從つて自然的法則によつて成立するやうに、善惡の對象界は、自由の範疇、從つて自由の法則によつてのみ成立する、卽ち『道德的法則に於て命ずる實踐理性又は先天的なる純粹意志の意識の統一に欲求の多樣をば從屬せしめる』ことによりてのみそれは成立するからである(K. d. p. V. S. 84—5)。　吾々はカントが善意志を外にしては無制約的に善なるものをば全く考へ得ない、と言つたやうに、意志が意志そのものに向ひゆくところの自覺的意志の純粹性を外にしては、何處にも善及び惡の道德的價値の根據をば見出し得ないであらう。　かくして善及び惡の概念によつて道德的法則が成立するのでなくして、却つて道德的法則によりて善及び惡の槪念が可能であるとなすところのカントの『實踐理性批判に於ける方法の逆說』はどこまでもそれの正當性と眞實性とを要求することが出來ねばならぬ。元來價値の本性は、前にも述べたやうに、決して單なる主觀的目的性に存するのでも、又すべての存在者の目指す客觀的目的性に存するのでもなく、それは自己への意志としての自覺に於ける、自己が自己自からに對する辨證法的關係に根ざすところの意志的對象概念である、換言すれば自己が自己を超え、自己を否定することによりて却つて自己を實現する自覺の當爲に於て價値は產出せられるのである、價値がたとひ現實に於て必ずしもあらぬにしても、しかも絕對にあるべき筈のものとして規定せられるのはこれがためでなければならぬ。價値はそれの創造的主觀と考へられる意志の立場に於てのみそれの客觀性と實在性とを有つものでなければならぬ。しかもこれにかかはらずかの現象學的價値倫理學に於て主張せられるやうに、價値が單に意志の領域ではなくして、むしろ意志がこれに依屬するところの情緒的なるものの領域へ屬する本質と考へられ、從つてまた價値が當爲に於て成立するのではなくして、むしろ當爲が價値によつて基礎付けられると考へられるのは如何なる理由によるのであらうか。思ふにこれは意志の本質が思惟的なるものと情緒的なるものとの内面的結合に存することによるものと考へられる。　卽ち思惟の對象認識がどこまでも限定的であり、感情の對象認識が反省的であるに對して、意志の對象認識は、内への反省が直ちに外への實現である限りに於て、反省的且つ限定的であり、從つて思惟の認識が純粹客觀的であり、感情のそれが純粹主觀的であるに對して、意志のそれは主觀的且つ客觀的である、それがために意志の認識に於てはその反省的側面に於て純粹主觀的として情緒的なるものの性質が見られるとともに、その實現的側面に於て純粹客觀的として本質の領域への聯關が考へられる、卽ち情緒的なるものとは純粹主觀性に於ける意志であるともいひ得るであらう。　そしてこのやうな意志の本質の基礎に於て吾々は始めて價値認識をば情緒的感得の本質直觀として考へることも出來るのである。　それゆゑに價値が本質の領域に屬する存在論的對象と考へられるのは價値認識をば價値感得として、卽ち觀照として見る分析的立場の結果であつて、價値認識をば價値實現の純粹綜合的意味に於て見る場合、價値は全く自己への意志としての純粹意志の創造的對象となる。　價値體驗はそれが純粹分析的に、基底付けの關係に於て見られる場合、そこに本質としての價値の體系が觀照せられ、これに反してそれが純粹綜合的に基礎付けの關係に於て見られる場合、丁度色の體系として純粹視覺が成立し、範疇の體系として純粹思惟が成立するやうに、價値の體系はそれ自から純粹意志の作用となる。カントがあらゆる善の支持者として、無制約に善として主張され得る唯一のものとして强調した善意志とは實にかかる意味に於ける價値の體系としての純粹意志に外ならないのである。しかのみならずそれ自から本質の世界として考へられる價値の世界は理念の世界であり、理念の世界は前述のごとく假定の世界であり、假定の世界は純粹條件付けの世界として存在なき存在作用、基礎なき基礎付けの世界である、そしてこのやうな無に於ける存在、基礎なき基礎としての假定の作用こそやがてかの自己への意志としての、從つて作用と對象との相卽としての純粹意志の本質に外ならない。かかる意味に於て本質としての價値の體系が假定の體系として考へられる場合、吾々は始めて價値をば意志の創造的對象であると同樣に、意志の根柢に於て意志を動機付ける形相として考へることも出來るのである、何故ならば假定とは存在なき存在作用、基礎なき基礎付けとして、すべてがこれに於てあるところの無の場所であるとともに　たすべてをそれに於てあらしめる純粹作用としてかかる無への唯一の通路であると考へられるからである。

辨證法的世界の倫理

柳田謙十郎

目次

一、當爲倫理學は既にその學の出發點に於て一の抽象性に陷つたものであること

カントが純粹理性批判に於て、學的反省の出發點を數學的自然科學の事實的所與性に求めたいふことは、一面に於ては彼の哲學に客觀性を與へる理由となつたと共に、他面に於てはそれを唯自然科學的認識理性の批判として限界づける所以ともなつた。即ち彼の批判は認識的理性一般の具體的全體的な批判乃至根據づけではなくて、唯自然科學的範疇的認識の先驗論的構造を明かにする一つの抽象的領域的な論理學であり、かゝる範疇の下に考察することの出來ない他種の認識——譬へば歷史科學的認識といふやうなものに對しては直ちにその原理を適用することの出來ない、或る限界をもつた認識論であつた。一般に我々がその哲學的思索に於て何等かの意味に於ての(確實な)表現的事實的所與から出發し、之を手がかりとしなければならぬといふことは、獨り解釋學や現象學に限つたことではなくて、哲學一般の方法論として妥當すべきであると思ふが唯この事實をばどういふ仕方でどういふ處からどつて來るかといふことによつて、これを媒介とする

解釋乃至哲學的反省の仕方も無限に異つて來るのではなからうか。尤もこれらの事實が事實としてとられて來るといふ時、其の根底には既に單なる事實性を超えたヨリ根源的なものが同時に見られてゐなくてはならない。だから哲學は單なる表現の解釋につきるものではない。さういふ風にも考へられる。しかしそれにしても哲學の出發點としての事實的所與がもつ處の意義の重要性はそれによつてヨリ少ないものとなる譯ではない。何れにせよ今日の哲學はもはやカントのやうに單純に自然科學的認識事實のみから出發することに安んずることは出來ないと思ふ。(一)

註(一)　表現といふことを狹く言語的乃至文書的表現の意味だけにとつて、之からそれの解釋を通して體驗に還ることのみを哲學の方法として限定しようとすれば其處に無理が出來ることはいふまでもない(田邊元博士著哲學通論第二章第六節生哲學的方法參照)。しかし表現を廣くその本來的意義に於て把捉するならばそれは單に言語のみに止まるものでなく、藝術、道德風習、法制、宗教をはじめとして、人間的行爲的事實並にその所產としてあらはれる有形無形一切の文化的生產物は皆何らかの意味で我々の生のそれ〴〵の一面を表現するものといはなければならないであらう。もしさうとすれば過去の哲學も亦我々にとつては一の大いなる表現であり、其の他我々の身體とか、歷史的環境とかいふものに至るまで何れも皆何らかの表現的意味を擔ふものとならねばならないであらう。かゝる意味にとれば哲學が表現を媒

介として其處に含まれた人間的存在の本來的な在り方をあらはにしてゆくといふことは「學派を超えた一般的方法でなければならないやうに思はれる（和辻哲郎氏「倫理學」第十七節參照）。尤も哲學の方法が表現の解釋につきるか否か、そこにはかゝる解釋を可能ならしめる根底として、更により根源的な直觀乃至論理といふやうなものが前提されるのではないか――といふやうなことは我々にとつて十分問題となり得ることである。唯私がこゝてのべやうとすることは、之らの根本的な諸問題を豫想しつゝも尚、哲學はその出發點に於てその思惟の手がかりをば何らかの事實的所與に求めねばならぬこと、しかもこの所與事實は手當り次第偶然にまかせてどんなものをとつてもよいといふやうなものではなく、そのとり方乃至摑み方がやがてその哲學の全體の運命を支配し、限定し、限界づけるやうな重要な意味を持つたものであるといふことである。

然らば實踐哲學の領域に於てカントが出發點として取つた處の事實的所與は何であつたか。それは彼が自ら「理性の事實」又は「純粹實踐理性の事實」（一）と呼んだ處のものに外ならないがこの名稱の下に彼はいかなる內容を理解してゐたであらうか。彼によれば自然の認識に關しては我々の常識は決して絕對の確實性を有し得るものではなく、それは唯科學的認識をまつてのみ始めて成就されるのであるが、道德の認識に關しては事情は全くこれと異り、むしろ常識の方が確實に「なすべきこと」と「なすべからざること」とを區別し、學の方がかへつて不確實で誤つた判斷をすることが多い。「余の意欲が道德的に善ならんが爲めに、余が何を爲すべきかを知るためには何ら深遂なる洞察力を要しない」(三)。故にこゝでは「學の事實」から出發するよりはむしろ直接我々自身に於ける「理性の事實」から出發すべきである。然るにカントによればこの理性の事實は我々の日常的實踐の直接經驗に於ては何よりもまづ「義務の意識」としてあらはれる。故に倫理學に於てはこの意識を分析して其處に本質法則的に内含されてゐるものをあらはして行くことから始められなくてはならない。義務の意識は卽ち當爲の意識である。道德の存する處そこには必ず當爲の事實が何等かの意味で含まれてゐる。當爲とは、我々の意欲が單に自己の主觀的格率に從ふのではなくて、その根據をそれから全く獨立な客觀的法則の中に有ち、必ずしもかゝる法則に從ふとは限らない我々人間的意志に對しては、命法の形を以てあらはれ來る處の一の强要の意識である。我々は自己の自然の傾向が之を好むと好まざるとに拘らず、この客觀的法則に基く處の命法に對して必然的に從はなくてはならない。しかもこの服從は、それによつて何等かの私的な意圖を達成せんがためでもなく、又之に反することから生ずる害惡を避けんがためでもなくて、全くそれが我々にとつて一の義務であり當爲であるがためでなくてはならない。行爲の道德的價値は單にその行爲が義務と一致するといふ處にあるのではなくてそれが純粹に義務からなされるといふ事にあるのでなくてはならない。故に行爲の道德的價値がかゝるものとしてそれの純粹な意義をあらはにするのは義務の命法が義務の命法であると同時にまた傾向の欲求でもあるやうな場合よりは、むしろ傾向は傾向としてあくまでも義務の命法に逆らふ時であると云ふことが出來る。その時には我々は何ら傾向のこれに合流し混和する危險を持たないが故に「義務から」乃至「義務のための義務」の心術はまがふかたなく純粹無雜なる姿に於てあらはにせられるのであると。(四) 此處にカント倫理學の當爲倫理學としての特色は最もよくそのすがたをあらはにし來るのである。

註(二) Faktum der reinen praktischen Vernunft——Vgl. Kant, Kritik d. prak. V.; S. W. herausg. v. K. Vorländer II. S. 7, 40 f., 41, 55, 56.

(三) Grundlegung zur Metaph. d. Sitten, S. W. III. S. 22.

(四) a. a. O. S. 14 ff.

我々の行爲が行爲である限りそこには既に我々の能動的なはたらきとかゝるはたらきの對象とが豫想されねばならないこと、この對象は我々のはたらきに對して立つものとして何らかの意味で我々の能動性に對する抵抗乃至障害といふ積極性を備へたものでなくてはならないこと、行爲とはかゝる能動と所動との間に於ける對立矛盾の統一止揚に於て成立つ處の人間的能作として考へられねばならぬことは今更説明するまでもないことであらう。而して若し我々の道德的行爲が理性の純粹アプリオリな要求とこれに對抗する感性の(對象と結びついた)經驗的欲求との實踐的矛盾に基いて成立つ統一的止揚への努力にあるとすれば、道德の本質は特にカントの云ふ通り義務の意識の中に、否唯義務の意識の中にのみ求められねばならぬであらう。我々がカントの倫理學に於て單に理論的學的にのみならず實踐的行爲的にも直接に深くおのれの心情の根底を動かす處のものを見出す所以のものは將に彼が道德の(少くとも最も重要な核心的一面をなす處の)この本質的側面をば純粹無雜なるそれの本來的な在り方に於て開示してゐるからであらう。まことにコーヘンも云ふ通りプラトン以來殆んど何らの進歩をも示さなかつた倫理學をば眞に現代に更生せしめたものはカントであるといふことも出來るであらう。

（五）

しかし道德の具體的現實は果して彼のいふやうな當爲の意識につきるであらうか。我々がかゝるカント的な考へ方に捉へられない自由な眼を以て道德的行爲に於ける事態自身の全體性をばそのあるがまゝの具體相に於て把捉する時、果して道德的價値と當爲實踐とはしかく完く相合致し相蓋ふものであるといふことが出來るであらうか。若しカントの云ふ如く此の世界に於ける唯一の絶對的善、否此の世界の外に於てすら無限局に善と呼ばれる處のものをば善意志となづけるならば、善意志とは果して「義務から行爲する意志」乃至「法則に對する純粹な尊敬に基いて行爲する意志」につきるであらうか。其處には何か彼の實踐哲學に於ける學的反省の出發點として取り上ぐべき「事實的所與」の中に當然取り上ぐべきである處のものを見逃してゐたやうなことはなかつたであらうか。恰も彼が其の認識論に於て數學的自然科學の輝かしい業績に眩惑されて文化科學的歷史的事實の重要性を沒却してしまつたやうに、彼は又實踐哲學の世界に於ても義務意識に於ける當爲の(理性的)事實の本質的重要性に眩惑されて、他の側面からきはめて重要なる道德的諸事態をば無意無識の間に看過してしまうやうなことはなかつたであらうか。

註(五)　Cohen, Kants Begründung der Ethik, S. 1.

私は此處に此の點を明かにするために、我々の凡てにとつて動かすことの出來ない道德的價値乃至それの根源として認められる處の「愛」の事實をとりあげて見たいと思ふ。私が此處にこの名稱の下に理解する所のものは、單なる性愛や骨肉の愛のみならず、更に深く我々の倫理的感情に根ざした道德的人格に對するエロス的敬愛や宗敎的アガペ的な隣人愛を初めとして學問藝術等に於ける高きもの美しきもの眞實なるものに對する愛、自然や生命に對する親しみの感情その他我我の生の共同體に根ざす根源的感情等の一切を包括する。これらの愛並にそれに基く行爲がその形態の諸相にもかゝはらずそれの本質に於て「義務から」といふ行爲の形式と必ずしも相一致するものでないことは恐らく何人と雖も承認せざるを得ない處であらう。何となれば當爲意識にもとづく義務からの行爲はそれがどれほど純化されて見た處で「愛」を構成することはできず、愛に基く行爲はむしろ常にかゝる義務意識を超えた處に成立つものであるから。我々は勿論かゝる愛を自己の心術の「理想的當爲」として心に中に描くことはできる。かゝる愛を自己の衷に實現したい――否實現せねばならぬものとして深く希願ひ、これを自己の現實の切實なる課題として一の義務と感ずることはできる。而してこの義務意識に基いて種々の行動を遂行し、爲すべきことをなすことはできる。しかし我我はかゝる義務からの行爲がどれほど傾向の欲求する處に反して純粹に成就されたとしても、其處に果してほんとうに十全な道徳的滿足を感ずることが出來るであらうか。「自分は將に自分の成しうべき出來るだけのことはしたのだ」とは考へるであらう。「これ以上のことは自分には到底及ばないのだ」とも諦め自ら慰めるではあらう。しかし自分の行爲と、かゝる行爲に於ける心術とが人間的道徳的な在り方として最高のものであるといふ十全な意識はそこには許されることは出來ない。何となれば彼が成就した所のものは「愛」と結びつき得る「行爲」だけであつて心術そのものは「愛から」ではなくて「義務から」であるに過ぎないから。だから我々はその同じ行爲が他の人に於て單なる義務からでなしに眞實に悅ばしき主體的感情そのものゝ底から湧き出づる愛の行爲として成されるのを見る時、深くおのれを恥ぢ、かゝる行爲と心術に對する無限の愛着と尊敬とを感得せずにはゐられないのである。

勿論カントと雖もこの事を決して考へなかつた譯ではなかつた。唯彼にあつてはその出發點があくまでも當爲主義によつて一義的に規定せられてゐたために、此の事實を事實そのものが開示するまゝに率直に受けとることが出來なかつたのである。一度命法倫理の立場に立つた彼にとつては學の理念も亦その視角から見、其の座標から位置づけるより外のことはできなかつた。かくてかの爾自身の如く爾の隣人を愛せよいふ福音書の聖者の言葉さへも、彼にとつては結局單なる當爲法則以上の原理であることはできなかつた。彼によれば單なる傾向としての愛は命ずることはできないが、しかしかゝる愛はそれ故に又何らの道德的價値を有し得るものでもない。道德的な愛とは命令することの出來るもの、我々の意志によつて自ら支配し得るもの卽ち義務そのものゝ念から發する親切といつたやうなものでなくてはならない。それはよし何らの傾向によつて其處まで驅られないにしても、否むしろ生得にして抑ふべからざる嫌惡が抵抗しても、これを排して實行せんとする實踐的愛であつて、單に感傷的なる感覺的愛ではない。それは意志の中に存する愛であつて感覺の性癖の中には存せず、行爲の根本原則

に依存する愛であつて柔弱なる同情の原則による愛ではないといふのである。(六)

註(六) Vgl. Grundlegung, S. W. III. S. 17.

我々はもとよりかゝる當爲的愛――「將に愛すべくして愛し得ざる者」がもつ處の人生の苦惱の中に潛む實踐的愛のすぐれて高き道德的意義を認めない譯ではない。けれどもその故を以て直ちに愛の倫理的價値を義務からの心術に還元せんとすることはできない。かゝる愛が義務の意識をよび起す理想的當爲として我々の前にあらはれるのは、これによつてよび起される義務乃至義務からの行爲がそれ自身として最高の價値を有するが故でもなく、むしろ愛そのものが我々にとつて無制約的な價値を有するが故に外ならないと思はれる。かく愛がそれ自身として絕對の價値を有するが故にこそ、それが我々にとつて當爲ともなり義務ともなるのであつて、それが單に「義務から」といふ意志の形式を持つが故に道德的に價値あるものとなるのではない。彼は又、傾向としての愛には何らの道德的價値もない、眞に價値ある愛は行爲の根本原則によつて感覺の性癖や柔弱な同情に依存することのない實踐的愛であるといつてゐるが、果して我々はそれほど明確な斷定をすることが出來るであらうか。勿論性愛や親子の愛がその單純なる自然の姿に於てそのまゝに高き倫理的價値を持つといふことはできないであらう。特に棄恩入無爲といふやうな高次的な宗教的愛の世界の視點などから見れば、かかる愛は少くとも一とまづは端的な否定を受くべき煩惱的世界の欲求にすぎないでもあらう。それは富を求め名聞にあこがるゝ日常的な人間の在り方につながる一つの自然的人間の感情的な現象にすぎぬとも考へられるであらう。けれどもこゝにもし根源的にかゝる自然的な愛をすら持たない人間――例へば我が子をすら愛せざる母、自己の親をすら愛せざる子供といふ如きものがあるとしたら、我々はかゝる者に對して彼の人間的存在としての價値的缺如性を認めないでゐることが出來るであらうか。かりにかゝる自然の惠み少なき者が彼に迫り來る理性的當爲の要求から親に對して孝養的なる動作をなすことをば自己自身の義務と感じたとしても彼は恐らくかゝる「義務から」の行爲に自ら安んずることはできないであらう。親も亦かゝる義務としての孝養をば最上のものとして享受することはできないであらう。勿論彼にとつては恐らく唯それだけが彼のなし得る最高の努力でもあらう。けれどもそれは依然として最高の道德的價値であ

ることはできないのである。(七)

こゝに我々は愛の道德と義務の道德との間に調和しがたき根源的な矛盾が横はつてゐることを見出す。愛はそれ自身の本質に於て當爲を超えたものでなくてはならない。當爲倫理學は尠くとも愛の問題に於て一の重要なアポリアに面接せざるを得ないのである。カントは當爲の事實から出發してそこからそれの先驗的基礎構造を究明し、之によつて彼の倫理學の體系をば一の齊合性を以て打ち建てることができた。けれども亦それは彼の倫理學をば一の命法倫理學として限界づける所以ともなつた。それは慥かに極めてユニークな統一を持つた體系ではあつたけれども、その體系的統一は唯おのれを破る異質的契機をば最初から自己の外に閉め出すことによつて得られた抽象的形式的統一にすぎなかつた。我々の求むる倫理學はかゝる抽象的體系ではなくて、我々に與へられる道德の具體的事實の全體性をば、實質的にも形式的にも殘す處なく根源的統一的に把握する處の具體的な倫理學でなければならない。(八) カントの倫理はトルストイの世界を基礎づけることはできてもドストエフスキーのすぐれて豐かなる人間的世界を理解することはできないであらう。そこではカラマゾフの兄弟の末弟アリョーシャのもつ倫理的性格は之を把握し得るとしても長兄ドミトリーのロシア的非合理性の中にかゞやく魂の美しさや、ショロフの「静かなるドン」に於けるナタリヤのあの純情的な愛の世界には恐らく觸れることさへも出來ないのではなからうか。思ふにプラトン的なイデャの直觀の底には何處までもイデャ的に直觀することの出來ぬグミュートの深さが横はつてゐなければならない。プロメトイス的なるもの、ティタニッシュな男性的努力の背後にはこれらのものを包む「永遠に女性的なるもの」がなければならない。此の意味で私は當爲の底に自然を見、エロスの底にアガペーを見、現實の罪の底に永遠の救を見る。我々の行爲的事實に於けるかゝる契機を看過する倫理學はその學の出發點に於て既に一の抽象性に陷つたものだといはなければならないと思ふ。而して行爲的事實に於けるこれらの契機をばそれの具體的現實性に於て把握し意味づけ得る處の倫理學はもはや義務道徳を以て唯一の道徳とするやうな當爲倫理學であることはできないと思ふのである。

註七） 尤もカントの「義務意識」の根底には「道徳的關心」ともいはるべき深き心情的要求があり、それが所謂俗悪な意味での「義務からの」ではないことはいふ迄もない。けれども彼にとつては此の道徳的關心は尙その根據を實踐理性にもつべきものであり、自然そのものといふよりは、自然の傾向に對立する處の原理の中にもつべきものであつた。

（八）こゝに私が「愛の道徳性」をばかくも高調したことは、かのロマンティケルがカントの嚴肅主義に反對して、「美しき魂」を以て唯一の道徳性としたやうな所謂美的生活論と混同されてはならない。私は決してカントに反對し對立せんとする者ではなくて、どこまでもカントを深め、カントを超え、カントを具體化せんとする者である。「義務」に對して「愛」のみをとる者でも當爲に對して自然のみを重んずるものでもなく、むしろこれらの諸契機をば行爲實踐の辨證法運動に於ける夫々の抽象的一面として、生きた實存の具體的全體性との關聯の中にそれの動性に於て把握せんとする者である。これらのことは節を逐うて漸次明かとなるであらう。

二、道徳の根源は單なる理性法則よりは更に深く人間存在の行爲的事實の底に求められねばならぬこと

命法倫理は又理性倫理學である。義務の命法は、一方に於てはこの命法によつて必ずしも規定されるとは限らない非合理的な感性的意欲を豫想するものであると共に、他方かゝる欲求的自己に對して超越的な根據からおのれ自身の法則性を強要する處の合理的意志たる實踐理性を前提するものである。其處では理性と感性との對立は凡ゆる道徳の可能制約をなすものであり此の制約を除外して

は道徳そのものゝ存立の地盤が失はれると考へられる。かゝる二元的な考へ方はプラトン以來永く哲學の歴史を支配して來た處の極めて一般的な傳統的思想ではあるが、しかもそれが果して彼らが考へたほど確實自明な最高原理であるかどうかについては尙疑問の餘地がない譯ではない。そこでは一切のアプリオリなるもの、普遍妥當的な價値の根據は理性の側面に求められると共に、理性に屬せざる凡てのものは感性的なるものとして經驗的偶然性をもつに過ぎぬものと考へられる。從つて感情、努力、衝動等、我々の精神に於ける凡ての非論理的なるものの世界からは、一切のアプリオリな價値の原理は奪ひ去られ、純粹意志や純粹理性と同様な先天性をもつところの純粹直觀とか純粹價値感情とか純粹な愛憎や努力といふやうなものも亦我々の道徳性の根源として考へられ得るのではなからうかといふ様なことは始めから問題とされない。かくて倫理學は絕對先天的な學としては唯理性の原理を以て道徳の唯一の根底とする合理的倫理學としてのみ可能であり、之に對して直觀や感情や努力を根底とする一切の倫理學はすべて經驗的な學であつて先天的普遍的なる學の名に價しないものだとされる。

しかし我々がかゝる觀念論的な傳統的概念によつて曇らされない單純素朴な

眼を以て、あるがまゝの道德的事實をばその事實自身の示すまゝに受けとる時、我我は必ずしもかゝる固定的な論理的區別が必然的なものでないことを見出す。そこに我々はかのパスカルが ordre du coeur とよび、logique du coeur とよんだ處のものゝ中にも單に理性概念を以ておほひつくすことのできないアプリオリな價値の根源の潛むことを見出す。彼は「心は自己の理性をもつ」“Le coeur a ses raison” といひ、この語に於て我々の價値感や愛憎の中に、純粋論理學や知的合法則性に還元することのできない永遠且絕對の超論理的合法則性があることを理解してゐた。彼は自らこの「心の秩序」をば直覺的に把握し、而もそれをその生活とことばとに於て端的に表現し實現した人々に對して大なる崇敬を以て論じてゐる。而して彼にとつてこの心の秩序を最も深く把握し生かした者はイエス、キリストに外ならなかつたのである。(一)

註(1)　Vgl. M. Scheler, Der Formalismus in der Ethik und die materialen Wertethik, S. 360 ff.

道德に於て當爲や規範の一面のみを見てこれを合理論的法則學的に思惟し強要するより外に道を知らない人――我々はかゝる種類の所謂嚴肅な性格に對し

てきはめて誠實な畏敬に價すべき人格的側面を見出すと共に、他面また此の如き人々の生活態度が必ずしも自己をも他人をも眞實に深く豐かに生かすものであるとは限らないことを知る。一定の規範によつて曲つた枝や不要な芽生を切りとり、自己の法則によつて樹木の生長を一定の方向に規正するといふことも確にその樹木の健全な發展にとつてきはめて有意義な手段であるやうな場合も決してない譯ではないかも知れないが、更に大切なことはこの樹木の生ひ立つべき地盤をとゝのへ、その樹木が本性上要求する處の、よき肥料と適當な光と熱と水分とを與へるといふことではあるまいか、一見不要の如く見ゆる雜芽といへども之を切り取る時それがかへつて幹を枯らす原因となるやうな事もない譯ではないであらう。総じてカント流の合理論的規範主義は合理的價値の一面のみをあまりに過重しこれに固定するがために、かゝる合理化の地盤となり生々たる源泉となる所の豐潤な自然を無視し、かゝる自然の根源的非合理性をばむしろ敵視するといふやうな嫌ひがないではなからうか。我々の生命は論理から生れたものではなくて、むしろ論理そのものゝ母胎をなすものである。(二)だから論理や理性による行爲の限定は時には生命の自然的發展を阻害することはあり得ても、生命そのものを生むことはできない。論理や理性がかゝるものとしてそれの本來の意義を發揮し得るのはそれが深き自然的生命の限定として後者の中におのれ自身の地盤を見出す時に限られる。人間存在のかゝる根源的事實から遊離してそれ自身の世界に自己を固定させた論理といふやうなものは一の抽象性に陷つたものであり論理そのものゝ自殺であると云はなくてはならない。これを道德の問題に關して云へば實踐の論理は當爲法則としておのれ自身を限定する。かくて我々は理性的存在者である限りに於ては自己に關しても他人に關しても常に當爲法則の要求する處に耳を傾くべきであることはいふ迄もないが、しかし更に根源的には自己が一の自然的生命存在として其處に深き自己の地盤をもつものであると云ふことを忘れてはならない。合理的なものが常に非合理的なものを根底とし地盤とするものであるといふことを忘れてはならない。これを忘れる時當爲は生命から遊離し規範はその根源から自己を脫落してそこに徒らに律法に捉はれて安息日のみを守るパリサイの徒が生れる。藝術にせよ、宗敎にせよ、學問にせよ、眞に天才的なるものの仕事は決して單なる當爲のみから生まれるものではない、彼らは唯彼らの生命の底に動く深き衝動の要求に從つて、見えざる光りに導かれ、聞えざる聲に招かれるのである。其處には彼ら自身にも知られない深い底があり、其處から無限に偉大なる力が湧き出でゝ來る。當爲はむしろかゝる衝動の動きがその本來の純粹さを失つてある方向に偏局しようとする時、彼自身の生命の底から始めて彼の前にあらはれ來る――とも考へられるであらう。

註(二)　西田幾太郎博士「論理と生命」參照

この點でシェラアが目的倫理學に對して目的行爲に對する「努力」の根源性を明にしてゐる處には學ぶべき點が多いやうに思はれる。シェラアによれば目的意識は必ずしも努力意識ではなく、努力意識は又必ずしも目的意識ではない。元來目的なる概念は根源的には意識的な意志生活の領域にのみ限られた概念ではない。だからたとへそれが我々の意志的な意識の領域には存しない事象に關したものであつたにしても、目的について云々するといふことができない譯ではない。カントが、其の理念が實在の根據となつてゐるやうなものゝ凡てを合目的々と呼んだのは此の意味で正當である。從つて人間の意志目的はかゝる普遍的な目的理念の立場からいへばそれの特殊な適用であるにすぎない。然るに我々の努力は本來、かゝる意志的な特殊目的を超えて、當に實現すべき理想的目的の實現に向ふ處の意欲の緊張である。吾々の意志が意識的に或る目的を定立するといふことは、他から區別された一定の内容が我々によつて實現さるべき目的となることを意味するもので、努力と意志と目的とがいつも必然的に結びついてゐるといふことを意味するものではない。このことはかゝる特殊目的のあらはれるのは我々の努力生活の一定段階に於てゞあるといふことを省みればすぐ理解されるであらう。

かくて努力には純粹衝動的努力として何ら一定の目ざす處のものゝない運動的緊張から、限定された表象内容とまだ結びつかぬ一定の方向をもつた努力をへて、目標を内在的に含む努力に至るまで諸種の型が區別されることができる。しかもこの最後の型と雖も努力目標は明かに意志目的から區別されるもので、それはむしろ努力作用そのものゝ中に内在してゐるのであつて、何らかの表象作用によつて制約されたものではない。目標を構成する成素を價値要素と心像要素とに區別するならば前者は常に後者の根底として後者に先行するものであり、從つて前者が明白に與へられながら後者は尙不判明であるといふやうなことはいくらでもあり得る。故に努力目標 Strebensziel は根源的にはその價値成素に於ても、心像成素に於ても決して表象され又は評價されるものではなく、全く努力自身に於て感せられるものとして與へられるものである。努力にあつてはその心像內容が對象的經驗の仕方で與へられなければならないといふやうなことは少しも前提されてゐない。表象內容がいはゞ本來同形的なる努力を彼の又は此の努力に區別するのではなく、むしろ努力自身が(1)その方向により、(2)「目標」に於けるその價値成素により、(3)この價値成素に基く心像內容又は意義內容によつて規定され區別されるのである。我々の努力的生活の全內容は決して單に我々の知的な表象生活や思想生活の內容に從屬するものではなくて、それ自身の獨自な根源と意義の高位とを持つたものである。從つて努力の心像內容は努力にとつて決して第一義的な內容をなすものではない。然るに意志目的は努力の表象された目標內容である。卽ち努力に於て既に與へられた目標內容を表象的に把捉することに於て始めて目的意識が現實的となる。目標は目的意識以前に既に與へられたものであるが、目的は目標を基礎として始めて與へられるものである。

かくて彼は以上のべたやうな努力の根源的事實を根據として、かの實質的目的倫理學と實質的價値倫理學とを同一視し、單に前者が排斥さるべきであるといふ理由から後者をも亦直ちに排斥すべきであるとなすカントの考へ方の誤謬を指摘しようとする。シェラアによれば價値は本來目的に依存するものではなく、むしろ努力目標の根底に横はつてゐるものである。ある目的の定立が道德的に正しいか否かといふことは、既に努力の目標內容の成素たる實質的價値や關係に依存してゐる。意欲が或る目標內容を目的とするといふことは、單に一の純粹法則に從ふといふことによるのではなくて、これらの價値や價値關係に從ふことによるのである。故にそれは目的々に制約されたものではなくても實質的に制約されたものなのである。又努力の心像內容は、根源的に努力の質料である處の價値性質に從屬するものであるが故に、實質的價値倫理學は「心像經驗」といふ意味でのいかなる「經驗」をも前提するものでもない。かゝる心像內容は、意志目的に至つて始めて之を含む必然性を持つもので、合目標的努力にあつてはかゝる成素は必然的なものではないが故に、實質的價値倫理學は經驗の凡ゆる心像內容に對してアプリオリなものである。從つて又それは對象の表象が主觀に及ぼす結果の經驗には全く依存しないものである。意志目的は選擇作用から生ずるものであるが、この作用は根源的には既に努力の價値目標の上に支へられたものであり、實質的諸價値に對する價値優劣感の作用に基けられたものである。カントは凡ての傾向性や衝動の領域をば道德的價値に無記なものとしてゐるが、しかし人間の最も深き道德的特性は選擇的目的定立的な意志の中にあるのではなくて、むしろ價値實質並に既に衝動的に打ちたてられてゐる處のその間の關係の中に存してゐるのである。勿論傾向性がそれ自身で善なのではなく、努力に於て與へられる諸價値の中、より高き價値を選ぶ意志作用に於て善が成立つのではあるが、このより高き價値も實は努力そのものゝ中に與へられてゐるので、意志の選擇によつて初めてさうなつたのではない。意欲は自己に外在的な「形式的法則」に從ふのではなく、傾向性の中に與へられる價値質料がより高くあるといふ認識、卽ち價値優劣感で與へられる認識に從ふものである。だからカントのやうに、衝動的努力は單なるカオスにすぎないものであり、之に理性意志が加はつて始めて秩序が與へられるといふやうな考へ方は事實に反してゐる。むしろ人間の高き道德性はかの努力衝動や、それが目ざす處の實質的價値が無意識的自動的に或る秩序に於てあらはれるといふことに依存してゐる。近代思惟心理學の高き功績は、我々の表象の自動的進行が單なる聯想律のみからは決して理解されず、むしろ一種の論理的方向性又は理性的合目標性によつてかゝる進行が支配されるものであることを明かにした點にある。自動的な純粹衝動的努力と雖も既にその作用に對してある意味を保持して居り、價値の客觀的位順を表現してゐる。(三)

註(三) M. Scheler, Der Formalismus in der Ethik usw. S. 25–40 參照

以上の如きシェラアの見解の中には、一面カント倫理の深き特色をなす處の道德性の主體的意義を十分に保存すると共に、他面この行爲の主體をば單に法則的なる理性より更に深く根源的努力的なるものに求めた點に於て、我々に對してきはめて重要な暗示を與へてくれるものであると思ふ。唯彼はこの努力的主體を以て始めから價値內在的な原理とし、其處から我々の行爲の道德性をば直接的に導出しようとしたが其處には尙多くの問題がのこされてゐるやうに思はれる。この點で彼は尙行爲的主體としての人間存在にとつて根源的な努力の辨證法的否定的性格を把捉すること能はず、遂にカント的な分析論理的見地から拔け出すことが出來なかつたといふことが出來る。例へば彼の所謂努力そのものに前意識

的前表象的に內在する價値とは抑々いかなるものであるか、それは單なる感性的欲求的價値にすぎないものではなくて更に高き道德的宗教的價値をも含めたものであることは彼の所論を通して略推知することが出來るが、しかし廣く努力とはいつても其處には生の無限なる發展の諸相に應じて全く異る內容をもつた種種の在り方が考へられねばならず、しかもそれは單なる直線的連續的發展の段階として表象され得るやうな漸進的形式をもつたものではなくて、むしろ常に深き自己否定を通して非連續的飛躍的に他在の中に自己自身の恢復し行く處の辨證法的展開として考へられねばならぬものであり、價値や當爲が深くその根據をば人間の原始努力とでもいふべきものゝ中に持つべきであることは誠に彼のいふ通りではあるにしても、この努力はそれ自身の中に矛盾を含み、この矛盾に於ける自己否定の中におのれ自身の高次なる姿をあらはにし來るものでなければならぬ。(三) 然るにシェラアにあつては努力のこの辨證法的絕對否定的性格は尙殆んど理解されず、唯價値優劣感といふが如き先天的價値感情によつて諸價値の秩序がいはゞ同時的空間性に於て區別されると考へるにとゞまつたものゝ如くに思はれる。この點は彼の倫理學がカントの形式主義の克服に最大の努力をさゝげたにもかゝはらず尙眞に實存の具體性に徹することの出來なかつた最大の理由をなすものであるやうに思はれる。唯彼が努力を以て根源的な目標定立的價値意識となし、目的を定立し選擇し追及する我々の表象的な努力をばかゝる根源的努力に基かしめ、一切の實踐的價値の根源をも終局的にはこの非合理性の中に求めてゐることは、カントの理性倫理に對する一段の飛躍であり、道德の主體的意義をば眞にその根源的なものにまで深めたものであるといふことが出來ると思ふ。

尤もこのことは必ずしも獨りシェラアの功績にのみ歸せらるべき事柄ではなく、既にギュヨー、ニーチェ、ベルグソン等の生哲學にあつても明かなる直觀的事實として認められてゐたのである。例へばギュヨーによれば意識は生命にあつて一の副現象としてそれの僅かな部分を占めてゐるにすぎない。自覺的行爲と雖も實はそれの根源を本能や反射運動にもつものである。行爲の自然的原動力は前意識的なる本能の中に働いて居るもので我々の意識的目的といふが如きものはむしろかゝる本能の自覺的對象化ともいふべきものに外ならない。故に凡ゆる意識的行爲を決定する處の「目的」は實は凡ゆる無意識的行動を生み出す處の原因そのものであり、その意味で生命自體であるといふことが出來る。（四）然るに生命は一の活動力でありそれの最高の緊張はやがて自己の力の最大の擴張に向ふものである。道德的本務と雖もそれの根據をかゝる生命の中に負ふものでなくてはならぬ。天才に於けるが如く道德性にあつても知識に先立つた一種の自然力が存在する。この力は我々を驅つて活動を生産せしめるもので、これに對しては悟性は唯第二義的な役目を演じうるものであるにすぎない。かくて彼によれば本務は他の一切に優れた或る內的力の意識に歸着する。何よりも大いに爲し得らるるものを內心に感ずることは、將にそれによつて爲さねばならぬことを第一に意識することである。本務は、活動し自らを與へんことを命ずる生命の溢れである。今迄人は多く本務をば單に必然性又は拘束の感としてのみ理解してゐた。しかし實はそれは何よりもまづ力の感じである。力の蓄積はその前に置かれてある障碍物に壓迫を加へる、其處に義務が生れるのである。要之、道德的義務は生命の作用そのものゝ中にその原理をもつもの、それは反省的意識以前なる存在の暗き無意識的奧底に橫はるものである。（五）義務とは衝動の或る形式であり、必然的に行爲に移る傾向性を持つた自己擴張的生命の或る派生的表現である。道德には何らの超自然的原理も存在しない。生命そのものゝ固有な力から一切が由來してゐるのである。即ち生命はたえず自ら發展せんと渇望することによつて自らの法則をつくり義務をつくるのである。故にJe dois, donc je puisといふよりはむしろJe puis, donc je dois といつた方が一層眞理である。(六)

註(四) Vgl. Guyau, Esquisse d'une Morale sans Obligation ni Sanction, S. 86 f.

(五) Vgl. a. a. O. S. 104 ff.

(六) Vgl. a. a. O. S. 247 f.

ベルグソンも亦道徳の根底に論理以前の非合理的なるものの情緒的なるものを見た。彼によれば藝術や科學や文化一般の凡ての偉大なる創造の根底には常に或る情緒的なるものが横はつてゐる。尤も情緒にも二種あり、一は表象によつて生ずるものとして知性以下のものであるが、他は一切の表象に先行するもの、思想と意志とを自己自身の中から産みだすものとして知性以上のものである。精神の最高能力を感性的なるものとして思惟することは人間の價値を低くすることでもあるかの如くに考へる人は情緒に於けるこの區別を知らない人である。凡ての天才的作品は表現不可能と信ぜられた處の獨自な情緒から産出せられたものである。道徳に關しても亦人は之を思辨や教説から導出することはできない。唯或る情緒が私を占有して居るならば、私はそれに從つて動かされ、それに從つて行動するであらう。教説はそれが純粹な知的表象の狀態に止まる限り決して道徳の實踐となる資格を持たない。新しき道徳や新しき形而上學の前には常に、おのれ自身をば意志の方向に飛躍せしめ、知性表象として展開せしめる處の情緒的生命が存在してゐる。譬へばキリストが「愛」の名の下にもたらした情緒を見よ、この情緒が人々の魂をとらへる時其處に必然的に新たな行爲が起り教説が弘まる。しかもそれらは何らの形而上學によつても義務道徳によつても强いられたものではないのである。人は道徳のかゝる新しき側面を掘り下げる時生命の創造的努力との合一感を其處に發見するであらう(七)。

かくて道徳的行爲の合理性は道徳の根源迄が純粹理性の中にあるといふことを意味するものではない。その時命令するものは憶かに理性であるには違ひないが、しかし理性は自己充足的なものではない。其の背後には常に單なる合理性に盡すことの出來ない力がある。いかなる目的と雖も單なる理性目的にすぎないやうなものは眞に我々を行爲的に强要し得るやうな迫力を持ち得るものではない。もし我々の意志を實際に動かすやうな眞に能動的な力があらはれるならば、理性は何ら之に對抗するやうな力をもつことは出來ない。かりに理性が何らかの異議を申立てたとした處で人は唯あつさりと"sic volo, sic jubeo"と答へるにすぎないであらう。責務は、多くの格率が其處から合理的に演繹され得るやうな知性的原理から天降つて來たものではないのである。(八)(九)

註(七) Vgl. Bergson, Les deux Sources de la Moral et de la Religion. S. 36 ff.

(八) Vgl. a. a. O. S. 85 ff. ——ベルグソンによれば道德の根源には二種あり、一は傳統的社會の習慣の蓄積から生ずるもので、他は上にのべたやうな非合理的な情緒的生命から生ずるものである。前者によつて閉された道德の成立ち、後者によつて開かれた道德が成り立つ、この二重性から彼は彼の全體の倫理觀を展開しようとしてゐるのであるが、こゝには問題を簡單化するためにわざと之の一つだけをあげるにとゞめた。

(九) ギュヨーもベルグソンも倶非辨證法的な考へ方である點に於てはシェラアと同じである。

これらの人々の說く處は必ずしもその凡てが相一致してゐるといふわけではないにしても少くとも道德の事實を以て單なる理性概念の事實と見、合理的なる法則的事實とてのみ理解しようとする考へ方に對して、更に深くその根底に非合理的なるもの丶存在することを見逃さない點に於ては全く一致してゐるといふことが出來るであらう。そこで私は私の倫理的反省の出發點をば單に義務や當爲の合理的意識、カントの理性法則といふやうな抽象的な價値事實にのみ求める代りに、人間存在にとつてヨリ具體的でもあり現實的でもある處の「行爲的事實」の全體性の中に求めて行き度いと思ふ。行爲する人間は單に表象し判斷する人間よりは更に深く其の根を具體的人間的生の非合理的衝動性の中に持つてゐる。それは義務を意識して之を己れの當爲とする規範人であるばかりでなく、更に深くかゝる規範の母胎としての自然の中に其の根をはつてゐる。かくて倫理學はもはや單なる理性概念の分析の學であることはできない。我々は善惡の概念を分析して之を絶對化する前に人間存在の行爲的事實をばその具體性に於て觀ることから始めなければならぬ。その時我々は善惡が一義的法則的に限定し得るやうな單なる客觀的區別ではなくて、行爲的なる生の辨證法的發展の中にあらはれる個性的瞬間的表現に於ける區別であることを理解せざるを得ないであらう。槲の葉を眞に理解するとは槲の葉の生をその具體性に於て把捉することでなければならぬ。それは槲の葉を單に解體し分析し計量することにつきるものでなくて、むしろそれが大地に向つて根を下ろし日光に向つて枝を擴げつゝ生々と生ひ育ち生繁る全生命の一態として深く自然の底から之を主體的に把握することでなければならない。現實の道德の眞實の具體性は單なる義務概念の論理的分析や理性法則の先驗論的反省によつては決してあらはにされることはできない。それは唯自然から生れて自然を否定しゆく行爲的人間存在の辨證法的發展に於ける一の現象形態としてのみ自己の姿を全的に開示するであらう。かくて倫理學は先驗論的な法則學や原理學であるよりはむしろ一の辨證法的な現象學でなければならないであらう。行爲的人間存在の現象學こそ眞に具體的なる倫理學として新に登場すべき學ではないであらうか。

三、形式的法則倫理學も實質的價値倫理學も共に道德の具體相を開示するものでないこと

命法倫理學が理性倫理學であるならば理性倫理學は又形式倫理學、換言すれば道德に於ける本質的なるものをば理性の普遍的形式法則の側面にのみ見る處の

倫理學であらう。何となればもし我々の全存在の道德的意義が感性的自然に對する理性の支配といふことのみにあるものとすれば、われわれの人生に於ける實踐的價値の原理は之を感性的欲求の實質的對象の側面に求めることは出來ず、どこまでも超感性なる理性の普遍法則的形式の側面に求めるの外はないであらうからである。カントによれば欲求的存在としての我々はその欲求の内容をいかなる對象(目的)に置くにせよ、其處に於て終局的に來められて居る處のものは對象そのものの存在ではなくて對象が我々によび起すであらう處の快又は滿足の感以外のものであることはできない。從つてかゝる(實質的)對象的意欲を支配する原理はその終局に於て自愛又は自己幸福の原理に歸着する。而していかなる對象が我々に快をもたらすかといふことは我々に於ける感性の主觀的受容狀態に相對的のものであるが故に、之を先天的普遍的に規定することはできない。從つてかゝる對象的意欲は我々の主觀的格率を規定する實質的原理ではあり得ても、理性者一般に對して必然的普遍的に妥當する客觀的格率を與へる實踐的先天法則となることはできない。道德の原理はあくまでも客觀的必然性を以て我々に迫るもの、凡ゆる主觀的肆意の欲求を超えた普遍妥當的なものでなくてはならない。かゝる普遍的必然的法則を與へるものは理性を措いて外に之を求めることはできない。しかも上に述べたやうに意欲の凡ゆる實質が客觀的なる實踐的意思の規定原理たる資格を持たないとすれば、後に殘るものは唯理性の法則をかゝるものとして尊敬し、それが理性法則なるの理由によつてのみこれに從ふといふ純粹實踐的意志の形式だけである。道德的に價値ある行爲、無制約的絕對的なる善とはかゝる形式をもつた意志に外ならないと。かくて形式主義は理性倫理學の當然の歸結となるのである。

カントがかくの如く道德の先天的なる實踐的原理を唯純粹意志の合法則的形式の側面に於てのみ求め、一切の實質的對象をば感性的欲求に相對的なる、行爲の經驗的成素としてのみ認めようとしたのに對してかゝる主張が當然陷るべきである處の抽象性をば銳く指摘し、之に代るべきものとして實質的價値倫理學の建設を企てた者はいふ迄もなくマックス・シェラアである。彼はまづ現象學的立場から、先天的なるものを以て、一切の主觀的乃至客觀的定立作用が括弧づけられた後、直接的な本質直觀の內容として自ら與へられる處のイデアールな意味統一や命題であるとする。かゝる直觀に於て示される處の本質は凡ての經驗に先立つて先天的に與へられるものであり、從つて先天的なるものとは、命題や判斷內容にそれの形式として結びついてゐるやうなものではなくて、全く所與事實の領域に屬したものである。かくてシェラアにとつて先天的に與へられるものとは本質的直觀の純粹且つ絕對的な現象學的事實であり、それは既に普通の經驗の中に働いて居るものではあるにしても、決してその中に與へられるものではなく、むしろかゝる經驗自身が既にこの事實に基いてなされてゐる處のものである。

故に先天的なものと形式的なものとは本來的には何らの關係もないものであり、先天的と後天的との對立は形式的と實質的との對立とは何ら直接に結びついたものではない。從つて先天的なものゝ全領域の中には形式的なものもあれば實質的なものもあり、時には唯一の個體的對象にあらはれ、他の凡ての對象に缺けてゐるやうな先天的本質聯關もあり得るのである。然るにカントは單に先天的と形式的とを同一視するといふ誤謬に陷つたばかりでなく、之と關聯して又質料的と感性的及び先天的と合理的とをも同一視してしまつた。この誤謬は何が志向そのものに於て直接に與へられるかを率直に凝視することを忘れてかゝる作用が生起するために考へられ得る一切の非志向的な客觀的因果的條件を問題の中に混入することに基く。現象學に於て感覺內容とは、眞正な且つ直接に與へられる感覺內容から類推されたものでもなく、又刺戟とそれに應ずる有機體の反動の仕方といふやうな因果の迂路を通つて推論されたものでもなく、直接感覺內容として端的に我々に與へられるものである。實踐的なる價値や意欲の場合に於ても事態は之と變らない。實質的目的によつて規定される凡ての意欲はその實現が感性的感情狀態に及ぼす影響によつて規定されるから先天的に規定されることは出來ないと云ふカントの主張は誤つてゐる。むしろ意欲はそれが强靭なものであればあるほど與へられた價値や心像內容に沒頭して餘念のないものである。かゝる意志は、實現さるべき內容の中におのれの凡てをなげ入れ、その實現そのものを以て自己の生命とするが故に、それが自己の感性狀態にいかなる影響を及ぼすかといふがごときことを遙かに超越して、只管その實現へと驅り立てられ、危險と傷害とを意とせずにして初志を貫かんとするものである。天才や英雄の情熱的意欲はまさにかくの如き最も核心的な體驗である。カントによれば道德的意志にあつては法則の理念がそれの規定根據であり、それの實現のみが意欲されるといふのであるが、かゝる法則と雖もそれが意志の規定根據たる限りに於ては意欲の可能的實質の一つであるといふことが出來る。一般に意欲はその基底を實質にもつものであり、かゝる實質はそれが價値性質から成つてゐるものである限り同樣にアプリオリであることのできるものである。而して意欲の心像内容はこれによつて始めて規定されるのである。故に意欲は譬へ實質的原理によつて規定されたものであつても必ずしも「感性的感情狀態」によつて規定されるものではない。

次に先天的なものと合理的なものとも亦決して同一視され得る概念ではない。既に理論的認識に於ても先天的なものとは必ずしも思惟されたものを意味する譯ではない。先天的なるものは本來直觀的に與へられるものであつて、思惟命題といへどもそれが先天的であるためには現象學的經驗によつて充實されなければならないのである。元來我々の精神に於ける感情的なるもの、價値感、價値優劣感、愛憎及意欲は、倫理學が思惟の論理學から獨立に自ら示すべきである所の或る根源的な先天的内容を持つたものである。然るにカントは純粹意欲をば實踐理性に還元し、恰も意欲をば論理學の單なる適用領域にすぎないものであるかの如く理性化して取扱つてしまつた。從つて價値感とか愛憎とかはそれが理性の領域に屬しないといふ理由から、直ちに之を感性領域に屬するものとして倫理學から除外するに至つたのである。しかしかゝる感性と理性との誤つた二元論は放棄されなくてはならない。價値現象や感情生活の現象は元來論理學から全く獨立した領域をなすものであり、愛憎をば道德の根本的作用と見ることは決して倫理學が感性的經驗の領域に踏み迷ふことではない。これらのものゝ作用やその合法則性や實質は、たとへ人間に卽して學ばれるにしても決して單なる特殊的人間的なものではない。思惟の現象學的分析が人間の思惟の心理學と異るやうに、これらのものゝ本質に關する現象學的分析は心理學や人間學とは異るものである。かくてこゝに感情的なるものゝ先天論 ein Apriorismus des Emotionalen が可能となり、先天論と合理論との分離が要求される。合理的ならぬ感情的論理學は決して經驗的倫理學ではないのである。

カントは對象の合法則的聯關の根底に悟性形式を前提し、そこに現象のアプリオリな認識の可能根據を求めようとした。しかしかくの如く認識の先天的內容をば純粹構成的に說明せんとする思想は、所與は凡て單に無秩序な混沌であるといふ誤つた前提の上に立つものである。感覺や衝動がもし單なる混沌にすぎないものであるならば、それに働きかけて秩序と組識とを與へる原理が必要であらう。かくてヒューム的な自然觀はカント的な悟性を必要とし、ホッブス流の人間學はカント流の實踐理性を必要とするのである。カントのアプリオリズムスの根底には所與敵視、所與不信或は混沌に對する不安、恐怖といつたやうな彼の世界に對する態度がその心理學的機緣をなしてゐる。それは與へられた世界を愛し之を信じ直觀的世界に歸依するのと恰度逆の態度である。先天論はかゝる世界憎惡の情に由來する假說からまづ自由とならねばならぬ。本質並に本質の聯關は與へられるものであつて創造されるものではない。かくて道德的價値認識は知覺や思惟とは全く異つた價値感、價値優劣感、愛憎等に於て成立つもので、かゝる感情的に與へられたものゝ中に先天的內容が存してゐるのである。(一)

註(一)　Vgl. M. Scheler, Formalismus in der Ethik usw. S. 40

シェラアの此の如き行爲實踐に於ける先天的にして同時に實質的なる價値の主張の中にはカント的なる形式論が當然陷る處の抽象性に對して、きはめて深く事態そのものゝ眞實に即した直觀が含まれてゐる。道德的善は單なる善意志といふやうな形式的原理のみによつては盡すことの出來ない內容を持つたものである。勿論カントの定言的命法にも人格の獨立とか目的の國とかいふやうな內容的なるものが含まれてゐない譯ではなかつた。けれどもかゝる內容は實は嚴密には內容といふことが何處までできるか疑問とすれば疑問とすることができるやうな、いはゞ形式的な內容にすぎなかつた。例へば彼が人格といつた時單なる理性者の(形式的)概念から區別さるべきどれだけの具體的內容を持つてゐたか、そこでは少くとも一定の社會的歷史的境位の下に一定の個性を以て情感し意欲するこの私の個體的存在といふが如きものは何ら問題ではなかつた。恰も動物學に於てあの馬この馬が問題でなく唯馬一般である處の馬のみが取り扱はれるやうに、カントの人間は常に人間一般であり、或は人間よりも更に普遍的なる理性的存在であるに過ぎなかつた。かくてかゝる抽象的概念を超えた具體的なる歷史的社會的人間によつて直觀され把握され、又追求される處の無限に豐富なる價值內容といふが如きものに至つては彼は始めから顧みようとさへもしなかつた。

しかし現實の我々の道德生活にあつては意志の形式はいかに純粹なるものと雖

も常に一定の價値内容と深く結びついたものであり、かゝる内容を離れた形式といふが如きものは唯分析的思惟の抽象のみがこれを引離し得るに過ぎない。道德に於ける客觀的意志とは單に當爲に從ふ敬虔な良心的意志といふことにつきるものではない。當爲は單に主觀的法則性のみに止るものではなく同時に實質的客觀性を持つたものでなくてはならない。カントはかゝる實質的客觀性をば定言命法の第一範式に於ける「意欲の普遍法則化可能」といふ形式的原理に還元しようとしたが、事實に於てはむしろ逆にこの法則化可能といふことその事が既に實質的價値の客觀性に基いて始めて可能となるのでなければならない。

勿論カントが、善惡の概念を以て主體との關聯を超えた絕對的區別としてそこから主體の道德的法則を導出して來ようとする從來の對象倫理學に對して、理性的主體の實踐的法則を以て根源的なるものとし、かゝる主體的なるものから客體的なる善惡の區別を明かにしようとしたことは彼の實踐哲學に於ける一のコペルニカス的業績であるといふことができるであらう。誠に倫理學の世界に深く主體のもつ先驗的創造的なる意志の實踐的意義を明かにしたものはカントである。唯彼の主體とは單なる理性者であり、普遍的立法的なる超歷史的形式的意志であるにすぎなかつた、其處に我々に殘された問題が存在するのである。道德的意志とは單に形式的合法則的なる純粹意志にとゞまるものではなくて、一定の實質的價値對象の體驗に卽して其の實現に向ふ處の創造的個體行爲的意志である。我々の行爲はそのいかなるものと雖も何らかの價値體驗又は價値感得を離れてはなり立たない。我々に於ける當爲の意識は常に必然的にかゝる價値的對象の實現に向ふ處の意志として深く對象的なるものとの內面的結合を含んでゐる。この意味でシェラアが道德的行爲に於ける實質的價値契機に着目し、單なる理性法則に還元することのできない價値感や價値優劣感や愛憎の實踐的行爲的意義を明かにし、かゝる實質的價値對象の實現に向ふ行爲が必ずしも單なる感性的意欲の充足と滿足とに向ぶ經驗的自愛的行爲に限るものでなく、實質的でありながらしかも尙アプリオリな實踐的原理を含む行爲があり得ることを明にしたことは、誠に彼のカント以來の重要なる功績であるといはなくてはならない。

唯彼はボルツアノ以來の客觀主義的現象學的傾向に從つてこれらの實質的價値とそれの位順とをばこれを感得し意志する主體から全く獨立ないはゞ絕對永

遠不動の相に於ける秩序に於てあるものであるかの如く之を理解したやうに思はれる。彼によれば、恰も色の名が物の單なる性質につきない處の獨立性をもつたものであるやうに、價値に對する名稱も、財(物)の單なる性質につきるものではない。例へば「快適」や「愛らしさ」等の價値は物や人間の單なる性質ではなくて、原理上これらの物や人間から獨立的に與へられるものである。このことは感性的快適のやうな、價値と狀態とこの狀態を呼び起す物とが密接に相關係してゐる場合でも既によく區別されることができるが、更に愛らしいとか崇高であるとか美しいとかいふやうな美的價値になると一層はつきりとして來る。これらの價値はそれを擔つてゐるものゝ單なる共通性質にすぎないものではない。勿論これらの價値は常に何らかの對象と結びついたものとして我々の前にあらはれるものではあるが、しかし我々があるものを「優れてゐる」とか「愛らしい」とかいふ時には、既にこれらの價値が物に卽して吾々に與へられてゐるのでなければならない。これと同樣に善惡の價値も亦人間や行爲の單なる共通性質といふやうなものではない。だから我々は唯一つの事例からだけでも此の種の價値を捉へることが出來るのである。價値はむしろそれだけで直觀的に與へられるものである。

そこで明かなことは、或る固有なる(價値)對象界を示す處の——或るものはヨリ高く、或るものはヨリ低き價値としてそれの特定の關聯をもつやうな價値對象を示す處の眞實の價値性質があるといふことである。而してこれらの價値性質の間には一定の秩序乃至位順があり、しかもそれは財世界の歴史に於ける變化からは全く獨立的なものであつて、かゝる經驗に對して先天的なものであり恰も青い玉が赤くなつても「青」といふ色は赤くならないやうに、價値を擔ふ物は變化しても價値や價値の秩序は變化しない。かくて善惡の價値とその他の價値との間にも亦一定の不變の關係が存する。絶對的善とは最高價値の實現作用に即して本質合法則的にあらはれる價値であり、惡とは最も低い價値の實現作用に即してあらはれる價値である。又相對的意味の善惡とはヨリ高き或はヨリ低き價値の實現に向けられる作用に即してあらはれる價値である。かくて價値の(客觀的體系に於ける)位順に基いて、いかなる種類の價値の實現が善であるかを規定する處の一の實質的價値倫理學が可能となる。かくて一般的價値の秩序に關して云ふならば(一)積極的價値の存在はそれ自身積極的價値であり、(二)それの非存在はそれ自身消極的價値であり、又(三)消極的價値の存在はそれ自身消極的價値であり、(四)

それの非存在はそれ自身積極的價値である。又かゝる價値一般と善惡の價値との關係について言へば、善惡の價値は一般に意欲の領域に屬するといふ共通の特色を有し、その中一、善とは積極的價値、或はヨリ高き（又は最高の）價値の實現に卽してあらはれる價値であり、二、惡とは消極的價値或はヨリ低き價値の實現に卽してあらはれる價値であると。（一）

註（一）　Vgl. a. a. O. S. 7 ff. S. 78 ff.

惟ふにシェラアの思想の中には獨墺學派に由來する客觀主義的現象學的側面と、パスカルやニーチェに由來する感情主觀的生哲學的側面とが尙十分の融合と統一を成就せずに併存してゐる所があるやうに思はれる。彼の價値客觀主義はその中前者に由來するものであるが、それはフッセルのノエシス・ノエマ的意識の構造說に比べても更に客觀主義的傾向の著しいものでカントの先驗論的構成主義に全く對立しむしろ之を逆轉せんとするものであつた。私はかゝる客觀主義は一度カントの主體的倫理學を經た今日に於ては到底最後まで維持し得ない考へ方であると思ふ。勿論道德的價値は單なる個人の肆意や欲求の對象としての物の性質といふやうなものを超えたものであることは彼の說く通りであるには相違ないが、しかもそれは我々の主體的意志(彼のいふ生の努力)と深く根源的に結合したもので、主體的關聯から全く絶緣された客觀的價値とか價値の位順とかいふが如きものは不可能であると思ふ。我々がシェラアに於て深く敎へられ導かれるものは彼のかゝる客觀主義的側面ではなくして、カントの理性の根底に超理性的な努力を觀、法則の根底に超法則的な價値感情を見たすぐれて人間的なる深き人間洞察である。我々はむしろ彼の實質的價値倫理學をばこの側面から見直し、其所から深き統一的理解を試むべきであらう。それは獨り我々にとつてその方が濟合的であるばかりでなく、シェラア自身の眞意も恐らくは其の方向にあつたではないかと思はれる。(三) しかしこのことは彼の分析論理的思惟から行爲的人間存在の辨證法的把握への飛躍を必然ならしめるのである。

註(三) 特に彼が當爲の根底に努力を見た前述の非合理論的生哲學的方向に於ける彼の價値論を見ればこのことがよくうなづかれるであらう。

四、思惟一般、特に哲學の歷史性とその超歷史性とについて

合理主義倫理學は又それの當然の歸結として道德的法則の超歷史的普遍性と永遠性とを主張する靜的倫理學の體系である。普遍化可能の形式的原理に立脚する道德的意志は自己の純粹なる形式性に於てそれ自身絕對的に善なのであつて、此處に通用し又かしこに通用する所の相對的な善なのではない。これは意志の凡べての實質をば行爲の實踐的原理とすることを排除する立場にあつてはむしろ當然のことに屬するであらう。しかし一度かゝる抽象的形式主義の立場を離れて我々の行爲の現實に於ける具體的な事態そのものに着目するとき道德の歷史性といふことはさう簡單に看過し無視し得る事柄ではなくなつて來るであらう。何となれば我々の全實存は主體的にも客體的にも歷史的關係を離れては存在し得ず、常に歷史の中に生れ、歷史の中に生き歷史の中に死んでゆくものであり、歷史によつて限定されると共に歷史を限定しゆくと云ふ所に我々の行爲的實存の具體的現實があるからである。かく我々の行爲が必然的に歷史的地盤の上

に立ち歴史によつて限定されたものである限り、更に又それが歴史の傳統を破り、自己の個體的自由に基いて新たな歴史を建設するものである限り、行爲の道德的價値も亦歴史との關係を離れてそれ自身でなり立ち得るやうなものではあり得ないであらう。從つて又かゝる價値の自己反省の學たる倫理學も超歴史的な純粹實踐理性の先驗論的反省といふやうなものゝみに止まることはできなくなるであらう。こゝに我々は我々の道德的實踐に對して歴史がもつ所の重要な意義を深く省みる必要にせまられるのである。

マンハイムによれば總じて哲學は單なる個人の理性的思惟の所産——例へば誰か或る特定の個人が或る體系を考へ出すといふやうなことによつて成立つのではなく、既にその歴史的社會に現存する生活事態（レーベンスハルトウング）の中に含まれた哲學的內容がその成員としての個人を通して反省され、視界に照明されるといふ事によつて成立つものである。我々にとつて眞に具體的なる思惟（哲學）は、單に大前提からそれに含まれた特殊を演繹するといふやうな論理の形式的抽象性に基くものではなくて、社會的歴史的なる生がそれの未反省的なる現實の直接性から自己反省作用によつて、其所に前提的に（プレミッセンハフト）内在する所のものをあらはにする所に成立つものである。所謂現象學的直接性（本質直觀）に於て把握されるものと雖も實は既に一の歷史的形態となつてゐるものであつて決して超歷史的なエイドスといふやうなものではない。

かくて哲學と雖ももし我々が之を徹底的に歷史主義的に考察してゆくならば、結局哲學自身をも歷史的なるものと觀、哲學の體系に於て凡ゆる哲學の歷史性の事實を認めなければならなくなるであらう。此の意味で從來歷史主義は單なる相對論であるとして却けられカント主義に於ける、理性の形式的規定性の先天的同一性の立場から非難せられるのを常とした。しかし更に翻つて省みるならばかゝるカント的な形式主義自身が既に一定の歷史的な世界と結びついて成り立つたものであり、其の世界にあつては凡ての價値はそれの具體的內容性に於ては自己の本質を持たず、本質的なるものは唯それの形式的契機にのみ求められたのである。而もそこでは形式は一般に、これをみたす內容の無限の變化にかゝはらず常に一定不變の形態を維持する容器のやうなものとして考へられてゐた。けれども我々の生命の具體的形式は實はかゝる死んだ容器ではなく、むしろ生々として發育する植物の中に保たれる形態に比べられるやうなもので、植物の發育につれて質料と共にどこまでも生成し變化しゆくやうな關係に於てあるものである。しかも我々が物の世界から離れて心的精神的な歴史の世界に近づけば近づくほどかの超時間性の假象をもつた形式の概念は問題となつてくるのである。

又歴史主義は認識論理主義の立場から、眞理の基礎を意識のゲネシスニ置かんとする心理主義に陷るものとして非難せられる。しかしかく非難する認識論自身が決して歴史的制約を離れ得るものではなく、常にその時代を支配する前提によつて立ち、これをあらはにするものである。例へばカントの認識論に於ける永久同一的理性の觀念は、嚴密自然科學の思惟構造の分析に基くもので、其所には近代啓蒙的合理主義思潮に汎通する自然理性に對する絕對的信賴の念が基底として、横はつてゐる。彼らは歴史の事實をすら自然の範疇によつて捉へるより外に術を知らなかつたほど普遍法則的な理性の概念に捉へられてゐたのである。しかし歴史主義の立場から言へば理論の自律といふやうなことは彼らの考へるほど抽象的且つ單純に承認し得られる事柄ではなく、常にそのヨリ深き根據を前論理的な背景にもつものである。かゝる自律說はそれ自身が既に近代社會の歴史的所産であり、近代の生乃至文化體系に於て事實上存在せる生活事態を理論的に表現したものに外ならない。中世にあつてはむしろ哲學の宗教に對する隷屬的關係が自明の眞理として常に前提されてゐたのである。しかもそれは中世紀をば深く一般的に支配してゐた歴史的な生の秩序に基くもので、其所には唯に自律的な認識理論がなかつたばかりでなく、自律的な倫理も藝術もなかつたのである。近代人の生活はかゝる宗教的束縛からの自己解放にその幕を切つて落したものに外ならない。かくまづ藝術がL'art pour l'artのイデーを以て自己の獨立性を明かにし始めると共に、道徳の領域にも認識の領域にも意志や理性の自律の思想が漸次に擡頭し來つたのである。しかもこれらの諸領域に於ける自律の理説は、既に歴史的生の中に具體化されつゝあつた處のかの解放の過程の中からそれの理論的反省として生れ出たもの、近代社會の歴史的情勢との必然的なる結合に於てあらはにされ來つたものに外ならない。

然るに我々の歴史的生の現代の情勢は、かゝる近代的な理性の自律の思想に對して更に一つの飛躍的な轉回をよび起すべき傾向をもたらした。即ち現代にあつてはもはや從來の自律を定立する傾向や、事態をアトミジーレンする傾向や概念を分析する傾向（これらの諸傾向には一つの根源的な共通的方向がある）はそれだけでは不十分なものとされ、これらに對して新に動的な綜合への傾向が共通的となつて來つゝある。かのアトミジーレンドな、領域分割的な思惟方法は一つの社會的構造――個人をば歴史的社會の傳統的な束縛から出來るだけ脱却し、かくて解放されアトム化された個人の自由競爭的經濟的獨立の思想にもとづいて社會を形成し行かんとする情勢と深く結びついたものであるが、それに對して全體的綜合への現代の動的傾向は我々の社會の現實性をば集團的に形成せんとする時代的要求を自己反省的に徹底することに於て歴史的必然的にあらはれ來つたものに外ならない。かくて前代に於て徹底された諸領域の分化、孤立化をば再び精神的心的なるものゝ具體的全體性に於て取りもどし、それらの間の斷片的分裂をば統一融合せんとする現代の努力は、全體的なる歴史的社會的事體に於ける時代の方向的轉換に相應するものである（一）。

註（１）　Vgl. K. Mannheim, Historismus 1924 (Archiv für Sozialwissenschaft und Sozialpolitik Bd. 52 S. 1—16)

然らば哲學や宗教や道德の世界には自己の領域に固有な內在法則に從ふ發展

といふが如きものはあり得ないであらうか。もしマンハイムも主張するごとくこれらの文化的諸形態はそれら根本制約となる所の諸前提をばおのれの自身の地盤の中にもつものではなく、むしろ之をより一般的な歴史的生の社會的經濟的情勢からのみ受け取らねばならぬものとするならば、かゝる情勢の變化につれてこれらのものゝ前提も亦常に變化せねばならず、學問や道德の世界に於ける獨自な歴史的發展とか持續的な進歩とかいふやうなものは考へられなくなるやうにも思はれる。しかし學が學である限りかゝる單なるイデオロギーや上層建築としての觀念形態といふやうなことにつきるものであることはできない。其所には何らかの仕方で相對の中にも絶對に觸れ、有限に卽しつゝも無限につながる處のものを持ち、何らかの意味で過去が現在を通して未來と結びつくといふ關係を通して、進歩とか發展とかいふことの可能なる場面を持つてゐなくてはならない。このことは歴史主義の立場からいかにして可能となるであらうか。

アルフレッド・ウェーバアによれば我々の歴史的世界の構造は全く相異る生の領域に屬する三種の過程乃至運動形式からなつてゐる。その第一は經濟學や政治學の對象となる處の社會過程であり、それは最も廣い意味での民族といふ生命統一體によつて擔はれてゐる。第二は直線的上昇的に發展し進歩する處の合理化の過程としての文明過程であり、それは發見といふ根本範疇によつて一歩一歩と實現され、一度獲得されたものは失はれるといふことなく時代から時代へと傳承されて、人類の全歴史を貫いて持續的な進歩の直線を描く普遍的過程である。次に第三は創造の範疇によつて支配される文化過程であり、それは普遍的に何處へもつて行つても通用するやうな有用物の世界ではなくて、人間性の精神的本質を表現し、絶對不可傳達的不可反復的なそれ自身の特性をもつたものである。故に凡ての精神文化は各の時代と民族とに於てそれ自身の自己完結性を持つたもので、相互の間に接觸や關聯はあるにしても本質的には一定の歴史圏との不可分な結合に於てのみ成立ち得るもの、この結合を離れてはその全存在意義を失ふものであると(二)。即ち彼によれば數學や自然科學や之に基く勞働的技術的發明や發見の所謂文明過程にあつては直線的進歩といふことが成り立つけれども、哲學、道德、宗教、藝術といふやうな文化過程は常に一定の民族と時代とに特有な歴史的生の具體的構造と結びついたものであるが故に其處には唯人間精神の特殊的な表現があるだけであつて、これらの表現を一貫する進歩といふやうなものはあり得ない

といふのである。果してさうであらうか

註(11) Vgl. Alfred Weber, Ideen zu Staats- u. Kultursoziologie 1927.

總じてかゝる考へ方はマルクシズムに於て最も露骨に示されてゐるやうに、社會の基礎構造と上層建築、文明と文化、物質と精神といふやうなものを一の對立的概念として分析論理的に明確に區分し、その一方を根源的に獨立的なるものとして無媒介的に定立し、他方をこれに絶對的に從屬せしめようとする思惟の根本前提から出發してゐる。しかしかゝる前提はそれ自身必ずしも絶對的なものではない。我々の現實的な歴史的生の發展はむしろかゝる區別をそのまゝでは許さないやうな必然的な相互關聯の過程に於てのみ展開するのである。中世より近世への歴史的情勢の展開は、一切の精神文化から切り離された社會生活乃至經濟生活がかゝるものとして獨自な發達轉回を成就し、哲學や藝術は唯それの文化的表現としてかゝる基體の獨立的變化に從屬的に並行してあらはれた無力な上層的現象にすぎぬといふやうなものではない。それは一面歴史的情勢に基けられそれの制約によつて限定されるといふ意味で歴史的なものであるばかりでなく、歴史の展開の不可分なる構素として歴史を造り歴史を動かすといふ意味でも亦歴史的なものであるといふことができる。我々の歴史は常に造るものが同時に造られたものであり、造られたものが同時に造るものであるといふ人間の自己矛盾的なる構造に於て形成されてゆくものである。故に一面には社會が道徳をつくる、歴史が哲學を制約するといふことができると共に、他面又道徳は社會をつくるものであり、哲學は歴史の轉回を制約するものであるといふこともできるのである。もしさうとすれば哲學や倫理の根底には社會的歴史的なる生がその實在的基礎をなしてゐるといつても、かゝる實在的基礎自身の中に既に精神的文化的諸契機――人間的行爲の自由なる創造性が横はつてゐるのであつて、新たなる精神文化は常に過去の精神文化をば何らかの意味に於て前提し、それの發展、綜合乃至否定的止揚として自己の實在性をあらはにし來るものであるといはなければならないであらう。従つて哲學は歴史的に形成されるものであるとともに又その底には深く歴史を超えたもの、歴史も哲學も共にそこから生れそこに消えてゆく世界が横はつてゐるのでなくてはならない。

しかし哲學や道徳にあつては數學や自然科學的知識に見るやうな直線的累加

的な進歩を見出すことができないことは、何よりも事實によつて明かである。カントは此の事實を方法的基礎の不確立といふことに基くと考へ、哲學と雖もそれが歩むべき方法的な道が正しく見出されさへするならば其の後は唯內容的な進歩によつて論理學や數學や自然科學と同樣に確實な學問の大道を一歩一歩と進めてゆくことができるであらうといふ風に考へた。(三) しかしかくの如きことは實は唯抽象的普遍化的な數學的自然科學的知識に關してのみ云へることであつて、生の具體的現實の實踐性と直接に深く結びついた哲學や道德にあつては其の本性上始めから不可能なことでなければならない。何となれば我々の實存に於ける生の活動形式は決して單に直線的持續の連續性にすぎぬやうな單純なものではなくて、常に自己自身の歷史的現實の中に之に卽した具體的矛盾を藏し、この矛盾による自己の否定がやがてヨリ大いなる肯定として飛躍的非連續に連續してゆく處の瞬間現在に於ける否定卽肯定の辨證法的性格を以て、念々切々の個別的具體性に於て展開しゆくものだからである。

然らば我々は哲學の根底に歷史的なるものゝ存在を認めながらしかも尙相對

論に陷ることなく、歷史主義の立場をそのまゝに認容しながら歷史を超克の道を見出すといふことはいかにして可能であらうか。哲學の歷史に於ける體系の變遷は決して單に思惟內在的な法則の必然性にのみ從ふものではなくて、歷史的實存の具體的現實と不可分の結合を以てあらはれ來るものではあるが、しかもそれにもかゝはらず前代の哲學と後代の哲學との間には單に事實的變化といふことに盡し得ない深い內面的聯關があり、所謂事實必然性以上の論理的必然性をもつものである。中世より近世へ、近世より現代への思惟方法の變化は慥かに變化ではあるには相違ないがしかも單なる變化以上の發展的な意味を持つてゐる。我々が現代に於てその歷史的社會的制約の下に從來の分析論理的アトム化的思惟を深めて綜合的辨證法的な思惟を以て哲學するといふことは慥かに哲學に於ける進步であり發展であるといふことが出來ると思ふ。唯それは我々が歷史から自己を遊離し、現實を離れて直ちに永遠絕對の世界に飛び出すことに於て得られる發展ではなく、歷史の流れの中に身を沒し、歷史的なるものに深く自からを徹定せしめゆくことによつてのみ得られる處の歷史の超越である。マンハイムが「哲學的眞理の歷史的なウトピー(論理的要請)は哲學の全課程がそれの眞理をもつといふことである。しかしこの眞理は歴史の流れを超越する立場から把捉されるものではなくて、この運動が生じた中心からそれの自己閉合的な圏内に於て把握されるものであり、そこでは生が哲學に對して常に新たなるエレメントを新たな總體性に於て放射する」(四)。といつたのもかゝる意味を藏してゐたものであり、トレルチが「歴史主義とその問題」(五)に於て「現在的文化綜合」となづけた處のものも又かくの如き内容をもつたものであつたと思はれる。要するに我々の哲學は歴史的制約から自己を抽象する事によつてその歴史性を超越する事ができるのではなく、むしろ歴史の中におのれを沒し自ら世界歴史的生の尖端となつてその現實を徹し行くとき其處に初めて眞の具體的超越が可能となるのである。我とは單なる個人ではなくて歴史的個人である。人間の生命は單なるアトム的個人の生命につきるものではなくて、むしろ各個人はヨリ大なる歴史的生命の流れの一の尖端をなすものであるにすぎない。生命の創造性は歴史的生命の創造性である。我々はかゝる創造的生命の創造的エレメントとして個人であるにすぎない。個人が思惟するといふことは單なる個人が思惟するといふことではなくて歴史的個人が思惟するといふことである。しかもそれが單なる過去的限定に從ふものでなくて、一切の過去からの限定をひるがへし、何ものからも限定さるることなきものゝ自己限定として、歴史に卽しつゝ歴史を否定し、個體に卽しつゝ個體を超える處に哲學のもつ超個體性と超歴史性とが實現せられるのである。哲學のもつ、永遠性は歴史的なるものをば自己の外に閉め出すことに於て初めて成り立つやうな抽象的永遠性ではなくて、歴史的個體が自己の存在の矛盾の底に自己の生を哲學しゆく處に見出さるる永遠性でなくてはならない。この意味で哲學は常に時代の哲學である。時代の哲學を思索しない哲學は單に時代を逃避するものであるにすぎない。それは眞に時代を超える哲學となることはできないと思ふ。(六)

註(三) Kant, Kritik d. r. V. 2 Aufl. Vorrede.

(四) Historismus S. 43

(五) Troeltsch, Historismus und seine Probleme S. 164 ff.

(六) 哲學がそれの歴史性から遊離せずに之に徹するといふことは、歴史的なるものを貫いてその底を割るといふことであらう。かく哲學が歴史に徹しながらその底を割るといふことは、それが有限を貫いて無限に達し、現象に卽して實在に觸れるといふことに外ならないであらう。實に我々はその哲的學思索に於て常に時代の問題を問題としながら、かくすることによつてかへつて深く時代を超えゆくのである。我々が哲學を通して遠く中世や古代の聖賢と相見へ相語るのは、かゝる超越的なる底なき底の場面に於てゞあらう。有限と無限の辨證法については後節に於て更に深く觸れる機會があると思ふ。

五、道德的行爲の歷史性とその永遠性とについて

歷史主義的な立場から哲學的眞理といふものをどこまでも徹底して考へて行けば結局以上にのべたやうな考へ方に落ちついていかなければならないやうに思はれるが、更にこれを實踐的行爲の問題に關係させて見たらどういふことになるであらうか。この事については既に前節に於ても屢觸れた處によつて大體の方向は示されてゐると思ふが、更に具體的に考へて行つて見たいと思ふ。

シェラアによれば(一)價値は一般にこれを感ずる人間の構造や機能からは全く獨立なものであり、從つて人間の歷史的な變化によつて制約されるやうなものではない。價値の主觀性をとく者は、凡ての價値には本質必然的に Bewusstsein von Etwas といふ意識の一般的形式が屬してゐるといふ現象學的事實をあげるが、しかしかかる志向的體驗の事實は對象の法則が、之を把捉する作用の法則に從はねばならぬといふことを意味するものではない。こゝでは關聯はむしろ一方的である。一般に價値をば、之を感ずる人間のはたらきに歸着せしめる説は、すべての價値の

存在をば人間に相對的なるものとして定立するものであるが、價値其れ自身は本來的にはかゝる人間的制約をも離れたものでなくてはならない。勿論歷史的人間にとつても個人にとつても價値感は殆んど限りなく發展してゆくものであり、その意味で我々に體驗される價値が常に變化するものであるといふことは爭ふことができない。けれども我々がかゝる各の時代や種族や個人に特殊な關心的視點の霧をはらひのけて、その內的質容自身のあるがまゝの姿に眼をむける時(卽ち凡ての價値感が根本直觀によつて導かれる時)、今迄誰もが感得し得なかつたやうな永遠的價値がそれの絕對性に於て開示されて來る。今迄我々を遮つてゐた障害の壁がそこで始めて破られて太陽の光りが再び我々の感受的な精神の眼に流れこんで來るのである。omnia habemus nil possidentes (無一物中無盡藏)といふフランシスカンの言葉は所謂煩惱の主觀的關心から解放された者のみがもちうる價値世界への方向を最もよく示すものである。

シェラアの此の如き價値超越主義はカントの理性道德と全くその基調を一にするもので、カントが道德法を以て理性者一般に妥當するものとし、人間に對しては唯それが理性の擔持者たる限りに於てのみ妥當する超越的客觀法則であるとなしたことゝ相應ずるものである。我々は勿論道德的價値の本質をば唯自己の價値感によつてのみ見出すものではあるが、しかしそれは自然科學や數學の命題が人間によつて見出され得るのと同じ關係に於てあるものである。人間はこゝでは唯感ぜられる價値のあらはれる場所であり機會であるにすぎない。價値自身はこれを感ずるものゝ組織や機能から全く獨立なものであるといふのである。唯それがカントと異る所は、カントが道德に於けるこの客觀的超越的契機をそれの形式的法則性の側面にのみ認め、これに實質的價値契機をとり入れることは道德的價値の先天的普遍性を失はしめ、相對論と懷疑説とを必然的によび起すものであるとなしたのに對して、彼が實質的價値の先天的客觀性を主張した點にある。即ち實質主義をとりながら相對論と歷史主義とを克服しようとした所にあるといふことができる。

しかし實質的なる道德的價値が歷史社會に於て常に變動し推移しつゝあるといふことは理論を超えた所與の事實である。この事實はシェラアと雖も否定することはできなかつた。たゞ彼によればかゝる可變的なるものゝ中には價値そのものゝ本質に屬するものではなくて、これと結びついた知的內容の變化にすぎないものも少くない。例へば或るアジアの島民に於て、喫煙が殺人と同様に罪悪とされ、之を犯すものは死刑に處せられるといふ法律があつたとしても、このことは單にそれだけでは彼らの價値評價が我々の道德的價値意識と全く異つたものであるといふことの證明にはならない。何となればもしそれが彼らの迷信的な知識――喫煙は生命を脅す害毒を持つといふやうな信念の上に立つたものであるとすれば、それは決して價値評價そのものゝ根本的差異を示すものではないからである。卽ち種族乃至共同體の生命維持に對する評價の仕方は我々と少しも變つてゐる譯ではない。倫理的相對論が引用する所の多くの實例は、之を制約してゐる迷信や知的錯誤に基くものである。價値評價の言表形式が違ふからといつて直ちに道德的價値感自身が違ふと速斷してはならない。しかし單にそれだけでは道德的價値實質の變化の事實を否定することは出來ない。何となればそれだけではまだ凡ての價値意識の差異をかゝる知的契機の差異に還元し切ることが出來るといふことは證明されてゐないからである。かくてシェラアも歷史に於ける道德的價値の實質的變化を認め、道義感(エトス)そのものすらも尙ほ永遠絕對のものではなく時と所とに從つて變化があることをみとめない譯には行かなか

(二)

倫理的相對論者は多くの場合唯相異る時代、團體、社會及び個人等によつて或る時には勇氣、大膽、エネルギーが、或る時には勤勞、節約、忠實が重んぜられるといふやうな事實を指摘するにすぎないが、しかし實をいへば變化はかゝる比較的皮相な象面のみにとゞまるものではなくて更に深くエトス自身に及ぶものであり、それが世界の直觀の仕方やその認識體驗の構造を根本的に制約するものである。古代印度の階級組織や宗敎の中に生きてゐたエトスは、ギリシア民族やキリスト敎的世界のエトスとは根本的に異るものをもつてゐたのであり、又中世封建的社會を支配したエトスと、近代自由競爭的資本主義社會を動かしたエトスとは決して同じものではない。しかし彼によれば道德的價値評價に於ける此の如き最も根本的な相對性に於ても尙相對主義は成立たない。むしろこれらの相異る、そして特有な歷史的法則に從つて自己を開示するエトスの諸形式の協働の上に、價値とその位順との世界秩序が示されるのである。本當の意味での絕對倫理學はこれらの差異、卽ち時代や民族に於けるかの感情的價値遠近法 emotionaler Wert-perspektivismus 及びエトス自身の形成段階の原理的な未完結性を要求するものである。道德的評價やその體系はきはめて多樣なものであるが、旣にこのことにもとづいて價値の客觀的世界の體系が認容されなくてはならないのである。我々の價値體驗は唯持續的に各種のエトスの諸構造を形成的に經過しゆくことによつてのみ、かゝる絕對價値の世界に到達することが出來るのである。然るに相對論は我我の價値體驗の諸相を貫いて、汎通するこの絕對價値の世界を看過し、その可變的なる象面にのみ着目して價値自體をば或る文化圈に於て支配的な價値評價の單なるジムボールにすぎないものとしてしまふものであり、之に對して形式主義倫理學はエトス自身に變化のあることを知らず、唯一定のエトスの永久不變性を豫想して、それに單なる新らたな形式を與へることを以て滿足するものである。後者の見解によれば人間は凡ゆる時代と民族とに對して普遍的な善惡の區別をもつものであり、從つてかゝる價値をば端的に把捉する全き倫理學——卽ち所謂絕對道德的原理といふやうな無制約的法則をあらはす一つの根本命題によつて、凡ゆる道德的現象をば一擧にして基礎づけ得るやうな倫理學が可能であると考へる。かくてエトス自身の內的な歷史——凡ゆる歷史の中での最も核心的な歷史であるこのエトス自身の內的必然的發展の推移は相對論に於けると同樣に看過される。シェーラアによればエトスのかくの如き生長と更新の過程に於て最も根本的な形式は「愛」の運動に於て成就される所の「ヨリ高き」價値の發見と開拓である。かゝる終局的な價値の世界を開示するものは道德的宗敎的天才である。われわれがかゝる天才に導かれてその內的エトスの終局的な轉回を成就する時、過去を支配せる價値の秩序の世界はこゝに超越せしめられ、今迄正義として善として堅く信ぜられてゐた所のものは必ずしも絕對終局の善ではなく、それらは凡て相對化されてヨリ高き價値の世界の中に包括され、唯一定の位置を占めるものとして限界づけられたものとなるのである。かくて倫理學の眞の哲學的意義は單に或る時代を支配する一定のエトスをある原理から體系的に導出すに止まらず、むしろこれらのエトスがそれの歷史的發展の諸相を通じて漸次に開示しゆく所の絕對價値世界をば體系的に把握し、之によつてその時代のエトスの所謂明證をば、かゝる純粹價値の自己所與性の上に批判するものでなくてはならないと。

註(一) Der Formalismus in der Ethik usw. S. 272 ff.

(二) Vgl. a. a. O. S. 311 ff. (Variationen des Ethos)

以上のべた所によつて明かであるやうに歷史主義がもつ所の倫理的歸結はシェ

ーラアに於て或る程度まで鋭く徹底せしめられてゐる。この意味で彼はもはやカントのやうな超歴史的合理主義ではないともいへるであらう。しかし彼はかく深く歴史主義の要求する所に耳を傾け、その主張内容を自己の價値倫理學の中に取り入れ得る限り取り入れはしたけれども、彼の本來の立場であり主張であつた所の價値客觀主義乃至價値絕對主義はそれによつて少しも動かされた譯ではなかつた。恰も我々が價値感や價値優劣感といふやうな一種の本質直觀によつて價値とその位順とを把握するとしても價値そのものはかゝる感情作用と相對的な被制約的主觀關係的事態ではなくて、それから全く獨立した客觀性を持つたものであるやうに、彼の所謂絕對價値とその秩序との最高の世界は、エトスの歷史的變遷を通じてその中にのみ志向され開示され來るものではあつても、それ自身としては決してかゝる歷史的制約の下に立つものではない。イエス・キリストがその宗敎的天才を以て把握した所のかの聖なる價値の世界的秩序はそれ自身絕對的なるものとしてあらゆる歷史的制約を超えたイデャ的世界の秩序である。我々が歷史的なエトスの變遷を通じてかゝるイデャ的世界への展望を得るといふことはいはゞ一つの認識制約に過ぎず、事態そのものゝ本質性に於てはそれは何所までも超歴史的なもの、プラトンの所謂 ἐπέκεινα τῆς οὐσίας に於てあるものでなくてはならない。彼の眞意は恐らくかういふ所にあつたらうと思はれる。彼の諸見解を濟合的に理解しようとすればどうしてもさういふ風に考へざるを得ないのである。

しかし眞實に歴史主義の立場に徹しながら價値の絕對性と永遠性とを把握しようとする者にとつては、かゝる價値客觀主義は結局カント的な超歴史主義乃至非歴史主義と何ら選ぶ所のない絕對主義である。私は道德の價値が實踐的價値として我々の實存に對して意味のある價値であるべき限り、それはどこまでも我我の實存の歴史的社會的現實から離れたものであることはできないと思ふ。主體的實存の努力と直接のつながりをもたぬ價値はもはやそれ自身何らの價値でもあり得ない。價値はそれの本質構造に於て常に主體相關的なるものであり、主體によつて要求されたもの、歴史的主體の現實に卽して課せられたもの、其の意味で主體の必然的所産に屬するものであるといふことができるものであると思ふ。かゝる歴史的主體との關聯を離れた絕對價値の理念といふやうなものはいはゞカントの理性理念(例へば絕對的全體、第一原因、終局目的等の)のやうなもので、我々のエトスそのものの推移の中に發展とか進歩とかいふことを考へようとすればどうしてもそれの終局の原理として考へられねばならないものではあるに相違ないけれども、もしこれを歴史的社會的主體の構造聯關を絶した物自體的なる價値として定立すればそれは價値そのものに本來的な實踐的意義を失つた空中樓閣とならねばならぬであらう。恰も哲學が實存の歴史性から遊離した單なる概念の體系でないやうに、道徳的價値も亦歴史の中に生れ歴史の中にのみその生命をもつ歴史的なるものでなくてはならない。

然らば道徳的意識の進歩とか發展とかいふやうなことはどうしていふことができるであらうか。さういふことができるためには何かそこに永遠に動かない絶對的な規準といふやうなものが要求せられるのではなからうか。事實我々は中世封建社會に於ける主從的隷屬關係の間から生れたエトスと、近代自由社會に於ける個人的理性人格的自覺を中心とする利益社會的なエトスと、現代將に擡頭しつゝある個と全との辨證法的統一の中に自覺の根本義を見出さんとするゲマインシャフト的なエトスとの間に單なる推移や變遷以上の道徳的自覺の深き内的發展があることを見るのであるが、かゝる發展が發展として考へられるためには何かそこに我々の歴史の持續に於ける直線的な進行がそれに向つて一歩一歩近づいて行きつゝあるといふことのできるやうな、いはゞ終局の目標といふやうなものが考へられなければならないのではなからうか。私はこしうた目標が考へられることは慥かに我々にとつて必然的であるとは思ふけれども、しかもかゝる終局目標、絶對價値の理念そのものが既に歴史的主體的限定を離れたものではなく、その時代のエトスとの關聯に於てのみ形成せられ得るものであると思ふ。事實近代ブルヂョア社會に於ける個人主義的な理性人間觀の下にあつては、個人的なる理性の自覺、自己立法的なる純粹理性的意志が凡ゆる實踐的價値の終局の原理であり、宗敎の眞理さへもかゝる理性の光りに照らされて始めて意義あるものとされたのである。現代の我々がかゝるカント的な倫理に滿足し得ないのは彼の論理そのものゝ中に何らかの誤謬が發見されたためではなくて、カント的なるエトスを制約した歴史的主體そのものに一つの轉換――個體的なるものより全體的なるものへ、利益社會的なるものより共同團體的なるものへ、分析的抽象的なるものより綜合的具體的なるものへ、判斷的理性的なるものより情意的全人間的なるものへの全社會的歴史的情勢の轉換が深くその根底をなしてゐるのではなからうか。われわれの理想はそれが單なる個人の主觀的幻想や夢想と異る客觀的意義を持つたものであるためには、廣くその根をその時代の社會的地盤の上にはつたものでなければならぬ。然らばそれが同時に歷史的な制約を離れることが出來ないことは明かであるといへるであらう。

もしかくの如き道德的價値がそれの窮局的意味に於てまで歷史的な制約をはなれ得ないものとすればそれはどうして相對論や懷疑說に陷ることは免れることができるであらうか。この點については私は前節に於て哲學に關して考察した歸結が直ちに道德の問題に對しても重要な暗示を與へてくれると思ふ。歷史主義的といふことを直ちに相對論的として理解しようとする一般的な考へ方の中には歷史の進行を以て何らの行爲のロゴスをも含まぬもの、其所に必然性があつたとしてもそれは唯自然科學的な因果必然性にのみしばられたものであつて、何らの價値必然的な自由の契機を含まぬものであるといふやうな考へ方が無批判的な前提をなしてゐると思ふ。しかし前にも述べた通りわれわれの歷史は人間の歷史でありそれは單なる論理的思惟必然の概念の動きでないと共に又單なる自然必然の事實の動きでもない。歷史の進展の中には人間存在の本質に根ざした人間的行爲のロゴスが限りなく深く織り込まれてゐる。我々が歷史によつて規定されるといふことは動物が自然の環境によつて規定されるといふことと同一な關係にあるものではない。いはんや我々が歷史を限定するといふ時、其處には自由、卽ちもはや何ものによつても限定されないものゝ自己限定、絕對無の自覺的限定といつたやうな絕對自發的創造的契機が含まれてゐるのでなくてはならない。歷史的實踐の底には歷史を超えたものが橫はつてゐなくてはならない。しかもこの超歷史的なるものとは、主體との關係を絕した實質的價値世界といふやうな客體的物自體界ではなくて、歷史的主體と客體とが其處に於てあり、それに於てはたらく處の無底の底たる絕對無の場所とも云ふべき主體卽客體的世界でなくてはならない。凡ての歷史的なるものはそこから生れそしてそこに消えてゆくのである。故に我々のエトスが常に歷史的なものであるといふことは同時にそれがかゝる無底の底によつて限定されたものであり、我々が一定のエトスに從つて自己を限定し歷史を創造してゆくといふことは同時にこの無底の底から形あるものが形成されてゆくといふ意味を持つてゐるのでなくてはならない。

前節の終りにものべた如く我々が眞實に生きるといふことは歴史的に生きるといふことである。時代を超え歴史を離れるとき人間の生活はなくなる。否かく超えるとか離れるとかいふこと自身が既に歴史と時代への關係を前提してゐるのである。人間に於ける永遠の生とは現實の歴史的生から遠去かり之から自己を離脱せしめる所に成立つものではなくて、むしろ歴史的生の現實に深く徹底しゆく行爲的現在の瞬間の底に求められるのでなくてはならない。絶對は歴史の彼岸に求めらるべきではなくて歴史の底に求められなくてはならない。我々が時代のエトスに從つて生きるといふことは決して相對的なる價値の世界に生きるといふことではない。かゝる歴史的可變的なる價値の世界におのれを沒しおのれの一切を投げ入れ、自己卽歴史、歴史卽自己として徹底的に生きぬくといふことこそ我々の生が永遠無限なるものにつながる唯一の途であるであらう。かくて我々はいつも現在に生きなくてはならない。大膽に現在を生かし切るもののみが永遠なる生を生きるものである。歴史的なる現在こそ絶對の宿る處であり、永遠の握まれる處でなくてはならない。

尤も私がこゝに歴史的現在に生きるとか、時代のエトスに徹して生きるとかいふことは、傳統の戒律にしばられて、既に形式化せる律法の中にパリサイ人の如くその生を固定することを意味するものではない。もしさうであるならば歴史に徹して歴史を超えるといふことの可能性は當然失はれなければならないであらう。單なる律法道德の中にのみ生きる者は、實は生々たる歴史の現實性の中に生きる者ではなくて、過去の因襲の死骸の中におのれを固定し、敢て自ら自己の生命を硬化と死滅とに導く者に外ならない。カントの所謂「義務から」の心術とは決してかゝる硬化せる法則(ジッテ)に從はんとする意志のみではない。眞に歴史的現在に生きる者とは、むしろこの個體的現在がその根底たる永遠の今の世界から限定されて來る處のイデャ的未來から過去を破り、不斷に新なるものを創造する處のすぐれて自由なる行爲的精神でなくてはならない。價値とかイデャとかいふものは凡てかかる自由なる行爲的精神の主體的限定に於て、その底なる無の世界からのみ生れ出るものであつて、かゝる意味での我々の歴史的形成作用と直接に深く結びついたものである。歴史的行爲とは時代に限定された行爲であると共に時代をつくる行爲である。この時代をつくる我々の行爲が單なるローマンチシズムに於けるが如き抽象的架空なものでなくて、眞に現實的な意味をもつ行爲であるためにはそれはどこまでもその個體がそこに與へられてある處の歷史の現在に卽したものでなければならず、かく歷史に卽しながら歷史を超え、歷史を超えながら歷史を形成してゆく、其處に眞の自由と永遠との現成せられる行爲の具體性が可能となるのである。しかも我々の生命がかく歷史の尖端に立つ現在としての歷史的個體的生命であるといふことは、やがて又それが同時に世界の焦點として世界的なる生であり、各個人はかゝるいはゞ空間的な擴がりを持つた世界歷史的なる生の核心として夫々の現在に於て與へられた課題をば解決し、無限定なるものの底から何らかの意味に於て形あるものを形成的に創造し行く世界的個體なのである。かくて我々は自己をばかゝる時間的空間的なる歷史的世界の辨證法的發展に於ける自己限定の尖端として自覺する時、初めて眞に具體的なる自己――個體卽世界、世界的個體なる具體的自己の自覺に到達することができるであらう。我々は自我のかゝる具體的自覺への道程としてこゝに自我の社會性の問題を考察する必要にせまられるのである。

六、個體と社會

形式主義理性倫理學の立場では道德的に行爲する存在者は單なる理性的存在者として取り扱はれる。それは一面に於ては感性的欲求的存在として自然の必然的法則に從ひつゝも尙かゝる法則から全く獨立な自由の法則によつて自己を規定することの出來る存在者であることを意味する。この自由の法則が超歷史的な普遍法則であり、かゝる法則を命ずる理性が超個人的な理性であることは既に述べた通りである。かくてカント倫理學に於ては、アトム化されて考へられた普遍理性的個體と、それの單なる偶然的集合としての抽象的社會の概念があるだけである。かゝる概念の世界にあつては、眞に具體的な意味での社會共同體の概念が不可能であると共に、又眞に現實的な意味での人格的個體の概念も成立たない。勿論彼と雖も人格の自由とか、獨立とかいふことを決して說かない譯ではなかつた。否むしろ彼の全實踐哲學の中核をなす處の根本概念はまさにこれらの概念であり、彼ほどこれらの概念が我々の道德的生活に於て持つ處の深き意義を把握したものは少ないとも云へる。けれども彼の自由とは單に抽象的非歷史的な感性的自然からの自由にすぎず、彼の人格とは何らの性をも血をも持たず、又何らの歷史的社會の(このの又はかの)現實への直接的聯關をも持たないやうな非歷史的超社會的な理性的人格であつた。彼の理性的存在者はたしかに自己の道德的行爲の可能制約をなす質料として自然の傾向を持ちはするが、それは凡ゆる人格に對して共通な、何らの特殊個性的必然的意義もない素材として之を持つにすぎなかつた。それは唯普遍理性の命法によつて克服さるべきものとして與へられた單なる質料にすぎず、理性はかゝる質料からは全く獨立な自己の法則性に從つて普遍妥當的な客觀的實踐的原理を與へるのである。しかし我々の具體的現實に於ける自我や人格はかくの如き理性と感性との單なる對立結合につきるやうな抽象的存在ではない。カントは我々の實存をば概念的に分析し、其所に二つの主要な契機乃至方向があることをみとめてこれを抽象した後、更にこの兩者の對立を結合して人格の概念を再構成しようとした。しかし我々の實存はその現實の具體性にあつてはかゝる抽象的分析によつて單純に割りつくすことが出來るためには、あまりに豐かな內容を持つて生き且つ働く所の動的生命的存在である。これを理性と感性といふやうな一つの視點から橫斷してその切斷面にあらはれた諸相をば、あるものを理性面に、他のものを感性面に歸屬せしめたからといつて、それで人格の生きた具體相が明らかにされたといふことはできない。むしろかくすることによつて我々の歴史的社會的人間存在がもつ所の無限に豐かな行爲的限定の內容は自己をあらはにする可能性を失ひ、躍動する個體的生命も生々たる具體的本質性は殺されてしまふのである。もし我々が道德的人格的行爲に於ける自我の實相をばそれの生きた具體的現實性に於て把握しようとするならば、我々はかゝる自然科學的アトム化の分析的抽象的思惟方法をすてて歷史的社會的なる人間存在そのものが示す所の行爲的在り方の根源的具體性に還らなくてはならない。

その時我々はまづ自己の存在が根源的に單なる個人でないことを知るであらう。我々の存在が何よりもまづ個人であり、かゝるアトム的個人の集合とそれらの間の相互、契約とから社會が生れたといふやうな考へ方は近代合理主義的思惟方法が産み出した概念的所産であるにすぎない。それは個人の單なる概念であつて現實の個人そのものではない。現實に實存する所の個人は、常に一定の歷史的社會に於てあり、かゝる社會から生れ、かゝる社會に生き、かゝる社會の中に死んでゆく所の社會的個人である。人が人として此の世に生まれた時彼は既に人間、であつたのである。

快樂主義の倫理をとく者は多く人間の原本的衝動を以て個體維持の衝動に置く、そしてこの根源的な傾向から同情や愛他の感情を導き出さうとする。かくてジョン・スチュアート・ミルは類似聯想の法則によつてこの試みを成就しようとし、スペンサーは進化論をとり入れることによつてその說明の困難をかるくしようと試みた。彼らは何れも現代自由競爭的社會を强く支配しつゝある所の個人的利己主義を以て直ちに人間の根源的事實と考へようとするものであるが、しかし原始共同團體を支配したものがかゝる個人的利己主義ではなくしてむしろソリダリテートの原理に近いものであつたことは、トーテミズム等の社會に見らるゝ所のかのレヴィ・ゴリュールの所謂論理以前の論理、Loi de participation 等に徵しても十分理解し得られることであらう(一)。種族の維持は決して個體保存の機械的集合にすぎないやうなものではなくて、原理的にはむしろ個體保存に先行するものであり、それが生物的生命一般の底を流るゝ最も深い根源的衝動であるやうに思はれる。この意味で種の維持と繁殖への衝動は個體保存の衝動に先行するものであり、後者は前者を基底とし地盤とすることに於て成り立つたものであると見ることの方がむしろ事實に近いともいへるであらう。凡ての有機的生命の進歩をば所謂個物間の生存競爭のみから説明しようとするやうな考へ方は個々の有機體の自己保存の衝動を生活體の唯一の原理としようとする根本的な偏見に基くものであるが、それは近代資本主義社會に於ける自由競爭的な個人主義的概念を以て廣く人類一般乃至生活體一般の根源的事實と見ようとする謬見に基くものである。人は社會的動物であるとよく言はれるが、それは單に人間が孤獨なる生活に堪へ得ない社會性をもつた存在であるとか、人は自己を愛すると共に他をも愛し他に對する同情の念が利己心と共に根源的なものであるとか、乃至は人間の生活が社會の有機的相互關聯を離れては成り立たないものであるとかいふだけのことではなくて、それよりはもつと深い根底をもつた存在事實でなければならない。我々の自己は根源的には單なる個ではなくて、個であるよりも前に種的社會的自己でなければならない。それは恰も有機體の各細胞が唯その有機體の全體的存在をまつてのみ存立し得るもので、かゝる全體から獨立した細胞がまづあつてそれの機械的集合によつて有機體が始めて成立つたものでないことにも類比せられるであらう。もとより何らの個體性なき人間といふやうなものは考へられない。人間が一の行爲的人間として存在した時（行爲せざる者は人間ではない）それは既に何らかの意味で個體的なる存在であつたといはねばならないであらう。しかし人間が自然の單なる一態としてゞなしに、自然を對象化し自然の克服否定の勞働的努力を以て彼等に特有な人間的生活——生產的經濟生活を開始した時、既にその生產勞働は一の社會的勞働であり、かゝる勞働の主體的單位は個人であるよりはむしろ種的社會であつたといふことが出來るであらう。彼らは唯かゝる種的社會の一細胞としてのみ生產的勞働に從事し、その收穫の享受にあづかつたのである。個體はかゝる原始社會の種的統一からそれの自己分裂として其所から生れ、其れの自己否定として其の姿をあらはにし來つたものとして考へられなければならない。同情や愛が單なる利己的本能から派生的なるものとして導出することの出來ない我々の心情に於ける根源的事實であるといふことも、人間的生命がその原本的な在り方に於て單なる個體でなくてかゝる種的社會の共同體的全體性であつたといふことに深くその根據をもつのではなからうか。何れにせよ我々の自己は本來的には決して單なる個體ではなくして根源的に共同社會的なる地盤の上に立つたものであるといふことだけは爭ふことの出來ない事實であらう。勿論我々に於て個體の自覺が高まり、人格の意識や自由の意識が生ずるのは個と全とのかゝる未分的融合が破れて、個體が自己の存在をば一の自主的能動性として把握し、種族のもつ類的統一を破つて、出る所に存する。從つて其所では個體の全體に對する反抗、否定、破壞の可能的自由の意識が高められ自我の本質は唯この自主的能動的なる個體の側面にのみあるかの如くに考へられるのを常とする。特に中世封建的社會の權力組織の傳統を破つて、高く個人の自由に自己の存在の全意義を見出そうとした近代的自覺が、かゝる個人主義的自覺を高調したのは極めて當然のことゝいはねばならないであらう。けれどもかゝる個人的自覺が成り立つことが出來るためには我々の全存在は既に個人以上のものゝ中にその根底をもつてゐるのでなければならない。個人が自己の自由を自覺するといふことはかゝる自由を否定する自己以上の存在があつて始めて可能なことである。我々の自己は單なる父母から生れるのではなくて一定の歷史的社會から生れるものである。自己とは單なる抽象的個人といふが如きものではなくしてそれ自身の中に無限の社會的歷史的限定を藏するもの――かく無限の限定を受けながらその所限定の局限に於てこの方向を翻し、自己自身の內なる底なき底から湧き出づる創造的原理に從つて逆に社會を限定しゆく可能性をもつ處に自由の意義と人格の存在とがある。この所限定と能限定、必然と自由との相接觸する所が瞬間現在であり、其所に社會と個人とは相觸れ相抱き又相鬪ふのである。この意味で慥かに社會は個人を否定するものであり、限りなく之を限定するものであるが、かく個人が社會によつて無限に限定されるといふことは、やがて又そのこと自身が個體の自己限定、卽ち個體が社會的限定の一切を絶ち切つて、もはや何ものによつても限定されない無限定的自己の底から自己自身を限定するといふことであり、しかもこの個體的限定はそれがかゝるものであることそのことに於て又一つの社會的限定であり單なる個人內面の良心的決意性につきない社會的歷史的な行爲の性格を擔つたものである。もしこの事實を總括して簡單に社會的限定卽個體的限定、個體的限定卽社會的限定といふ言葉を以て言ひあらはすとするならば、かゝる事實は分析論理的には明らかに矛盾律に牴觸する事柄でなければならないであらうが、しかもかゝる矛盾こそ我々の行爲的實存の動かすべからざる現實なのである。行爲の道德性とは將にかゝる矛盾の現實の中に自己をあらはにする所の價値的事實に外ならない。

註(一)　Les fanctions mentales dans les sociétés inferieures Ch. II.

かゝる立場から反省する時、近代ルネッサンス以後に於ける個人の自覺は我々の自覺の必然的段階をなすものとしてきはめて重要な道德的意義をもつたものではあるけれども、しかも尚ほ直に自覺そのものゝ終局をなすものであるといふことはできないと思ふ。我々の自覺が單なるアトム的な自己でない限り、かゝる個體的自己の自覺が必ずしも直に自覺の具體的全體性をつくすものでないことは明らかであらう。「我」は慥かに一定の身體を持ち特殊の個性と一定の名を持つた此の我此の私でなければならないには相違ないが、しかし此の我此の私はかゝる單なる個體的私につきるものではない。我々の個體的存在の基底には根源的には原始社會の種的統一とも云はるべきものがあり、我々の自由はこの種的統一を地盤としながら之に叛き之を破つて出る所に始めてその人格的意義をあらはにし來るのである。しかも個體はこの反逆を通して種的社會から遊離し自己を孤立的に固定せしめるのではなくて、むしろこれによつて新により深く歴史的社會と結びつき、より高き社會的自己を建設してゆくのである。即ち個體は本來社會を母胎とし社會から誕生する所のものであるばかりでなく、更にかゝる母胎に反逆し抵抗し闘爭することによつてかへつて深く傳統的社會の生命を更新し、それの創造的發展の一契機となることに於てその使命を果すのである。故に個體は個體としての自己の中に閉ぢこもり、その殼の中に自己の生命を固定せしめることによつておのれの本來の意義をみたすのではなく、むしろおのれを深く社會の中に沒し、社會卽自己、自己卽社會としてむしろ私のために一物をも殘すことなく全くおのれ自身を捨て切る時かへつて深く眞實の自己をあらはにするのである。自己は決して單なる抽象的固定的個體ではなくして常に一定の幅をもつて流れ動き、飛躍する所の歷史的社會的自己である。それは過去的には無限なる社會的限定を以て自己を形成し來つたものであると共に、未來的には又無限に自己を社會的に實現しゆくべきもの、唯かゝる過去と未來との接觸點であり媒介點である所の瞬間現在に於てのみそれの個體性をあらはにするものである。自己とは卽ちかゝる瞬間現在の飛躍的連續をあらはすものに外ならない。もし個體がこの瞬間的限定の限界を超えて自己の存在をかゝるものとして固定し持續し擴大しようとするならば、其所には必然的に佛者の所謂我執煩惱の利己的個人主義が跋扈することゝなるであらう　それは根源的にある擴がりを以てその歴史を展開しゆく社會的自己が、自己即社會、社會即自己としてのその本來的な在り方を失つて小我の世界に自己自身をとぢこめ、自己そのものゝ本質を沒却しゆくことに外ならない。

故に我が存在するとは單にデカルトのやうな思惟的自我が存在することでもなく、又カントのやうな理性的自我が存在することでもなくて、或る擴がりをもつた社會的自己が無

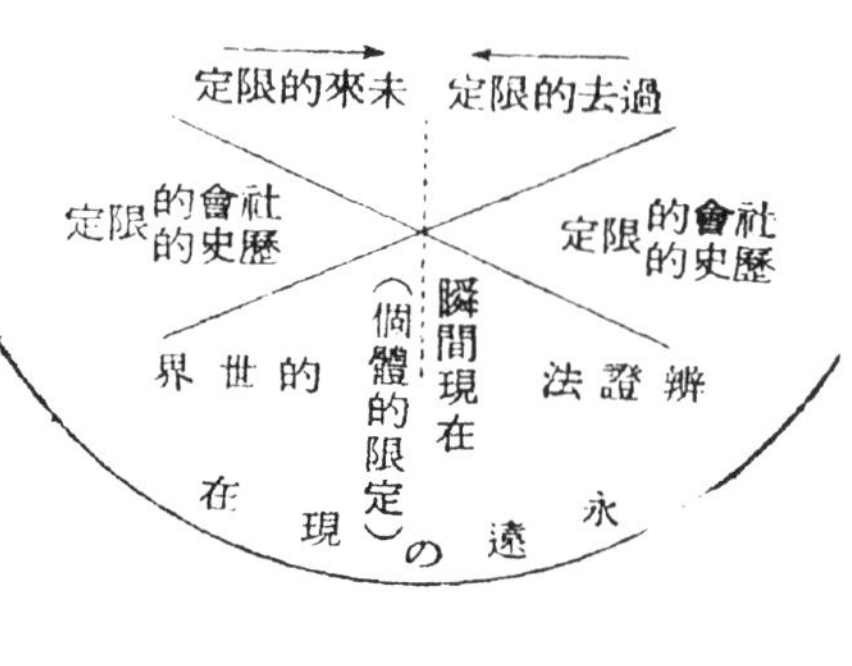

限の周邊から歴史的に自己を限定し來るといふことに外ならない。自我の個體性はかゝる社會的歴史的限定の尖端に於て瞬間現在の決意性として其の焦點を結ぶものである。從つて我々の自覺とは單に個體的自己がかゝるものとして反省されるにつきるものではなく個體的限定と社會的限定とがそれの具體的全體性に於ける辨證法的相互關聯に於て深く理解せられることでなくてはならない。而して我々が社會的歴史的所限定の極限たる現在に於て社會からの限定の方向を端的にひるがへし、自我自身の自主性にもとづいて自由なる個體として新なる

社會的限定に向ふといふことは、一面に於てはそれ自身が再び又一の社會的歷史的限定であるといふ意味を持つと共に、他面そこには亦單なる歷史性をも個體性をも超えた永遠なるものが働いてゐるのでなくてはならない。我々の歷史的行爲が一の有限な時間的現象でありながら、しかもそれが同時に何らか時間を超えた絕對の意義を有し得るのは、それが一の個體的行爲でありながらその底に種と個との對立を超えた永遠なものの無限なものが動いてゐるからでなくてはならない。われわれの個體的行爲はそれがかゝる永遠の現在なる地盤の上に立つことに於て單なる個體的行爲たることを揚棄して類的世界につながるものとなる。類的世界は種的社會の單にそのまゝ擴大されたものではなく、個體的限定の否定作用の底にその否定の否定として新に甦り來る處の高次の肯定をば可能ならしめる場所として、深く自己の存在の底に見られるものでなくてはならない。故に個の自覺のない處には類の自覺は遂に不可能である。イエスが彼に從ふものをしてまづ妻をばその夫に叛かせ、子をばその親から解き離たしめたのは決して偶然ではない。父母の孝養のために一遍も念佛申せしこと候はずと云ひ放つたかの念佛の行者の大膽なる表現もこの意味から當然のことゝしてうなづかれねばならぬであらう。この意味で近代ブルヂョア社會に於ける個の自由の意識はわれわれの歴史の辨證法的發展に於てきはめて重要なる意味を有するものであると共に、その「個の自由」が眞の自由の意義に徹せず、徒らにこれを單なる利己的個人主義への固定に終らしめたことはむしろ眞の自覺からの逸脱を意味するものと云ふことが出來ると思ふ。眞の個は單なる種の否定につきるものでなくて、それが更におのれの深き根源たる無限定的永遠の今――其の意味で絶對無の世界ともよばるべきものにつながり、其處に還りゆくことによつて種を類化し特殊を全體化することに於て自己の眞の存在を具體化するものでなくてはならない。その時種と個との對立矛盾はそのまゝに止揚せられてそれ自身永遠の今なる辨證法的世界の自己限定といふ新な意味を獲得し來るであらう。其處に我々の行爲の道德性は始めてそれの全き具體性をあらはにし來るのである。まことに道德は單に抽象的な理性法則に從ふ義務からの心術のみの上に成り立つのでもなく、又單に客觀的な秩序と順位とをもつた實質的價値の感得を最高の根據とするものでもなくて、具體的な歴史的社會的現實の事態に卽してあらはるゝ個體的限定が自ら歴史的でありながら更にその地盤を深く超歴史的なる世界にその根を下し、かゝる世界の辨證法的自己限定としておのれ自身を否定し空無とする處に深く甦へる生命の事實でなくてはならない。この點から見れば理性とか價値とかいふやうなものは尙根底の淺いもの、道徳の眞の根源をなすものであるといふことはできないと思ふ。

七、辨證法的世界の倫理

以上私は實踐の哲學としての倫理學が義務とか當爲とかいふやうな所謂「理性の事實」から出發すべきでもなく、又客觀的價値とか、かゝる價値の位順とかいつたやうな先天的實質的價値の豫想から出發すべきでもなくて、我々人間存在の現實にとつてより具體的な歷史的社會的「行爲的事實」から出發すべきであること、この行爲的事實は單なる理性や感情や意志等の先驗心理學的事實でもなく、又法則とか價値とかいふやうな先驗論理學的概念でもなくて、われ〳〵人間存在がその歷史的社會的なる環境的限定の極限たる瞬間現在に於て、個體と社會とが於てある場所である處の無限定的世界の底からおのれ自身を自覺的に限定し來る主體的客體的な創造の事實であることを明かにした。價値や當爲はかゝる行爲的事實のイデャ的限定としてノエマ的にあらはれ來るものに外ならない。故にそれは單に非歴史的な普遍的形式的法則や客觀的先天的價値として見らるべきものではなくて、むしろ歴史的主體の行爲的現在に卽して、念々切々の瞬間的限定の中に現はれ來る處の有限卽無限、相對卽絶對の辨證法的事實である。

今更事新らしく說くまでもないことであらうが、抑も我々が「行爲する」といふことは、單に物が「動く」とか「變化する」とかいふ場合に見られるやうな單なる對象的事實であることはできない。雨がふるとか風が吹くとかいふやうな自然の事實はどんなにその運動や變化が激しくとも行爲といふことができないことはいふまでもない。又植物や動物の發育のやうな自己發展的生命の變化も單にそれだけでは我々は之を行爲とは呼ばない、更に動物の反射運動や本能的活動に至れば人間の行動と非常に類似したやうなものを持つやうにはなるけれども、それも尙嚴密な意味では行爲とはいはれない。彼らの行動は時には單なる自然の能作とは考へられないやうな巧妙な自發的創造活動を營む如くに見えるけれども、しかも尙その行動の終局の規定原理は自然であつて自由ではない。蜂やくもにどれだけ驚嘆に價する技術があつたとしてもそれは人間のポイエシスとは根本的に異つたはたらきであることをまぬがれない。彼らは自己を限定する自然といふものはもつけれども自己が限定する自然は持たない。換言すれば彼らにとつては環境的限定といふことがその生の凡てゞあつて個體的限定といふことは彼らの遂に經驗し得ざる處であらう。それは換言すれば彼らが眞の意味での環境といふものをも自己といふものをも持たないといふことを意味する。眞の意味での環境とは主體を限定すると共に主體によつて限定されるといふ二重の相互否定的關係に於てあるものでなければならない。かゝる意味で環境を持つものは人間であり、唯人間のみである。それは人間のみが自己を持つからである。自己を持つとは何であるか、それはおのれの底にそれ自身何ものによつても限定せられないもの――この意味でその根底が無である處のものを持つことを意味する。かゝる無限定的なるものゝ底から環境的限定の方向をひるがへして再び之を限定し、これを新に「造る」といふところに「行爲する」といふことの本來的な意味が成立つのである。單に環境に支配されて生きるところには人間の生活はない。又環境から全く遊離した個體的存在といふやうなものも人間の具體的生活ではない。先にものべたやうに人間生活の眞に人間生活たる所以は環境的限定即個體的限定として、環境によつて無限に限定さるゝ處、そこに既に絶對自己限定としての個體的限定の意味が含まれてゐるのでなくてはならない。

或人は疑ふて言ふであらう。人間に果して此の如き創造的自由が可能であらうか、たしかに我々は外界に對する自己の獨立自由の意識をもつてゐるが、しかしかゝる自由を我々が主觀的に意識するといふことは必ずしも事態そのものゝ眞實性に於て我々の中にかゝる自由があるといふことの證據とはならないと。かくて彼らは我々に一見自發的と見ゆる一切の行爲をば更に深き自然の必然性の中に還元せしめ、人間が道具をつくり、文明を追ふといふことも、更には高き精神文化の創造といふやうなことも結局その根底を支配するものは大いなる自然の必然性であり、個人の行爲に於ける自由といふが如きものは單なる意識主觀の幻影にすぎないと考へるのである。この疑問は結局人間も亦一つの自然的存在以上のものではないのではなからうかといふ問題に歸着するのであらうが、私は其處には普通自然主義者や唯物論者が考へてゐるよりはズット深い問題が藏されてゐるやうに思ふのである。

我々は一口に自然といふけれども哲學的にはこの言葉には少くとも二つの意

味が含まれてゐると考へられる。普通自然といへば我々は唯悟性的認識の對象としての合法則的、客體的自然のみを考へるのであるが、しかし我々の自然概念の底にはもつと深いもの、高次の自然ともいふべきものがあると思ふ。それは我々の對象となる自然に對してより根源的な、對象と我々とを包んで更に深くそれらのものゝ根底となり、其等の物の自己同一として働く處の生産的自然乃至原始自然ともいふべきものであらう。前者が客體的自然であるならばこれは主體的自然とよばれることもできるであらうか。かゝる意味からすれば人間も又自然の範疇の下に考へらるゝ存在であることは失はないであらう。しかし人間がかゝる意味での自然的存在であることは決してそれが自由なき客體的自然であることを意味するものではない。それはおのれの外なる自然ではなくておのれの底なる自然であり、單なる環境的自然ではなくて、自己を否定する環境と環境を否定する自己とを深くその根底から包む自然である。それは理性法則や價値意識に對立し之らのものによつて否定される自然ではなくて、むしろこれらのものがそれに於てあり、そこに地盤をもつ處の根源的自然である。それはかのイエスが最後の祈りに於て「唯御心のまゝになさせ給へ」と呼んだ父なる神の住む自然であり、一切の「私」のはからひをすてゝ唯南無阿彌陀佛と唱へまつるその稱名念佛の底に横はる所の自然である。當爲法則は我々がかゝるアガペ的自然から出て自己を感性的自然の前に對立させるときにあらはれる理性的自己の命法である。かゝる命法に於て我々は自己の自由を意識し義務と責任とを自己のものとして感ずる、其處に道德的自由が成り立つことはカントの云ふ通りであるが、かゝる自由は人間存在にとつて必ずしも絕對終局の世界をなすものではない。人間は自然から出でて自然を對象化し、自己と自然との相互否定的對立關係に於て自己の自由と獨立とを意識するものではあるが、この對自然的對立鬪爭の道德的生活は更に深く止揚されて再び高き自然の世界におのれを失ひゆくべき必然の運命を擔つてゐる。それは當爲が當爲たることを自ら否定して自然となることであり、自己が自己であることを否定して「世界」となることである。道德的正義のエロス的世界は宗教的愛のアガペ的世界の中におのれ自身の故鄕を見出すことによつて初めてその本來の在り場所を見出すであらう。何れにせよ環境否定的な個體の自由の底にはかゝる對立を超えた深き自然がある。我々が行爲的にイデヤを見、當爲に從つて環境を限定するといふことは一面から見れば自己をかゝる自然から分裂させ、そこから出て行くことであると共に、他面又我々はかゝる行爲的限定を通して再び深く底なる自然にかへつてゆくのである。我々の理性の底には無限に深い非合理の深淵がある。我々の自由は單なる理性の自由につきるものではなくて其の底にかゝる意味での自然をもつのである。(一)

註(一) 前世紀に於てかゝる主體的自然を深く把握したものは云ふまでもなくマルクスである。唯彼はこの自然を直ちに物質として把握してしまつたためにそれと客體的自然との辨證法的否定的關聯を明かにすることが出來なかつた。私がこゝに云ふ高次の自然とは單なる物質的自然ではなく、むしろかゝる物質がそこに於てある自然である。

かくて人間は自然の子だといはれる。人間の母胎は大地であり自然であるといはれる。しかしかく自然の子として生れた人間は自然の單なる延長ではない。それは自己自身をば單なる自然の一部である世界から引き離して、之を自己の對象とし、之に對して「距離をとる」處の認識的行爲的存在となつた。換言すれば人は自然の子であると共にその反逆者否定者でもある。人道は天道から生れたものであると共に天道の否定である。(二) 既に人間が前脚を用ひずして立ち、後脚のみを以て大地の上を歩行し始めた時、その時既に我々は大地を離れ、自然の束縛から自己を解放し始めたのである。人間にとつて前脚はもはや單に自己を支へる脚ではなくて、握り摑み、打ち、投げる處の、道具としての手であつた。而して手はそれ自身が自己の動作の道具であるばかりでなく、更に自己の延長たる道具を「つくる」はたらきをもつものとして所謂「道具の道具」として用ひられるものであつた。人間がかく道具をつくり之を用ひる存在として自己自身を定立した時、彼は彼の存在をば始めて人間的なるものとして確立したのである。何となれば彼はこゝに於て既に行爲的存在としての自己の姿を明確にあらはにし來つたからである。行爲とは先にものべたやうに自然に於ける存在の秩序をひるがへすことである。單なる自然の限定の延長的連續の世界には人間的行爲は成り立たない。かゝる自然の連續的限定が否定され、其の方向が翻へされる處、其處に始めて「行爲」がある。人間は行爲的存在となる時始めて單なる自然的存在から自己を超越させ、己の自由と自主性とを獲得するのである。かゝる人間の超自然性への方向は人間が單に歩み走るだけの存在でなくして「造る存在」となつた時始めて確立されたのである。

道具をつくる人間はやがて生産する人間である。彼らの或る者は弓を以て山に獵し、或る者は網を以て海に漁り、又或る者は鍬を以て畑を耕す。しかるにかく自然に勞働を加へて之を自己の生活に利用しようとする者は、自然の中に人間の力の如何ともすべからざる抵抗力が存在することを知る。自然は自己を生んだものであると共に自己の前に立つ(gegenstehen)もの、自己のはたらきにさからふ處のそれ自身の法則性をもつたものである。自己の目的に從つて自然を限定しようと思ふ者は何よりもまづこの自然の中の動かすべからざる法則的事實をあるがまゝに把捉しなくてはならない。自然を支配せんとするものはまづこの他者の世界の中におのれを沒して深く之を認識するのでなくてはならない。こゝに客觀的自然の知的把握のための認識要求が起り、觀察する理性の力が人間の生活にとつて缺くべからざるものとなる。かくて理性の發展は人間が創造し、生產する勞働的存在であるといふことの必然の結果である。換言すれば人間は理性的なるが故に認識し、認識するが故にこれに對應して行爲するのではなく、むしろそれが根源的に勞働的行爲的存在であることに基いて理性と認識とがその存在根據を獲得するのである。人間は理性的動物なりとはよく云はれる言葉であり、而してこの提言はそれ自身の中に必ずしも誤謬を含むものではないが、しかもそれは人間存在の原本的本質性を言ひあらはしたものであるといふことはできない。何となれば人間は理性的存在者である前に、既に「造る」存在者であり、行爲的存在者だからである。

註(二)　二宮翁夜話第一卷岩波文庫二二頁以下參照。

唯こゝに注意されねばならぬことは我々の理性は社會的生產勞働に於ける自然支配の生活要求から生れたものではあるけれども、かくして生れた理性的思惟自身はそれが生れた瞬間に於てその母胎たる勞働から獨立し自己の自由と獨立とを主張したといふことである。恰も人間が自然の子として自然を母胎として生れながら、人間が人間として行爲するその最初の瞬間に於て既に之を否定する原理を自己自身の中に見出さねばならなかつたやうに、我々の理性的思惟はかゝるものとして自己を定立するや否や勞働の世界から脫落し之を超越する。かくてこゝに普遍妥當的な眞理の國「學の世界」が新に誕生するのである。しかもこのことは科學的認識理性にのみ限られた偶然の事實ではなく藝術的創造や道德的行爲に關しても同樣なことが妥當する。藝術の始源がいかなる所にあるか、道德の端初が何に由來するかについてはいろ〳〵なことが想定せられるであらうが、何れにせよこれらのものが最初から自己の全き純粋本質性に於てあらはれたものではなく何らかの意味で生活の功利的要求と結びついてゐたものであるといふことは考へられる。しかも藝術や道德はそれがかゝるものとして自己を定立した時おのれ自身の自主性を以て單なる功利的立場を超越したのである。社會的生產勞働に於ける個體の創造活動の中から科學道德藝術等の文化價値的世界が脫落し來つてそれの母胎たる勞働の功利性を否定し、自己自身の王國を建設するといふことは誠に人間的行爲の底に祕められた深き神祕といふこともできるであらう。

かくて自然から生れた人間は自然を環境として自己に對立せしめる生產勞働に於て自然を否定し、又かゝる生產勞働を母胎としてその中から誕生し來つた文化價値創造の諸作用は自己の母胎への從屬を拒否し否定することに於ておのれ自身の眞善美の王國を建設する。しかも人間はこれらの限りなく高きイデヤを追ふ生活を通して、これらのイデヤの母胎が更に深き自然の中にあることを知る。自然に背いて出發し限りなき否定の旅を遍歷した人間はその極限に於て再び自然にかへり自然の母胎の中に深きやすらいを憩ふのである。かくて、我々の生活に於ける不斷の努力は過去からの限定を否定して未來の方向から限りなく新たなるものを創造しゆく永遠の前進であると共に、この前進それ自身がその限りなき歩みに於ておのれのふるさとに還る巡歷の旅であるといふことが出來るであらう。

しかしかく自然を母胎として其所から生れながら、之を自己の環境とし對象として勞働する人間は必ずしも最初から全き個體である譯ではない。人間も亦その生活の始源にあつては他の動物に於けると同樣自然の一部であり其の連續的延長として性と血の自然規定に從ふ處の自然的存在以上のものではなかつたであらう。其處では人間は「種」であり、個人は單なる種の一部であるにすぎなかつたであらう。唯人間が人間としての生活をば彼らの「勞働」を通して開示した時彼はもはや單なる種であることはできなかつた。人間の存在が自然から始まるのでなく自然にそむく勞働から始まるとすればこの勞働は何らかの意味で個體の意識なしには行はれない。何となれば勞働は唯個體を通してのみ可能だからである。故に人間存在が自然を母胎とし種を基體とするといふことはそれが單なる自然的生命の延長としての種から始まるといふことではない。自然を對象として之に勞働を加へる人間は種的人間であると同時に種的個體である。唯その勞働が尙單純であり素朴であつて特殊な個別的才能を要することの殆んどない源始的勞働にあつては之に相應して個體意識も亦きはめて曖昧であり微弱であるのは當然のことであらう。かゝる事態の下にあつては彼らの對象となる所のものは主として自然である。人は常にまづ彼が其所から分れて來た所のものを敵とし對象とする。この意味で敵は常に彼に最も近きものであるといふことができるであらう。然るに人間はこの自然との戰に於てただに土地や植物や動物を相手とするばかりでなく、これと同樣な戰にある所の他の種を相手とする必要にせまられる。けれどもこの新なる相手は今迄のやうな單なる食物的自然ではなくて自分と同樣な在り方を持つた人間存在である。その交渉は單なる工作的勞働ではなくて互ひに死を賭しての生命の戰である。其所にはもはや牧歌的な生產勞働の豐かな自然性は消されて白熱せる激情の嵐が種的生命の全存在を脅かす。各の種は自己の内部を一義的に統制する必要を持つと共に、すぐれた個體のツテが生れるのである。

異常な力の發現を要求する。この二つの要求の相交錯する所から諸種のジッテが生れるのである。

道德はこのジッテを母胎として自己の存在を開示するものであるが、こゝでも亦生む母は生まれる子によつて背かれ之によつて否定される。ジッテは道德の母胎であるが道德そのものではない。道德にあつては少くとも可能的にはジッテに背き得る個體の內面的自由が豫想されなくてはならない。種に對する個の自覺のない所には道德なるものはあり得ない。もとより道德は單にジッテに背きジッテに反逆することのみを以て本質とするものではない。けれども道德が單なるジッテとしてゞなしに道德として成り立つことができるためにはジッテは一とまづ自己を解體して他在たる個體によつておのれ自身を對象化しなければならぬ。個體は自己の自由に基いて、かくして客觀化されたジッテに或は服從し或は反逆する。かゝる自由なる精神をもつた個はもはや單なる種の延長ではない。種は單なる種的存在たることを自ら否定して多元的個體に分裂する。其處に私と汝との對立が生れるのである。かくて私が私たる限り汝ではなく、汝が汝たる限り私ではない。汝と私とは互に絕對に他なるものである。そこでは種と雖ももはや一の汝でなければならない。かくして人は自己の個體的存在を絶對化しこれをその母胎から切り離して一の實體的存在として固定しようとする。其所に個人的利己主義が生れるのである。けれども個體が個體として眞實に自覺され來る所以のものは單に個體に固定し凝固せんがためではなく、この自覺を通して種が類化され、人間存在がそれの本來の母胎たる世界へ還歸するといふ意味を持つのでなくてはならない。個體の自覺は單なる個人的利害の自覺でなしに常に理性の自覺といふ意味を持つのでなくてはならない。道德的當爲とはまさにかゝる理性の自覺の重要なる實踐的一面を示すものに外ならないのである。

かくて道德は單に種的限定としてのジッテに從ふといふことにつきるものでもなく、さりとて又單なる個體內面の良心の命ずる當爲法則に服從するといふことに終るものでもない。それは種と個との相互否定的關聯の中に歷史的に自己を具體化し來る行爲的事實であると共に、この辨證法的相互否定的關聯は單なる種的限定にも個體的限定にもつくされ得ない無限定的「世界」の自己限定といふ意味を持つてゐるのでなくてはならない。道德とは我々が單に社會の傳統的權威に從ふことでもなく、又徒らに之に反逆して之を破壞することでもない。我々の行爲に於ける實踐的價値の絕對性は、それがこれらの歷史的社會の現實に於ける有限的事態に卽しながら、單なる種的限定にも個的限定にもつきない、これらのものが於てある無の場所たる永遠の今なる世界から限定されて來るといふことにあるのでなくてはならない。我々の具體的な歷史的社會的自己にとつては、自己を限定する環境と、環境を限定する行爲的主體とは、單に互ひに獨立的無媒介的に對立する二個の實體ではなくて、むしろ本來的には自己同一的なる世界そのものの自己限定に於ける辨證法的相互否定の對立的自己矛盾的兩面ともいはるべきものであらう。世界はそれが私に對してはたらきかけ來り、又私がそれに向つてはたらきかけゆく處の環境的他者としては歷史的社會的客體であると共に、かゝる環境によつて限定され、又それを限定し行く行爲的自己としては歷史的社會的主體である。私と環境とはかゝる自己限定的世界に於て表現的に相對立し、行爲的に相限定するのである。我とはかゝる世界の自己限定としての主體的客體的相互關聯に於けるいはゞ一つの焦點のやうなものであるにすぎないともいへるであらう。

我々の身體とはまさにかゝる人間の存在構造を最もよく開示するものであらう。我とはもとより單なる身體ではないが、しかし身體のない我といふが如きものは存在しない。身體は我であると共に我でないもの、自己の內なるものであると共にその外なるものである。それは一面に於ては限りなく自己を限定し來る環境の一部をなすもの、環境的限定の極限をなすものとして物質性を持つたものであると共に、他面我々の行爲に於ける創造的生命が何よりもまづそれを通して自己をあらはにしゆく所の出發點として精神の自發性を端的に表現するものでもある。身體は一面自然であると共に他面精神でもあり、環境的なるものであると共に個體的なるものでもあり、所限定者であると共に能限定者でもある。かく否定が卽ち肯定であり、肯定が卽ち否定であるといふ所に我々の身體なるものゝ特殊な意義が成立つのであるが、かゝる身體の自己矛盾性はわれわれの實存そのものが根源的に自己矛盾的な辨證法的構造をもつたものであることに基くのである。我々の存在はその根底に於て自己矛盾的なものであり、かゝる矛盾の存する所にのみ我々の自己の現實があり、行爲の具體性があり、創造的な人間的生命の動きがあるのである。かくて我々は不斷に自己の外なる環境の異質性によつて破られ、他在のよびかけによつて目ざまされ、日に日に新たなる社會的自己を建設しゆくと共に、かゝる社會的自己の建設それ自身が既に一の個體的創造の意味をもち、新なる歴史的社會の形成といふ意味をもつてあらはれて行くのである。かく社會的歴史的なる環境と自己とが互ひに相對立し相否定しつゝ、この相互否定を通して不斷におのれ自身を形成しゆく所に辨證法的世界の自己限定がある。眞の私とは單に抽象的に感性的自然に對立する理性的自我や人格ではなくて、かゝる辨證法的な世界に於てある歴史的な私であり、環境的限定の尖端に於ておのれ自身の個體的行爲性をあらはにしゆく所の世界的我である。かくて我の自覺は一面に於ては個體的自己の自覺であるべきであると共にそれ自身がやがてまたおのれ自身の底なる世界への自己還歸的運動として世界そのものゝ自覺といふ意味をもつのでなくてはならない。この意味で近代ヨーロッパに於ける個人的自己の自覺の如きものはかゝる眞の自覺の單なる一面であるにすぎない。眞に具體的な我とは卽ち無限の幅をもつた時間性としての世界的我でなくてはならない。我が行爲するとはまさにかゝる世界的我が歴史的に行爲すること、現實の自己が世界の底から限定されてくることでなくてはならない。人は彼が己れの眞實の具體性にかへるときかへつておのれ自身を失つて世界となり、この世界の中に深くおのれなきおのれを見出すのである。我々にとつて眞に個體の自由とは單に主觀的個人となることではなく、むしろかゝる主觀的個人が自己の底を破つてより深き自然の世界に還りゆくことであらう。孔子の七十にして矩を踰えずとは單に社會的傳統の中に自己を固定させることでもなく、道德的アウトマトンとなることでもなくて、かゝる世界の中におのれを沒し、個體的限定卽世界的限定として融通無礙なる行爲的主體となることであらう。應無所住而生其心と云ふもかゝる主體的行爲的體驗の、歴史的現實に卽した絶對自由なる世界を示したものに外ならないであらう。

（昭和十二年三月脱稿）

形態盤成績の民族的相違

飯沼龍遠

はしがき

本年報第三輯、藤澤茽「色彩好惡と色彩記憶」なる論文の序に於て述べた如く、この論文は本研究室の仕事として、昭和四年以來調査し來つた蕃童の心性調査の一部分であつて、その梗概を心理學論文集第五輯に於て發表した處のものである。ここには其後更に調査した小公學校兒童の分も、比較して結果を纏めた。

又本輯力丸助敎授の「臺灣に於ける各族兒童智能檢査」なる論文も本調査の一部であつて、茲に發表した第一段の調査は、一先づ是で完了し、更に之等の調査に依つて得た處を基礎として、第二段の研究が進められつゝあることを附言する。

目次

表目次

圖目次

序　論

一、形態盤テストに就て

一定の形態を幾つにも分割し、又は一部分をくり拔いた小片を集めて、一つの完全な形態に作り上げる作業に依て、被驗者の智能の程度を測定しやうとするものは、廣義の形態盤テストであつて Pintner 及び Peterson に依つて、種々な樣式が盡されて居る。(A Scale of Performance Tests, 1925.)

是等諸種の形態盤テストの中、馬とか人とか舟とかの形を、幾つにも分割してバラバラにし、それを組立てて一枚の繪なり姿なりを完成させるもの、及び一枚の繪の處々を切り拔いた小片と、それによく似て非なる小片を取り交せて與へ、適當な小片を選び出して嵌め込ませるものは、繪畫完成テスト(Picture Completion Test)と名付け、圓とか正方形とかいふ樣な幾何學的な形を、幾つかの小片に分割し、その小片を以て全體の形を構成させる樣なのを、形態盤テスト(Formboard Test)と名付ける。本來から云へば此の種のものは皆形態盤であるけれども、フォームボールドテストは狹義の形態盤であるといふ事が出來る。

我が國に於て試みられて居るものは、安藤氏に依つて考案せられた山越製作所のものと、島津製作所に依つて改案せられたものと、二種が普通の樣である。前者は圖に於て見られる如く、不用な小片は一箇もないが、後者の方は多數の不必要な擬似小片が、混入されて居り、その代り各形態に屬するものは、夫々區分して與へられて居るので、圓形に入るべきものを正方形に持つて行くといふ樣な誤は、出來ない樣になつて居る。

本教室に於てこのテストを試みた目的は、一は蕃童の智能の測定を行ふ爲であつたが、然しそれ計りでなく、內地人兒童・本島人兒童・高砂族(所謂生蕃)兒童等、文化的背景を異にし、民族性の相違のあるものについて、その差異を見、又誤試が起る場合その誤試は、いかなる心理學的意味を有するものであるか、などいふ事を研究して見ることを目的としたのであるが、同時に內地に於けるこの種研究の結果との比

第一圖
甲　山越形態盤
(A)

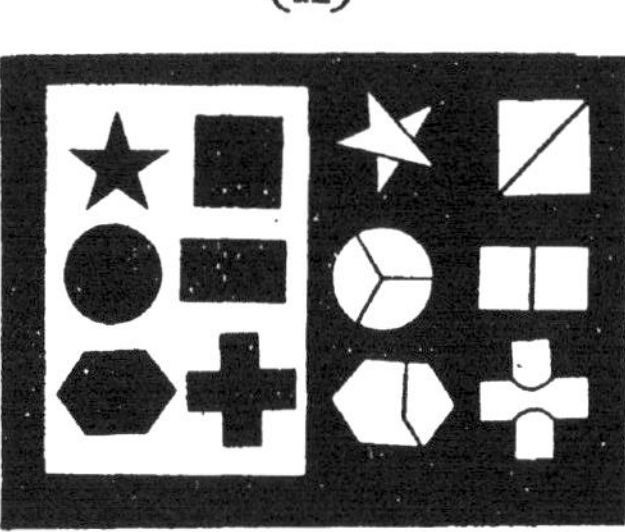

(B)

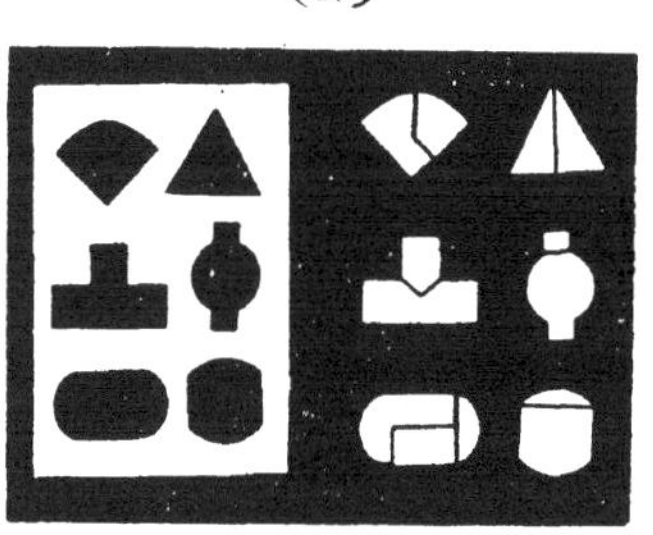

乙　島津形態盤

較といふ事も、考慮する必要を感じたので、新しい形態盤の考案もしては見たが、結局難易中間に位し、內地でも調査せられた事のある、山越形態盤を採用し、その容易な方のB盤を練習用とし、難かしい方のA盤を本テストに使用することにしたのである。

二　テスト施行上の注意

このテストを實驗者として擔當したのは、飯沼・藤澤の二人である。將來かうしたテストに直接携る人の爲めに、實驗上遭遇した二・三の點に就て述べる。

一、下年級兒童殊に蕃童のテストに際しては、豫め用意されたインストラクションを、十分徹底させる爲めには、若干のインストラクション以外の言葉を補足することも止むを得ないであらうがいよ〳〵それがすんだならば、出來る限り發言をしない様にしなければならぬ。あまり被驗者が放心して居ると見た場合には、「さあ〱早くしなさい」といふ位は、言つてやつても宜しからうが、それ以上は特別な目的がない限り、何も言つてはならない。是は一見言ふ迄もない、極めてつまらぬ注意の様に見えるが、實際テストに當つて見ると、これがなか〱難かしい事で、よほど熟練をしないと、實行が出來ないものである。何しろ相手が幼稚な然も蕃童であると、分り切つた事があまりにも馬鹿馬鹿しく間違へられるので、腹立たしい氣持に襲はれるのである。況んや到底はいるべくもない誤試を五分も八分も續けて、無理やりにゴシ〱入れやうと、無駄な骨折をして居るのを見ると、勢ひ「そんな小さな處へそんな大きなのがどうしてはいる、よく考へて見なさい」とか、「違ふ違ふ」とか、何とか言はずに居られない衝動を感ずるものである。それを靜かに視て居て、どんな誤をどんなに長くしやうとも、心を動かさないで觀察して居るといふことは、相當熟練しなければ出來ないものである。私達のテストに際して、陪觀を切望されて止むなく許した受持の先生が、つい見て居られなくなつて、あれこれ助言的口を出したり、おしまひに「この馬鹿！そんな事が分らぬか、しつかりせい」など怒鳴りつけたり、或は鐵拳が飛び出したりして、折角のテストが臺なしになつた事も一再ではなかつた。かうした陪觀は出來る限り許さない方がよいことは言ふまでもないが、時には斷り切れぬ樣な場合もある。その樣な時はどんな事があつても、口出し手出しをしてはならないこと、身振りの上でも示唆的な行動のない樣、甚だ言ひ難い事の樣ではあるが、最初に十分注意して置かなくてはならぬ。

二、實驗場は出來るだけ他の兒童がのぞきに來たりしない樣な、靜かな小室が願はしいが、その樣な小さい靜室を幾つも得る事は出來ないから、一室で二箇所に分れてテストすることも止むを得ぬ。かかる場合順番を待つて居る子供達に、寄り付いてはいけないと、何程言つても、ほんとうに飯の上の蠅を追ふ樣なもので、知らぬ間にすぐたかつて來るものである。之をうまく處理することも、施行上の大切な要件である。

三、緊張して作業に熱中する樣な場合には、括約筋が緩むのであらうか、テスト中に小便を洩らしたり、時には脱糞をすることが、蕃童に於てのみならず、小公學校兒童に於ても、二・三起つた事がある。無論豫め便所に行つて來て置く樣、屢注意を與へて置くのではあるが、それであり乍らかうした事が起るのである。それゆゑ全般的に一・二度注意を與へただけでなく、テストの前にも今一應注意する必要がある。尚又テストの時間も僅か十分で、短かい事であるから、兒童を立たせたまま作業をさせても、別に差支へない様に思はれるが、立たせて作業させた場合に、脱尿脱糞などいふ事が、起り易い樣であるから、なるべく腰をかけさせてテストを行つた方が宜しいであらう。

三、被　驗　者

被驗者は臺北市内に於ける、小學校兒童(内地人)八百四十四名、公學校兒童(本島人)九百六十三名、及び島内各地に於ける高砂族兒童(所謂生蕃兒童)一千百三十八名、總計二千九百四十五名であつて、その詳細は次に示す如くである。蕃童でも行政區域内に住むものは、本島人兒童と全く同じ公學校教育を受けて居るが、蕃地に住むものは、蕃童教育所といふ極めて不完全な、寺小屋式教育を受けて居り、一樣ではないのであるけれども、民族的に之を扱ふ必要上一括して蕃童教育所と同じに取扱つた。又同一の見地から、小學校の中にも若干の本島人兒童が在學するけれども夫等は省いて内地人兒童計りを收めた。

檢査兒童細別

一、小學校(臺北市)	八四四
一師附屬小學校	一六六
旭小學校	二四一
壽小學校	二七四
錦小學校	一六三
二、公學校(本島人小學校臺北市)	九六三
一師附屬公學校	一三二
二師附屬公學校	六九
老松公學校	三九六
大橋公學校	三六六
三、蕃童教育所	一一三八
アミ族(薄々・馬太鞍・馬蘭・新港)	三一三
ピューマ族(卑南・知本)	五九
ツオウ族{マガツン・タカヌワ・ガニ・ハイセン・ラ ラチ・ララウヤ・ニヤウチナ・サビキ}	八四

タイヤル族（寒溪・リヨヘン・キンヤン・クバボ／ウ・ピヤハウ・ピヤナン・シキクン）　二三七

パイワン族（アマソン・クナナウ・ラ／イ・クワルス・カピヤン）　二二九

ブヌン族（ランルン・バクラス・カ社・カネトワン・／丹大・カトグラン・マシタルン・トンポ）　二一六

總計　二九四五

上の人員を更に學年別男女別にすると、次表の如くになる。

第一表　被驗者の分類

性 ＼ 學年 ＼ 種族		内	本	蕃
男	2	153	163	28
	3	139	162	95
	4	142	169	148
	計	434	494	271
女	2	123	159	9
	3	153	160	87
	4	134	150	89
	計	410	469	185
總計		844	963	456

學年に就ては小公學校に於ては、二・三・四の三學年を、蕃童は大體三・四兩學年をテストした。蕃童二年生は少數しか行つて居ない。何故一年及び五・六年生を省いたか、是は決してその必要を認め

なかつたからではなく、公學校に於ても蕃童教育所に於ても全く國語を解しないものが、一年生にはいつて來るのであるから、課題を會得せしめる事が困難であつた爲に一年を省き蕃童教育所は四ヶ年制が普通であつて、處によつては補習科が二箇年設けられて居る所もないではないが、之は少數である上就學兒童數も、僅々數名に過ぎず、その結果を小公學校兒童と比較して見る事が出來ないから、五・六年を省き、結局小・公・蕃の三者を比較し得るものは、二・三・四の三學年だけが殘つたのであるが、更に蕃童の二年生は、高山地帶に住むものにあつては、通學が相當困難な關係もあらうが、成績がひどく惡くて、テストに應じ得ぬものが多く、かくして本當に比較し得るものは、三・四兩學年しか殘らぬ事になつてしまつたのである。

次に被驗兒童の生活狀況について一瞥するに、臺北市内の小公學校は、設備といひ教師といひ、內地の小學校とは何等異る所がないが、公學校は國語を全く解しない兒童を一年生に入れて、國語の力を養ひつつ他の學科を教へるのであるのと、家庭が一般に文化が低く、國語を話さないものが多いといふ様な關係上、小學校兒童よりは學力が低い事は免れぬ所である。 又同じ臺北市內の小公學校といふ內にも、第一師範の附屬小學校の如く、父兄に知識階級を網羅して居る學校もあれば、大橋公學校の如く、比較的細民階級の子弟の多い學校もあるので、なるべく一方に偏しない様にと考へて、上記の様な學校を選び、且つクラスも中位の成績のを選んで貰つた。

蕃童敎育所の狀況に就て一言すれば、行政區域內の蕃童學校は、本島人公學校と施設上何等相違はないが、山地の敎育所は比較にならぬ程劣つて居る。是等蕃人は二千尺・三千尺といふ高地に住むのであるから、何百戸といふやうな密集部落を形成することは、極めて稀であつて、あちらの山腹に十戸、こちらの嶺に十五戸といふ様に散在して居て、村から村へは少くとも三・四里隔つて居るのが普通である。かうした數部落へかけて一敎育所があるのであるから、敎育所所在地附近の者でないと通學は中々容易でない。殊に雨でも降り風の吹く日など、雨具らしい雨具もなく、嶮しい山坂を攀ぢて通ふのであるから、到底都會の人の想像も及ばぬものがある。學校から家に歸つたが最後文字とは緣切れで、讀むべき新聞一枚あるでなく、雜誌一冊ある譯でもない。せい〴〵平地から寄贈して貰つたカレンダー位が、字の書いてある唯一の家庭的存在である。又家屋に就て見ても、大家族的住居をするアミ族などは別として、高山地方の蕃人は半ば穴居の様な、うす暗い中に木切れが燻り乍ら燃えて居るのみで、照明らしい設備もなく、床とは名のみ竹の簀の子が、家の隅に地上二尺位の高さに、一坪弱張つてある程度であつて、机も本箱もないのであるから、學校から歸つて本を讀むとか、字を習ふとかいふ様な餘裕は、絶對に無いと見られる生活環境である。

山坂三里の道を行つて戻るといふ事は、吾等都會人には成人に取つても、それだけで十分一日の仕事なのである。然るに八歳・九歳といふ様な幼い兒童が、着物らしい着物も着ず、風呂敷を結んで右から左へかけた様な恰好で、さつま芋を嚙り乍ら裸足で、毎日平氣で通學して居る様は、「あれも人の子」かと、涙なしには見られない姿である。成績がよいの惡いのといふものの、若し平地都會の兒童を、こんな生活環境に置き、こんな教育を施したら、果してどんな人間になる事だらうと考へると、首狩をはじめ有ゆる迷信蠻習も、必ずしも彼等の本質でなく、かかる野蠻な人間たらざるを得なかつた、彼等の生活環境こそ悲しまれると共に、かかる習性に染みた彼等を、ともかく今日の程度まで、幾多の瘴癘と戰ひ、彼等の迷蒙と戰つて、開發の實を擧げた、現地警察官諸君の勞苦に、感謝を捧げざるを得ないものがある。さてかうした通學に耐へぬ兒童の爲めには簡易寄宿舍として、板張りのバラツクがあつて、兒童は日曜毎に家に歸つて、一週間分の芋なり粟なり糧食を背負ふて來て、共同で芋をふかし粟粥を煮て食べる。無論照明裝置がある譯でなく、机一つ本箱一つある譯でもないから、日が暮れれば本を讀むも字を習ふもない。日の出と共に起き出で、日沒と共に一枚の毛布を數人で引つ張り合ふて、着のみ着のまま泥足のままで、寢につくといつた有樣である。親の方でも收穫期とか開墾期とかいふ農繁期には、當然休ませて手傳ひをするものにきめて居る。又敎育所の職員も、初等敎育者としての特別な敎養を有つたものは極めて稀で、通常は警察官の一人が、全學級を擔任して居るに過ぎない。

斯うした狀況である上、兒童の年齡も一樣でない。元來が山中暦日なき彼等、自分の年齡など數へて見る必要がないので、本人は殆んどすべての兒童が、自分の年齡を知らないし、親も子供の年齡をよくは知らない。多くは推定年齡である。尤も最近は追々戶籍簿が整ふて來たから、派出所へ行けば分る樣になつて居るが、それも彼等自身にはどうでもよいことなのである。斯樣な狀態であるから、同じ三年生といふても、十二歲のも居れば十五歲のも居る上に、その十二歲十五歲といふ事も、小公學校の樣に正確でない。大體に於て、小公學校の同じ學年よりは、二・三歲年長と見てよいやうである。

以上は蕃童敎育所全般に就ての狀況であるが、箇々の蕃社・種族について見ると敎育所としての制度は皆同樣であつても、山の奧深さ、蕃社の貧富の相違、從つて敎育所の設備の相違、種族の特異性等によつて、心性の上に相等著しい異があるであらうことは想像に難くない。

四、檢査方法

檢査は一人づゝ行ふ個人檢査であつて、使用形態盤は前述の樣に、山越適性檢査器具セット中のものを用ひ、B盤を練習用にA盤を本テストに使用した。實驗に際しての位置取りは、第二圖の樣にして、部屋は外から覗き見をしたりしない樣にし、關係敎育所敎師の外は、立寄らない樣に出來るだけ努め、兒童があがる樣な事のない樣注意した。

練習の際のインストラクションは次の如くである。

「こゝにいろ〳〵な形の穴のあいた板があります。そしてこちらに小さい板切れが澤山あります。この板切れをすき間の無い樣にキチンと、こちらの穴の中に入れて行きます。さうするとこの板切れは、みんな此の穴のどこかへはいつてしまひます。それで板切れのどれもが、穴の内のどれかへはいるのだから、デタラメにやつて居ても、いつかは正しい處へはいる事になりますが、然しそれではいけない。どれをどこへ入れてよいのか、よく〳〵考へて、なるべく入れ損ひをしない様に、なるべく早く入れてしまはなければいけません」。

この教示を緩かに與へつつ、その一つ二つに就てやつて見せる。然る後に兒童に各自分でやつて見させるのであるが、小公學校の兒童ならば、實際

第二圖
實驗位置取圖

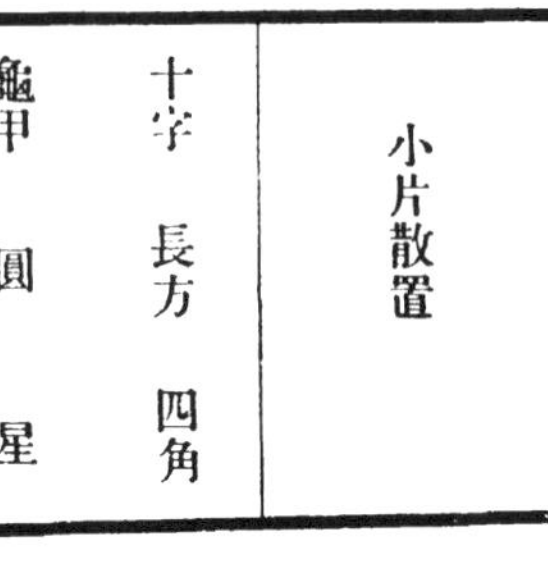

にやつて見せつつ、是だけの説明を與へれば、作業の要領を理解することが出來る。從つて豫備的練習はB盤中のどれか一つ若くは二つを行へば、問題を十分會得するのであるが、蕃童は斯うした人工的形態には、極めて親しみが薄く、初めてこの形態盤を見た時には、非常に不思議なものを見る樣な顏をして居て、一回の説明一・二箇の練習位では、到底この課題に對して、平地の兒童の樣な心構へにはなり得ない

様子であつた。そこで心構への調整上の必要から、B盤全部を一通り練習せしめ、誤をなした場合には、その誤である所以をよく説明して聞かせた。このハンディキャップをつける事は、一見條件が不同に陷るとの非難があるかも知れぬが、實際はさうではない、テストを受ける心構へを豫備的練習に依つて調へるといふ點からすれば、かくハンディキャップをつけることが、反對に條件を同一にする事になると見なければならぬ。このテストに際して、特に注意を惹いたことは、小公學校の兒童は、この作業を非常に面白がつて、進んでやりたがるものが多いのに、蕃童はあまり興味を惹かず、「こんな事を何の爲めにやらされるのだらう」といつた樣な態度で、うまく出來ない場合にも、一向何とかしてやり遂げやうと努力する樣子が見えず、左眄右顧して居るものが多いことである。是は小公學校兒童は、多少共積木の樣な玩具を持つて遊んだ事がある爲めに、形態の構成に興味を感ずるが、自然の木石以外に、玩具といふものを持たない蕃童が、かうした幾何學的形態に興味を持たないのも、生活上の自然かと考へられる。

さて以上の豫備練習を終へたものは、一人づつ圖の如き位置に實驗者と相對して立たしめ、今一度次の敎示を與へる。

「先の練習のと同じ様に、この穴を小さい板切れで埋めて行くのです。いゝですか、よく〳〵考へて、なるべく入れ損ひをしない様に、そしてなるべく早くやるんですよ。はい初め」で實驗者はストップウオッチを押し、次の如きカードを前にして、被驗者の手許に注意しつつ、誤試ある毎に夫々の項目に記錄して行く。

誤試記錄カード

姓名	番號　時間　分　秒
正方 三角中横 三角 三分圓 雜	星 並ビ 反三 雜
長方 縱横 二縱横 三分圓 雜	圓 反圓 二反圓 四角 五角 六角 雜
十字 四角 空丸角 充丸角 並ビ 雜	鼈 三角　四角 三分圓 斜 小斜 反小斜 雜

次に充塡用斷片の配別方法であるが、之は豫め一定の形式を定めて置いて、條件を同一にした方が或は良かつたかとも思ふが、手數を省く爲めさうはしないで、なるべく小片を離れ離れに並べて、いぢくつて居る間に、自然に形が出來てしまふ様な事のない様、特に鼈甲形の大片と小片とは、一方を裏返しに並べる様、又圓形の三片は相向ひにならぬ様など注意して配置するに止めた。

最後に時間の記錄は本來ならば完成順序を一定して置き、一形態毎の完成時間を測定した方が宜しいのであるが、從來の結果と比較する便宜を失はない様に、完成順序を一定せず、被驗者の任意にして、六形態全體の完成時間を記錄した。此際時間の最大限度を十分間とし、十分間を經過して尙完成し得ないものは、之を落伍者としてテストを中止した。この十分間といふ制限は、蕃童に對しては幾分酷であつた様で、後段に述べる如く若干の落伍者を出したが、短い時日に多數のテストを行ふ場合には、止むを得ぬ事である。

五、誤試記錄法

ピントナー・ピーターソンに於ては、完成時間と共に誤試數又は完成に要した手の運動數を測定し、之に依て作業を評價して居るが、誤試の種類は別に評價して居ない。我が國に於て行はれたテストには、完成時間だけが取られて居る様である。抑この作業に依つて、智能が表はれて居るとすれば、此の作業に當り先づ以て何等かの見通しが爲され、この見通しに基いて、作業が行はれたといふのでなくてはならぬ。從つて完成時間だけでは、無論不十分である。同じく所要時間五分間であつたとしても、盲目滅法にあちこちやつて見る間に、試行錯誤的に完成されたのもあれば、極めて愼重にゆつくり考へて、誤試をあまりする事なくして完成したものもあつて、兩者の間に非常な相違があるといはなければならぬ。又ピントナ―ピーターソンの樣に、誤試數とか手の運動數とかいふものを、完成時間と共に考慮することは、誠に妥當なことであるけれども、單に誤試數だけでは、まだ〳〵十分でない。例へば同じく二十回の誤試でも、幼稚ながらも見通しを立てて居ての誤試と、全く手當り次第にやつた誤試とでは、その精神的價値は決して同一でない。又見通しをつけた誤試の內でも、この場合としては誠に尤なと思はれるものもあれば、さうでないのもあるから、夫等を出來るだけ精密に觀察記錄し、誤試の檢討を行ふて見る事が必要である。かういふ樣にすればこのテストは智能テストとしてのみならず、民族的な特性とか、文化の程度に依る差異とかいふ、重要な問題への一資料を提供することになりはしないかと考へられる。

誤試記錄の項目は、約四百名の蕃童に對して試みた豫備テストの結果、最も起り易いもの、有意味と思はれるものを選び、殆んど出鱈目と思はれる樣な、意味のない誤試はすべて之を雜として、一括してしまふことにした。それでもテストをして居る間に、今迄氣付かなかつたもの、或は更に別な項目の下に收めた方がよいと思ふものが、中途から出來て來たので、記錄の上では別項にしたもののもあつたが、それは調査出來たものだけについて計算し、表には括弧をして參考に揭げた。

次に前揭誤試記錄カードに設けた、誤試項目の内容に説明を加へて見る。

正方形

三角中横　この中に入れらるべき三角形を持つて來ては居るが、〔図〕の樣に入れたもので、この二等邊三角形の底邊は、正方形の一邊より稍長いに拘らず、之を過小視した事から起る誤試である。

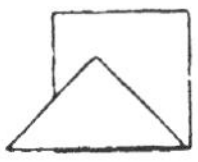

四角　長方形を充たすべき四角形を、〔図〕の樣に入れたもので、四角な形は四角なものから出來上つて居るだらうといふ樣な推測から試みられるものと考へられる。

三分圓　圓形を充たすべき三分圓を、〔図〕の樣に試みたもので、之は三分圓の鈍角を過小視して、直角と誤つたことに因る誤試である。

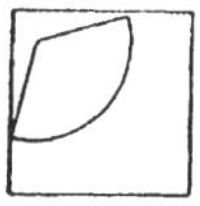

雜　この中には以下同じ樣に、種々なものが含まれて居るが、比較的多いのは、前項の四角を入れてからか若しくはその前に、十字形を充たす大片及び小片を入れるもの、龜甲形を充たすべき大片を入れ、その隙間に星形を充たすべき小片を入れるもの、龜甲形の小片を三分圓と同じ樣に入れるもの等である。

長方形

縱横　之はこの形に起る最も興味ある誤試であると共に、最も屢起るものであつて、形に縱に入るべき小片を横に入れるものである。この横長の長方形を縱長の長方形で充たすといふ事は精神發達の幼稚なものには、餘程理解が困難なものと見え、二小片の一つが偶然にも正しく入れられてからも、の様な誤試を屢起して居る外、次の二縱横といふ誤試が起る。

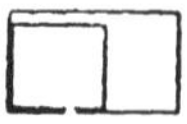

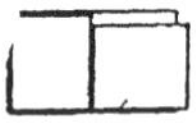

二縱横　前項の縱横をやつた上、今一つの小片をも同じく縱横に入れて形にするものである。

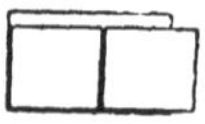

三分圓　これは三分圓の一片を嵌入するもので、どうしてこんな誤が起るか、その意味は明らかでなく、雜に入れてもよいのであるが、屢起つたので別項を設けて記錄した。

雜　この中には十字形の大片、三角形、星形の大小片等が主なものである。

十字形

四角　長方形を充たすべき四角形を持つて來るもので、形の大きさよりすれば、穴の方が遙か小さいのであるが、四角であるといふ事から、大きさが等閑視されて、之を試みる事になるのであらう。

空丸角　こゝに入るべき小さい方の片を先づ取り、四角な方へ丸い方を向けて、形

に入れるもの、成人ならばかかる誤試は絶對に起らぬであらうと思はれるのに、この誤試は相當屢起るのみならず、之が誤であることに氣付いて、之を反對側へ持つて行く場合に、再び同じ様な事を繰り返し、又更に次の充丸角なる誤試を起す事から考へて、幼稚なる精神狀態のものには、形態心理學派の所謂 Ganzheitsdominanz が、一層強く働くものと考へられる。

充丸角　之は大片の方を先に嵌入し、小片を嵌入する場合に丸の方と角の方とを逆にする誤である。

並び　之は小片を先に嵌入する場合に起る誤試で、 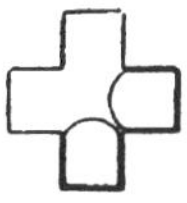　形にするものである。部分的には誤では無いが、全體に對する見通しが無い爲めに起るものである。

雜　之には取り立てて見る程のものはなく、全くデタラメ的當てはめから起るもののみである。

星形

並び　形を充たすのに一般に、その中の大片の方から始める方が、小さい方の片より始めるより有利である事勿論で、この誤にしろ十字形の並びの誤にしろ、大片から始めれば起る事はないのである。 之は一つ置いて隣に入るべき小さい片たる三角形を、相隣に入れた誤である。

反三　之は大きい方の片を先づ嵌入して後、三角形の穴に三角形の片を入れるのに反對に入れやうとするもので、十字形の場合の丸角と、全く同じ性質の誤試であつて、共に最も興味深いものである。

雜　十字形の場合と同様、特に言ふべきことなし。

圓形

この形は六形態中唯一の曲線形態である上、之を充たす小片の方にも、曲線を有するものは正當小片の外には、十字形の小片あるのみであるから、誤試の起る可能性は比較的少ない様考へられるが、實は思ひも寄らぬ誤試が數多く起る事は、注意すべき事である。而してかかる誤試の心理的性質は、更に別の方法に依て追究する必要がある。

反圓　三分圓の一片を入れるのに、反對に形に入れるもの。

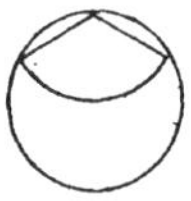

二反圓　前の試みをなしたる上更に今一つの小片を形に入れるもの。

對立　二つの小片を二反圓の逆に對立させたもの、是は中途から記錄しかけので結果には表してない。

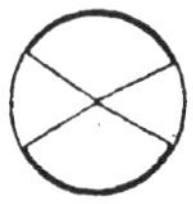

四角　長方形を充たす四角形を入れるもの。

六角　龜甲形の大きい方の片を入れるもの。

雜　十字形を充たす小片を入れるもの、六角形の隙き間塞ぎに星形を充たす小三角形を入れるもの、星形の大きい片を試みるもの等。

龜甲形

この形態は最も難しいもので、若しこの形態が一番後廻しにせられれば、迷ふべき小片がなくなるから、誤試も少くて濟むのであるが、若し最初に着手せられると、有らゆる試をすることになり、誤試も多く時間も長くかかることになるのであるから、この形態盤を用ひて智能のテストを行ふといふのならば、是非完成の順序を一定して置く事が必要である事を痛感せしめる。

三角　正方形を充たすべき三角形の底邊の長さが、丁度この形の横軸の長さと同じ位に見える爲め、その點だけに着目するため、形が一向似て居ないに拘らず、ここに入れやうと試みる。

三分圓　前説の三分圓の角のある方を、の如く龜甲の頭若くはの如く横の角に合せやうとするものであるが、龜甲形はの如く頭の角度は百〇四度、横の角は百二十七度、三分圓の角度は百二十度であつてその差は僅かであるから若し充填小片の角度だけに注目すれば、六角形五角形を別とすれば是しかない事になる。

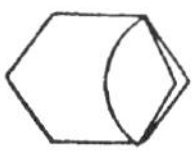

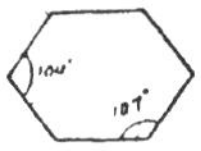

斜

之は六角形を持つては來たが、百〇四度角を百二十七度角へ嵌めたもので、是にはイロハニホヘ種々な場合があり、別圖の通りであるが然し意味は何れも同一である。

只一つロの場合は意味が異り、角度の見誤りでなく、不注意から起つた誤であつて、之は次の小斜の誤試に於て、大きい方の片を先に入れ、後から小さい片を入れる場合にも、同様に起ることであつて、兒童に於て計りでなく、成年に於ても時折見られるので、之を雜に入れないで一項を設けることにした。

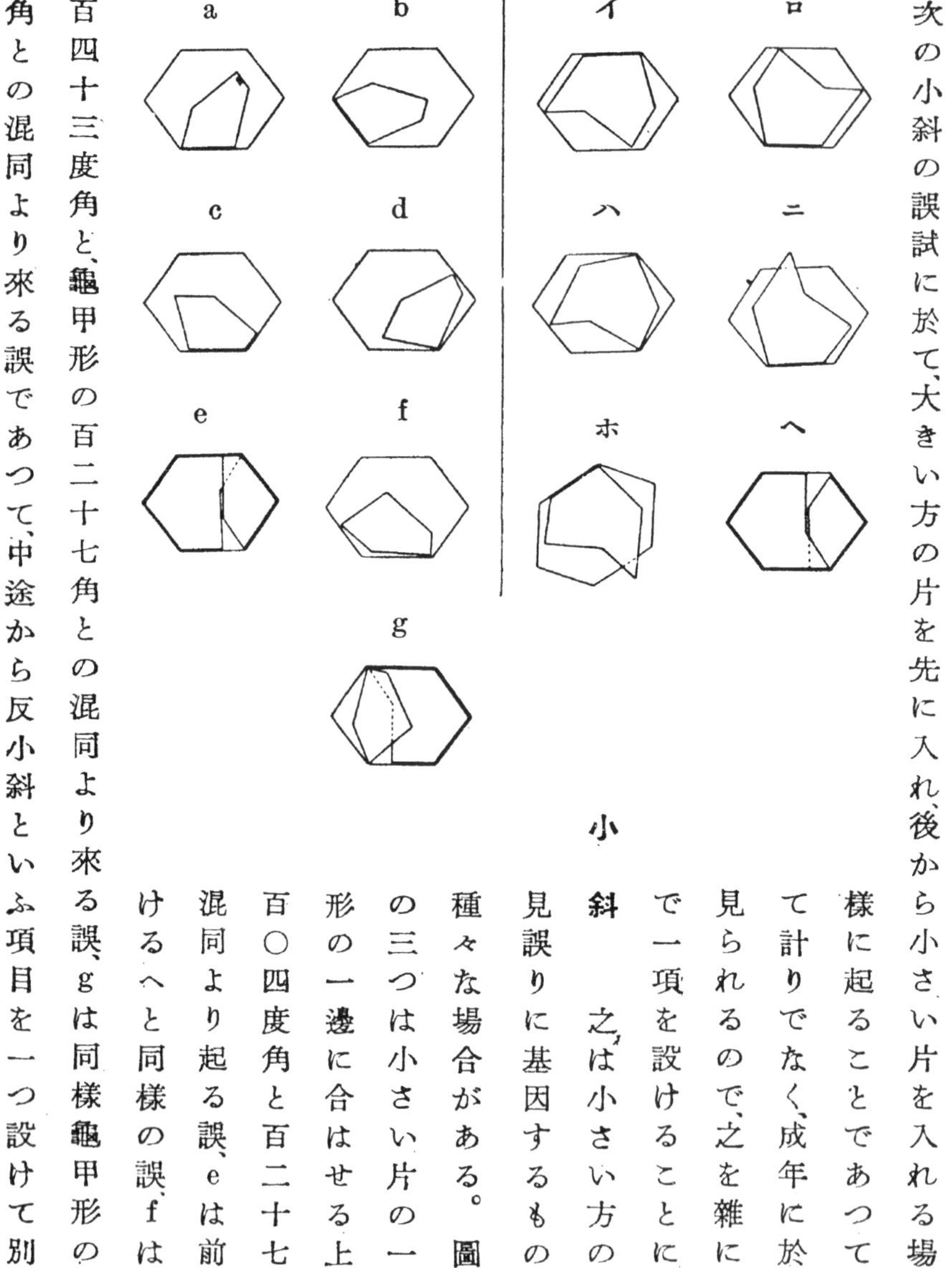

小斜　之は小さい方の片の角の見誤りに基因するもので、前同樣種々な場合がある。圖中abcの三つは小さい片の一邊を、龜甲形の一邊に合はせる上の誤、dは百〇四度角と百二十七度角との混同より起る誤、eは前項斜に於けるへと同樣の誤、fは五角形の百四十三度角と、龜甲形の百二十七角との混同より來る誤、gは同樣龜甲形の百〇四度角との混同より來る誤であつて、中途から反小斜といふ項目を一つ設けて別に記錄を

試みた。

以上四つの誤試は、ともかく何等かの點に着目して、曲りなりにも見通しをつけた上で作業したものと認められるものである。而して中にも斜・小斜・反小斜の三つは、吾等が角度を知覺する場合に、角度そのものは同じであつても、それを含んで居る形態の異なるに從ふて、直接經驗としては異つて見える。是を同じ角度と見るには、是迄の種々な經驗に依る間接推理を加へることが必要であるといふ事を、示すものと見る事が出來、非常に興味ある事柄と云はなければならぬ。

四角　これは長方形を充たす四角形をの樣に持つて來るものである。この四角形の長い一邊は二八ミリで、丁度龜甲の長い方の一邊の長さと同じであるので、外の事は無視して、その點だけから正しい解決だと誤るものである。

雜　この場合の雜は、上述の何れかの誤試をなし、その誤に氣付かず、之を正しいものとして補充的小片を求める場合に起るもので、星形用の小三角とか、十字形用の小片とかを用ひるものが、大部分を占めて居る。

以上誤試を通じて氣の付く事は、ある形態の全體を綜合的に見通すことが、精神の幼稚なものには困難であつて、形態のどこか一點だけに着目し、他は無視してしまふ爲めに極めて簡單な充塡にも、思ひも寄らぬ誤試を起すといふことである。

本論

一、完成時間

完成時間に關する全般的な集計を、第二表が示して居る。時間の單位は秒であり、代表値は中數を用ひた。二年は蕃童に就ては行つて居ない處が多いから、二年を含むものと含まないものとを、別々に表にして見たが、內・本の比較の場合には、二年を含めた方の表を用ひる事にした。

第二表を更に男・女學年に分けて表にしたものが、第三表である。之に依て見ると、大體學年の進むにつれて、完成時間は短縮して行つては居るが、然しその短縮は豫期された程大きなものではなかつた。內地人女兒三年四年の差は僅かに一秒、本島人の男兒三年四年の差は、僅かに二秒であるに過ぎぬ。又蕃童の二年は反對

第二表　完成時間と落伍者

（甲）

族	性	人數	完成時間	落伍者	
			秒	實數	%
内	男	281	87	3	1.1
	女	287	97	1	0.3
	計	568		4	
	平均		92		0.7
本	男	331	108	1	0.3
	女	310	143	2	0.6
	計	641		3	
	平均		126		0.5
蕃	男	458	193	34	7.4
	女	392	312	72	18.4
	計	850		106	
	平均		253		12.5

（二年除外）

（乙）

族	性	人數	完成時間	落伍者	
			秒	實數	%
内	男	434	93	4	0.9
	女	410	106	3	0.7
	計	844		7	
	平均		100		0.8
本	男	494	122	6	1.2
	女	469	152	9	1.9
	計	963		15	
	平均		137		1.6
蕃	男	616	204	60	9.7
	女	522	328	106	20.3
	計	1138		166	
	平均		266		14.6

（二年ヲ含ム）

に三年よりも、二十二秒早いといふ様な結果になつて居る。

内地人・本島人・蕃人三者を比較して見ると、完成時間に就いても誤試回數に就いても、例外なく内・本・蕃の順序に增加した數字が表れて居る。卽ち百秒・百三十七秒・二百八十五秒といふ様になつて居るが、この外に尙ほ考へなければならぬのは、規定時間たる十分内に完成し得なかつ

第三表　宗成時間（單位秒）

（內本蕃男女比較）

性	學年＼種族	內	本	蕃	平均
男	2	105	149	212	155
	3	98	109	234	147
	4	75	107	153	112
	平均	93	122	200	138
女	2	124	170	468	254
	3	96	156	367	206
	4	97	130	272	166
	平均	106	152	369	209
男女を通した平均		100	137	285	174

た落伍者が、蕃童に於ては十二乃至十四%に上つて居るのであるから、實際の開きはまだ〳〵大きいものと云はなければならぬ。

男女間の相違を見ると、內・本・蕃を通じて、男兒の方が女兒より優れて居り（內地人三年生だけは例外で女兒が二秒早い）然も男女間の開きが、內地人は九十三秒に對する百〇七秒と、極めて小さいのに比し、本島人は百二十二秒に對する百三十七秒と稍離れ、蕃童は二百秒に對する二百八十五秒と引き離れて居る。

尚その外落伍者に就て見ても、第二表乙に示す通り、內地人は四對三で男の方が一名多いのに、本島人は六對九で女が二名多いが、蕃童は六十對百〇六となつて居る。これ等の點から見ると、文化が高くなるにつれて、男女間の智能の開きが、少くなるものだといひ得る様であるが、果して如何であらうか。

以上は完成時間の全體に就ての考察であるが、更に十分間といふ完成時間の範圍を、三十秒づつに區切つて、完成者の分布狀況を考へると、第四表の如くであつて、之をグラフに表したものが、第三圖なのである。前述の様に、この作業に非常によく慣れた成人が、一生懸命早くやつても、二十二・三秒はかかるのであるから、初めてやる兒童では、無課試であつても三十秒乃至一分は、どうしてもかかるものと見てよい。然るに蕃童の中に、一分のものが〇・七％、一分三十秒のものが五・七％、二分のものが一〇％存在することは、驚くべきことと云はなければならぬ。ともかくこの圖から見られることは、內地人兒童は一分三十秒といふ優秀な處に多數が集中

第四表　0.5分宛に區分したる完成時間

完成時間（分）	種族		
	內	本	蕃
0.5	1.0	0.2	0
1.0	12.0	5.3	0.7
1.5	30.1	22.6	5.7
2.0	20.1	21.3	10.0
2.5	15.0	13.7	11.8
3.0	6.1	10.5	8.2
3.5	5.7	7.4	7.2
4.0	1.3	4.0	6.2
4.5	2.1	3.5	5.1
5.0	1.2	2.3	4.4
5.5	0.7	1.8	4.7
6.0	1.2	0.7	4.5
6.5	0.7	1.2	2.8
7.0	0.7	1.2	1.6
7.5	0.3	1.0	2.4
8.0	0.3	0.7	2.5
8.5	0.4	0.2	2.1
9.0	0.1	0.3	1.6
9.5	0.2	0.3	1.8
10.0	0.1	0.2	2.1
10.0—	0.8	1.6	14.6

第三圖 0.5分毎ニ於ける完成者狀況

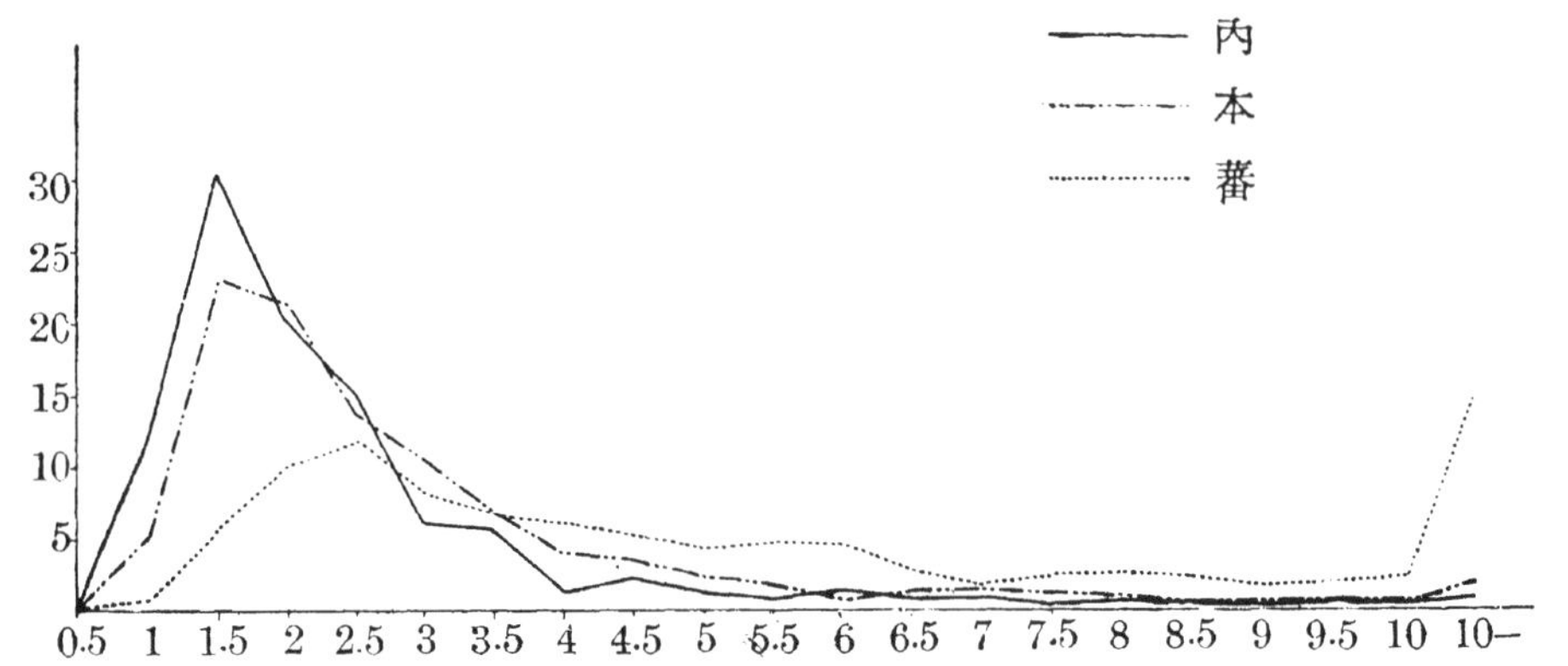

して居るのに、本島人はこの集中度が低く、蕃人は更にそれが低いが、決して優秀なるものが全く無い譯でなく、その優秀なものは內地人の中以上に、その地位を占めて居る事が知られるのである。次にはこの二十段階別を縮めて、五段階にして見た表が、第五

第五表 完成時間五段階分布

（百分比ニテ）

種族＼所要時間	二分半	五分	七分半	十分	十分以上
內	78.2	16.4	3.6	1.1	0.8
本	63.1	27.7	5.9	1.7	1.6
蕃	28.2	31.1	16.0	10.1	14.6

表であつて、之をグラフにしたものが第四圖である。かうして見ると、前述の集中度の狀況が、一層はつきりとなつて來る。第一の階級を見ると、その率に於て三者に相違がある。內地人兒童は七十八%に對し本島人は六十三%、蕃童は內地人兒童の三分の一の二十八%である。更に第二段迄の總計を見

第四圖　完成時間五段階の分布

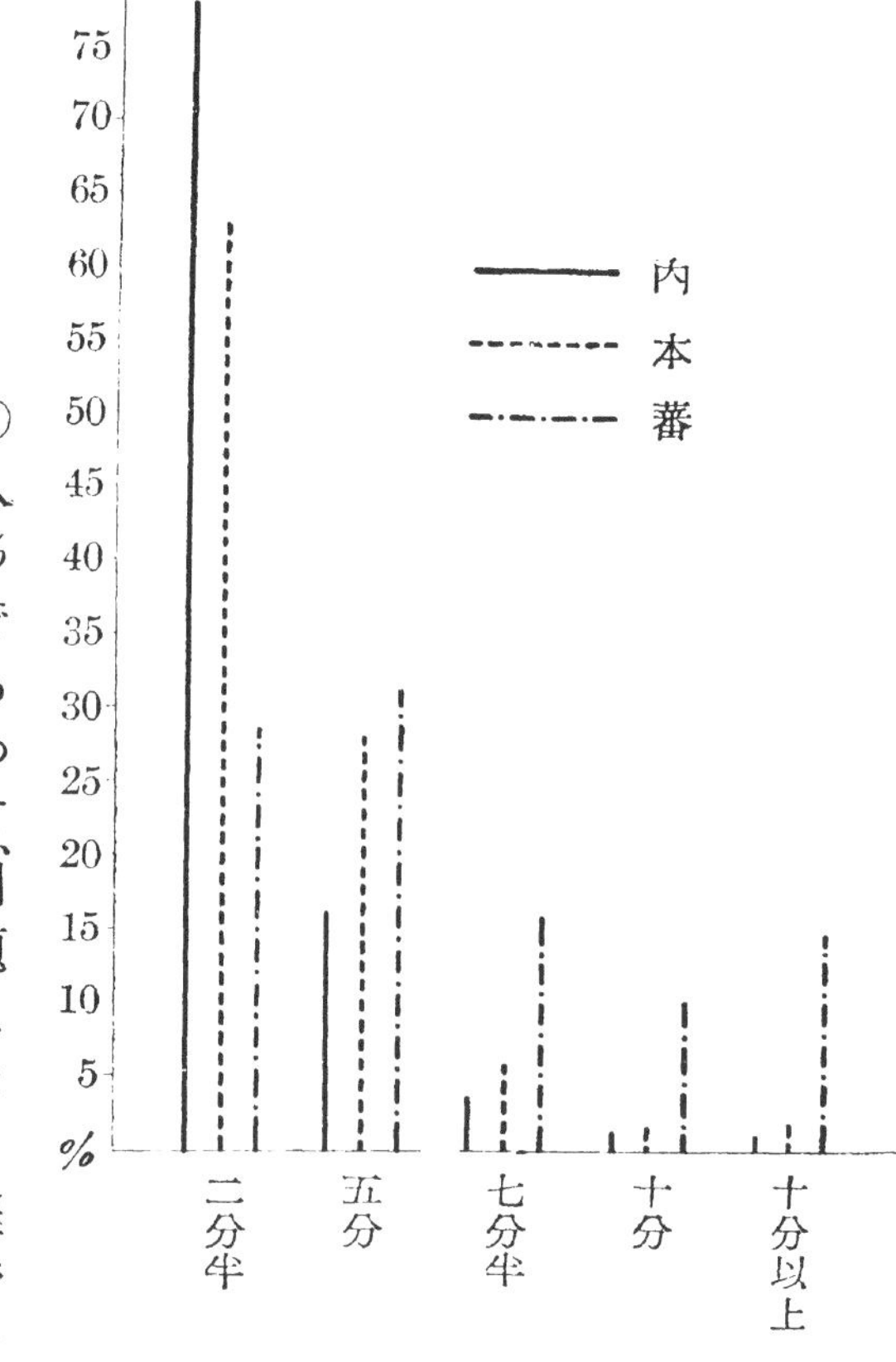

第六表
谷口氏の結果との比較

	男		女	
	谷口	本學	谷口	本學
4	87	75	93	97
5	66		106	

ると、内地人兒童は九十四％六で、これまでに大體片付いてしまふ。本島人は九十％八で、稍之に近く蕃童は五十九％三で、半數强にしか過ぎない。完成時間のみならず、落伍者に就て見ても、内地人兒童は僅かに○・八％であつて、問題になる程でないが、蕃童は十四％六といふ、可なり多數のものが存して居る。

ここで谷口政秀氏が内地に於て行つた同一のテストの結果と、私の研究室で行つた前述の内地人兒童の結果とを比較對照して見ると、第六表の様なことになる。遺憾なことには、五年生は本研究室の調査にないから、比較して見ることが出來ないけれども、四年生だけで對照して見ると、本研究室の方が男に於ては十二秒短く女に於ては四秒長いが、先づ大體に於てよく似て居る。男女間の開きも本研究室のものの方が若干大きいけれども、大したものではない。さうして本研究室の結果が、男女何れも谷口氏の四年と五年との中間にある事が、面白く見られることゝ、谷口氏の結果に於て、女の五年生は四年生より時間が長くかかつて居るが、本研究室のものも、蕃童の三年が二年より長くかかつて居り、年齢の進むにつれて、ずん〱時間が短縮するとは限らぬものであること等が、この比較から看取せられる。

第七表　二年の加除による差

種族別	完成時間		落伍者率	
	二年共	二年無	二年共	二年無
內	100	92	0.8	0.7
本	137	126	1.6	0.5
蕃	266	253	14.6	12.5

尚又第二表の甲と乙との對照に就て、蕃童テストには二年を缺いて居るものが、非常に多かつたので、全然二年を省いてもよいのであるが、完成時間や落伍者の狀況を見る上には、之も用ひた方がよいと考へて、除外したものと加へたものを出して見た。一箇年幼い二年生が加はれば、完成時間も延び落伍者も多くなることは、當然の事であるが、只その增加の率が、完成時間に就ては內・本・蕃共に著しい變化な

く、第七表に見る如く、八秒内外に過ぎず、落伍者の増加も、蕃童の外は著しくない。この點前述の學年の進みによつて、完成時間が割合に著しく變化しない事實と綜合して、この種作業が學習による影響が割合に少なく、素質的能力を示すものであるといふ考を、肯定することになるものと思はれる。

次に蕃童の間では、どの種族が完成時間に於て優れて居るか、落伍者の状況如何

第八表　蕃族間の完成時間と落伍者比較

族		人　數	完成時間 秒	落伍者 實數	%
タイヤル	男	71	271	9	12.7
	女	85	386	22	25.9
	計	156		31	
	平均		329		19.9
パイワン	男	85	150	2	2.4
	女	65	217	1	1.5
	計	150		3	
	平均		184		2.0
ブヌン	男	59	151	5	8.5
	女	66	301	7	10.6
	計	125		12	
	平均		226		9.6
アミ	男	171	199	14	8.2
	女	142	316	36	25.4
	計	313		50	
	平均		258		16.0
ピューマ	男	35	212	3	8.6
	女	24	353	5	20.8
	計	59		8	
	平均		283		13.6
ツオウ	男	37	175	1	2.7
	女	10	298	1	10.0
	計	47		2	
	平均		237		4.3

第九表　蕃童の完成時間五段階分布

（百分比ニテ）

所要時間／種族	二分半	五分	七分半	十分	十分以上
パイワン	37.6	38.9	14.4	3.9	5.2
ブヌン	33.8	26.9	15.3	13.9	10.2
ツオウ	31.0	29.8	14.3	10.7	14.3
アミ	28.4	31.3	15.7	8.6	16.0
ピユーマ	25.4	33.9	13 6	13.6	13.6
タイヤル	13.5	27.0	19.8	13.5	26.2

第五圖

各族に於ける完成時間比較

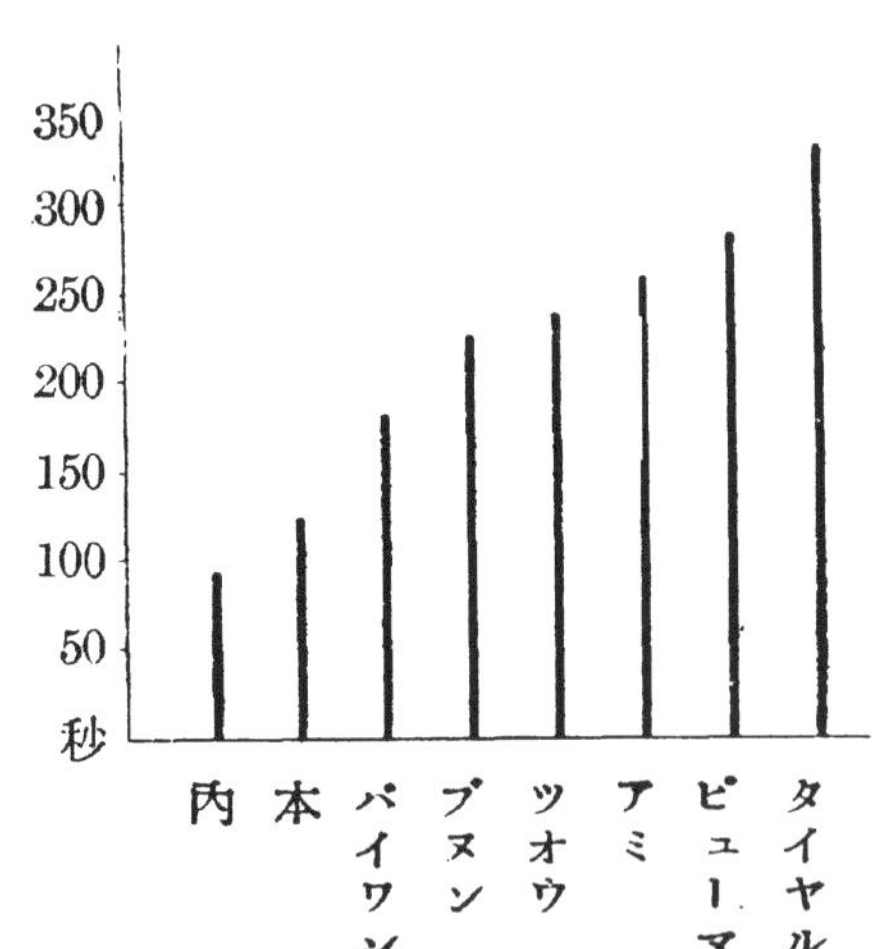

を調べたものが、第八表である。表中の完成時間の平均だけを取つて、第五圖を作製した。之れに依つて見ると、完成時間の一番速いものはパイワン族で、ブヌン・ツオウ・アミ・ピユーマ・タイヤルの順になつて居り、落伍者の%を見ると、パイワン二%、ツオウ四・三%、ブヌン九・六%、ピユーマ一三・六%、アミ一六%、タイヤル一九・九%といふ順で、略完成時間の順序に一致して居る。この完成時間の平均の大きいものの程

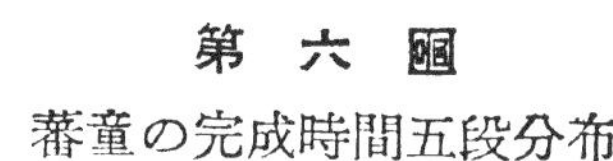

第 六 圖

蕃童の完成時間五段分布

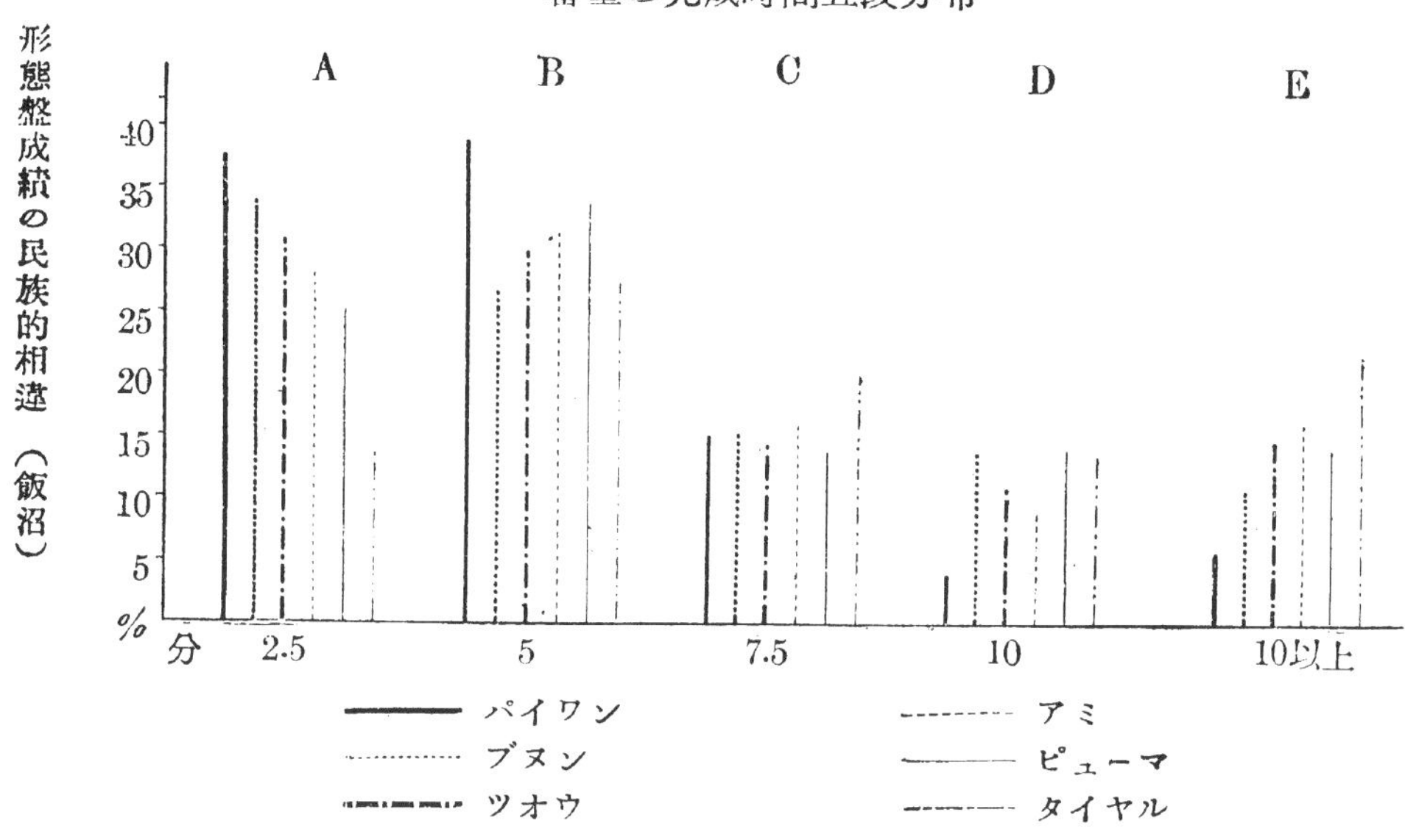

十分間に完成することの出來ない落伍者が多いことは、要するにその種族の智能のレベルが、一般に低いことを意味するものと見られる。

次に第八表の完成時間を、二分半毎の五段階に分つて、分布狀況を見たものが第九表で、之をグラフに表すと、第六圖の如くになるのである。之を見るとパイワン族は、單に完成時間の平均のみならず、その分布狀況が上半分に密集し、五分間に完成したものの總計が八〇%に近い。ブヌン・ツオウ二族は遥かに下つて、五分間內の完成者が六一%弱になつて居り、タイヤルは四〇%強に止つて居る。更に第五圖を男女別にしたグラフを作つて見ると、第七圖の如くになる。即ち最も完成時間の短い、優秀なパイワン族に於ては、男女間の開きも非常に少くなつて居ることが見られる。この高砂族中に於ける各種族の成績に關しては、誤試の項をも參照して別に蕃族間の優劣として後に更に考へて見ることにする。

第七圖

內・本・蕃に於ける完成時間男女比較

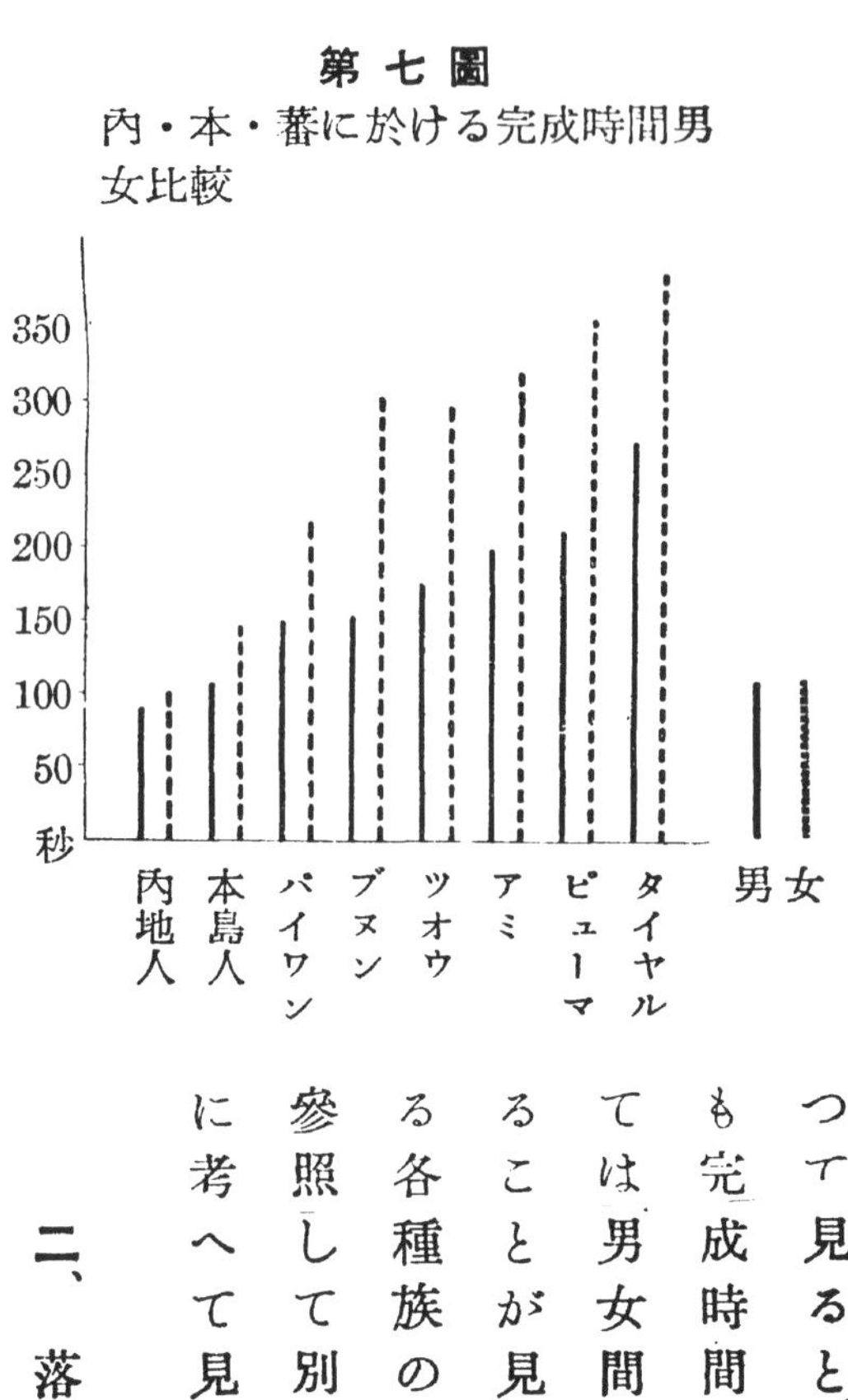

二、落伍者

前に述べた如く、本テスト施行上の都合により、十分間を限度として、この時間内に完成し得ないものは、すべて落伍者と見做してテストを中止したのである。が、同じ落伍者といふ中にも、委しくいへば種々程度の差があり、今二・三分も與へれば、完成出來たかも知れぬといふ程度のもののもあれば、まだ漸く二・三箇しか出來ないといふ様なのもあつて、一様ではないのであるが、然し全體を通じて見ると、十分間もかかつて尚完成し得ぬ様な兒童は、どこかに思考上作業上の著しい缺陷がある事

に氣付く。そこで今チピカルな缺陷をあげて見ると

一、注意集注の不足

特別な理由もないのに、實驗者の顔を見たり、或は窓の外を眺めたりして、一向作業に專念し得ないのである。

二、一方針に膠着するもの

例へば長方形の中へ十字形を充たす長い片を入れやうとする、無論それははいらない、そこで一旦は元へ返すが、又それを持つて來て入れやうとする、そして今度は無理にギユウギユウ入れやうとして止めない。時に實驗者が試みに「それははいらぬでせう、間違つて居るからはいらないんです、外のを入れて見て御覽なさい」といつた様な注意をして見るが、妙な顔をして一寸實驗者を眺めるだけで、やりかけた事は一向變更しやうとしない、といつた様なのがそれで、一度之が正しい之をここへ入れるのが正しいのだと考へると、もうすつかりこの考へ方に膠着してしまふて、どうしても別の考へ方へ移り變ることが出來ないものが、この部類に屬するのであつて、落伍者にはこの型が相當に澤山ある。

三、人見知りする事から

蕃地では警察官は所謂大人で、えらい人であるのだが、その警察官が私共を大人扱ひして

くれるので、蕃童共はどんなえらい人であらうと恐れ入つてしまひ易い。そこへ大勢一緒なら左様でもないが、一人と一人相對すると、又一層緊張がひどくなるものである。豫めテストの意味はよく説明をしておいた上、なるべく兒童が固くならぬ様、十分注意してあるのであるけれども、何分見知らぬ大人の前で、時計を見つめ乍ら、早くしなければといふ事であるので、すつかり上つてしまつて、思考の筋道がすつかり亂れてしまひ、單に動作が鈍いとか早いとかいふ位のことでなく、見通しがつかなくなるといふ樣なのがこれである。

四、興味を覺えぬもの

多くの兒童は、かうした作業を面白がり、進んでやりたがるものであるが、中には一向氣の乘らぬ態度をして居り、動作も緩慢でありあまり注意もせず、遂に完成し得ざる間に時間となる如きものである。

第十表

落伍者の學業成績

成績＼員數	實數	百分比
甲	31	17.2
乙	103	57.2
丙	46	25.6
計	180	100

大體以上の四つが主なものであつて、かうした事は通常兒に於ても、その時の氣分の調子で起り來る事は有り得る事であるが、然し大多數のものが出來るのに、夫れを爲し得なかつたとすれば、智能の劣つて居るものとも見得る。そこで是等落伍者の學校に於ける全

般的成績を、參照して見る事にした。學業成績と云つても、蕃地に於けるものは、あまり嚴密なものではない、さうして落伍者は蕃童に最も多いのであるから、その點は豫め注意を要する。第十表によると、落伍者の半數强が乙の成績で、六分の一は甲のものである。若しこの學業評點が相當確かなものとすれば、このテストの完成時間だけで智能を判斷することは、危險であるといふ事になるのであるが、學業成績もあまり正確でないので、この不一致は必ずしも氣にする必要はあるまい。

第八圖
各族に於ける落伍者比較

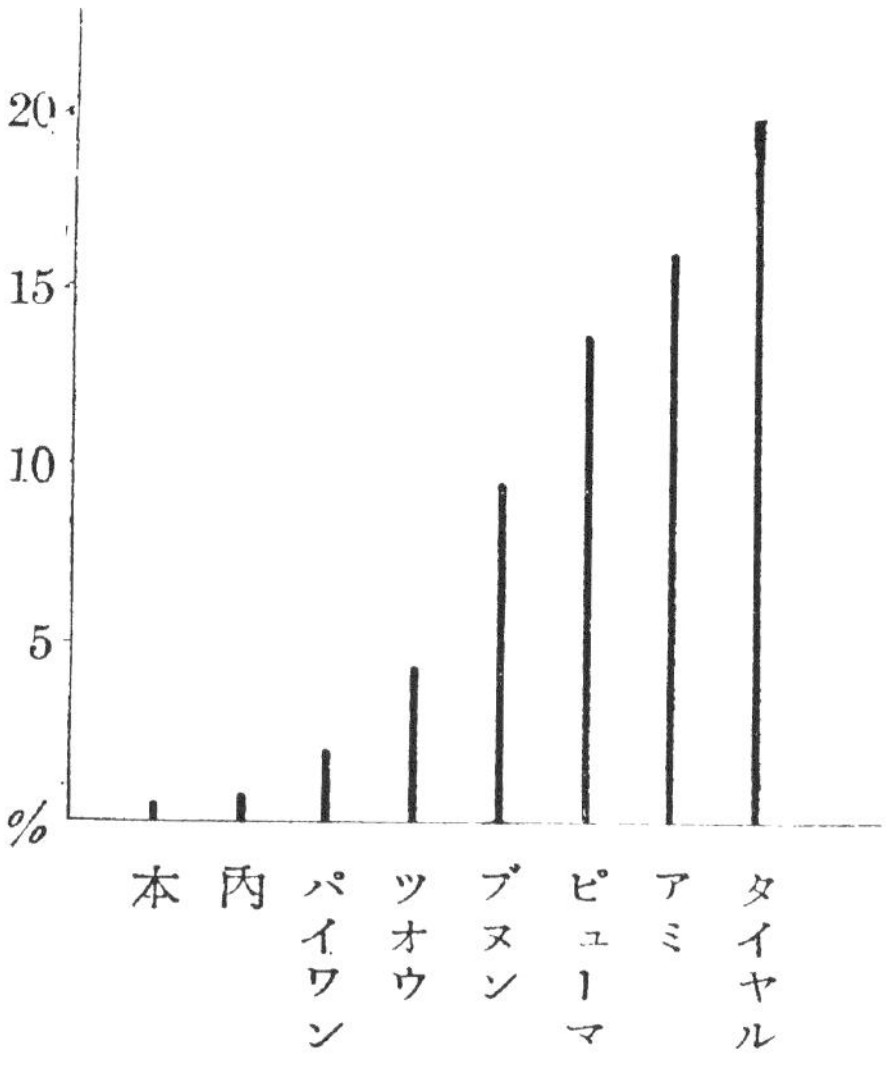

20
15
10
5
%
本
内
パイワン
ツオウ
ブヌン
ピューマ
アミ
タイヤル

次に各族に於ける落伍者を比較する爲め、第八圖を作つて見た。この順序は大體完成時間の順序と同じで、只内と本と入れ代り、アミとピューマが入れ代つて居るだけである。更に之を男女別にして見ると、第九圖の様になる。之に依ると、蕃族中パイワン・ブヌンの二族は内地人・本島人同様、男女の差が著しくないが、他のものは女子落伍者が著しく多く、其數も

第九圖

各族に於ける落伍者男女比較

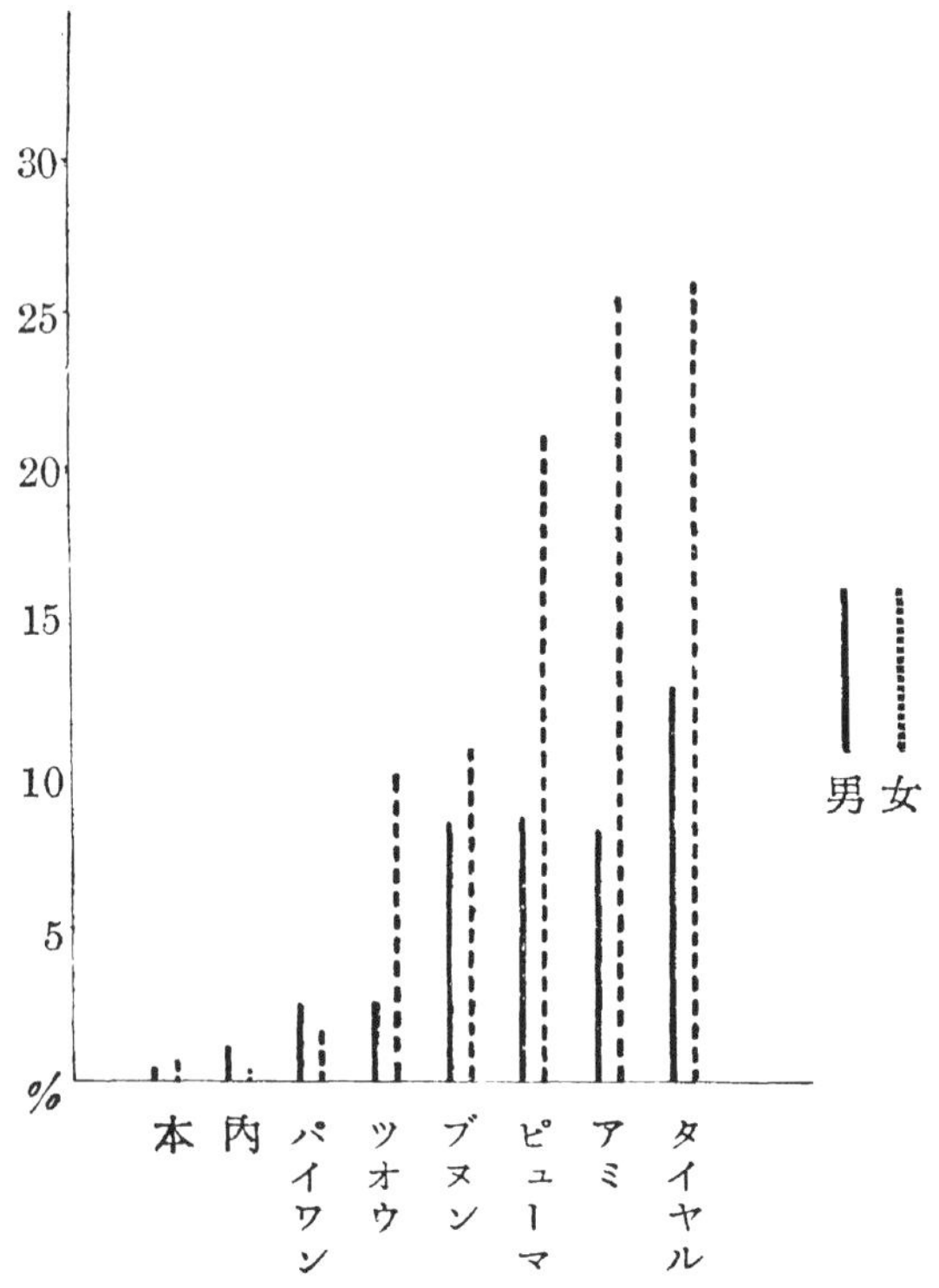

男子の倍以上に上つて居る。

三、着手完成の順序

形態盤を兒童の前に出して「どれからでもよい好きなのから初めなさい」と云はれて、兒童はこの六種の形の内、どれからどれへ完成して行くであらうか、恐らく一番容易さうに見えるものから、着手するであらうと想像される。テストの現場に見て居ると、中にはある形へ一片だけ入れて、それはそのままにして置いて、次の形へ移つて行くといふ様なのも、若干あるにはあるけれども、大體はどれか一つに着手すれば、それを片付けてしまつてから、第二のに向つて行くのが通常の様である。それゆゑかかる半途にして他へ移る様な、極めて少數のものは、計算から除外して考へた。

第十一表　完成順序（完成順番號總和/人數）

族・性・學年別 ＼ 形態別			正方	星	長方	圓	十字	龜甲
內	男	II	$\frac{537}{150}=3.58$	$\frac{466}{151}=3.09$	$\frac{575.5}{151}=3.81$	$\frac{371}{152}=2.44$	$\frac{538.5}{149}=3.61$	$\frac{647.5}{149}=4.35$
		III	$\frac{535.5}{138}=3.88$	$\frac{436}{137}=3.18$	$\frac{529}{137}=3.86$	$\frac{360}{137}=2.63$	$\frac{486.5}{138}=3.53$	$\frac{531}{138}=3.85$
		IV	$\frac{502}{141}=3.56$	$\frac{507.5}{141}=3.60$	$\frac{509}{140}=3.64$	$\frac{333}{140}=2.38$	$\frac{529}{142}=2.73$	$\frac{559.5}{141}=3.97$
		計	$\frac{1574.5}{429}=3.67$	$\frac{1409.5}{429}=3.66$	$\frac{1613.5}{428}=3.77$	$\frac{1064}{429}=2.48$	$\frac{1554}{429}=3.62$	$\frac{1738}{428}=4.06$
	女	II	$\frac{483.5}{121}=3.99$	$\frac{391}{121}=3.22$	$\frac{470.5}{118}=3.99$	$\frac{305}{121}=2.52$	$\frac{327}{120}=2.73$	$\frac{465}{121}=3.84$
		III	$\frac{586}{153}=3.83$	$\frac{576}{151}=3.81$	$\frac{544}{152}=3.64$	$\frac{394.5}{153}=2.58$	$\frac{579.5}{152}=3.81$	$\frac{554.5}{153}=3.62$
		IV	$\frac{572.5}{134}=4.27$	$\frac{391.5}{134}=2.92$	$\frac{471}{134}=3.51$	$\frac{328}{134}=2.45$	$\frac{492.5}{132}=3.73$	$\frac{539.5}{132}=4.09$
		計	$\frac{1642}{408}=4.02$	$\frac{1358.5}{406}=3.35$	$\frac{1485.5}{404}=3.68$	$\frac{1027.5}{408}=2.52$	$\frac{1399}{404}=3.31$	$\frac{1559}{406}=3.84$
	男女計		$\frac{3216.5}{837}=3.84$	$\frac{2768}{835}=3.31$	$\frac{3099}{832}=3.72$	$\frac{2091.5}{837}=2.50$	$\frac{2953}{833}=3.55$	$\frac{3297}{834}=3.96$
本	男	II	$\frac{584}{161}=3.63$	$\frac{495.5}{159}=3.12$	$\frac{656.5}{160}=4.10$	$\frac{400}{160}=2.50$	$\frac{536.5}{161}=3.33$	$\frac{662.5}{157}=4.22$
		III	$\frac{609.5}{161}=3.79$	$\frac{445}{160}=2.78$	$\frac{631}{160}=3.95$	$\frac{413.5}{161}=2.57$	$\frac{533}{161}=3.31$	$\frac{629}{161}=3.91$
		IV	$\frac{636}{168}=3.79$	$\frac{532.5}{169}=3.15$	$\frac{644}{169}=3.81$	$\frac{398.5}{168}=2.37$	$\frac{612.5}{168}=3.65$	$\frac{702.5}{168}=4.18$
		計	$\frac{1829.5}{490}=2.84$	$\frac{1473}{488}=3.02$	$\frac{1931.5}{489}=3.95$	$\frac{1212}{489}=2.48$	$\frac{1682}{490}=3.43$	$\frac{1994}{486}=4.10$
	女	II	$\frac{529}{153}=3.46$	$\frac{559}{156}=3.60$	$\frac{613}{155}=3.95$	$\frac{435}{156}=2.79$	$\frac{498}{152}=3.28$	$\frac{633.5}{152}=4.17$
		III	$\frac{591}{158}=3.74$	$\frac{509}{159}=3.20$	$\frac{642.5}{159}=4.04$	$\frac{394.5}{159}=2.48$	$\frac{533}{157}=3.39$	$\frac{655}{158}=4.15$
		IV	$\frac{572}{148}=3.88$	$\frac{504}{149}=3.38$	$\frac{605}{150}=4.03$	$\frac{358}{150}=2.39$	$\frac{488}{149}=3.27$	$\frac{608}{150}=4.05$

族·性·學年別 ＼ 形態別			正方	星	長方	圓	十字	龜甲
		計	1692/459 = 3.69	1572/464 = 3.39	1860.5/464 = 4.01	1187.5/465 = 2.55	1519/458 = 3.32	1896.5/460 = 4.12
	男女計		3521.5/949 = 3.71	3145/952 = 3.20	3792/953 = 3.98	2399.5/954 = 2.52	3205/948 = 3.38	3890.5/946 = 4.11
蕃	男	Ⅱ	65/21 = 3.09	90/26 = 3.46	82/22 = 3.73	74/24 = 3.08	80/27 = 2.96	66/23 = 2.87
		Ⅲ	131/30 = 4.27	96/32 = 3.00	132/31 = 3.65	83/33 = 2.52	99/32 = 3.09	113/31 = 3.65
		Ⅳ	322/79 = 4.08	226/78 = 2.90	331/79 = 4.18	241.5/80 = 3.02	198.5/75 = 2.65	302/77 = 3.92
		計	518/130 = 3.98	412/136 = 3.03	545/132 = 4.13	398.5/137 = 2.91	377.5/134 = 2.82	481/131 = 3.67
	女	Ⅱ	32.5/8 = 4.06	23.5/8 = 2.94	32/8 = 4.00	23/8 = 2.88	20/7 = 2.86	36/8 = 4.50
		Ⅲ	112.5/33 = 3.41	86/34 = 2.53	147/36 = 4.08	95.5/34 = 2.81	88/37 = 2.38	136.5/34 = 4.01
		Ⅳ	179.5/54 = 3.32	163/52 = 3.13	242/53 = 4.58	175.5/53 = 3.31	132/57 = 2.32	194/51 = 3.80
		計	324.5/95 = 3.42	272.5/94 = 2.90	421/97 = 4.34	294/95 = 3.09	240/101 = 2.38	366.5/93 = 3.94
	男女計		842.5/225 = 3.74	684.5/230 = 2.98	966/229 = 4.22	692.5/232 = 2.98	617.5/235 = 2.63	847.5/224 = 3.78

完成順序の取り方に就ては、夫々の形態を第一に完成したもの何%第二に完成したもの何%といふ樣にして、パーセンテージの大きいものに依つて、代表的順序とすることも一方法であるけれども、今はさうしないで、例へば圓形を第一にしたもの五人、第三にしたもの二人、第六にしたもの三人あつたとすれば、番號數と人數とを乘じたものを加へ

第十二表　完成順序の詳細

種族	性	學年	正方	星	長方	圓	十字	龜甲
內地人兒童	男	Ⅱ	3	2	5	1	4	6
		Ⅲ	6	2	5	1	3	4
		Ⅳ	2	3	4	1	5	6
	女	Ⅱ	5.5	3	5.5	1	2	4
		Ⅲ	6	4.5	3	1	4.5	2
		Ⅳ	5.5	2	3	1	4	5.5
	男女合計		5	2	4	1	3	6
本島人兒童	男	Ⅱ	4	2	5	1	3	6
		Ⅲ	4	2	6	1	3	5
		Ⅳ	4	2	5	1	3	6
	女	Ⅱ	3	4	5	1	2	6
		Ⅲ	4	2	5	1	3	6
		Ⅳ	4	3	5	1	2	6
	男女合計		4	2	5	1	3	6
蕃童	男	Ⅱ	4	5	6	3	2	1
		Ⅲ	6	2	4.5	1	3	4.5
		Ⅳ	5	2	6	3	1	4
	女	Ⅱ	5	3	4	2	1	6
		Ⅲ	4	2	6	3	1	5
		Ⅳ	4	2	6	3	1	5
	男女合計		4	2.5	6	2.5	1	5

合せて、得た和を人數で割り$(1\times5+3\times2+6\times3)\div(5+2+3)=2.9$といふ様にして、二・九といふ値を得る。斯様にすべての形態順番を處理して値を出し、この値の一番小さいものを以て第一位とし、それに次ぐ値のものが順次第二位、第三位といふ様に、順番をきめて行くといふ方法を取つた。この場合若し値が同一である時は、半順位

づつを與へて例へば三位と四位とが同値の時は兩方共三・五とするが如く扱ふ。斯様な方法で處理した結果は、第十一表の數字を得、之を順番に直して第十二表を得た。之を見ると夫々種族的特質が見られる。先づ内地人たる小學校兒童は、例外なく圓形を第一に擇ぶ。次には星形十字形であり、長方形と正方形と龜甲形は稍變異があり、男女間の差もあまり著しくはない。然るに本島人兒童たる公學校兒童は、前者よりも遙かによく順番が一致して居るのに驚く。さうして大體の趨勢は、内地人兒童とあまり變りはない。只長方形と正方形とが、入り代りになつて居るに過ぎない。然るに蕃童になると、全然趣が變つて來て、圓形は三位のものが大多數となり、一位は却つて十字形になつて居る。又本島人兒童に於て、斷然最後になつた龜甲形、之は最も難かしいのであるが、寧ろ五位になり長方形が六位に傾いて居る。この長方形も吾等成人には極めて容易に見えるのであるが、兒童は相當解決に惱む樣である。星形や正方形はあまり他種族と變りがない樣である。第十二表から總括的に順番を取つたものが、第十三表である。

第十三表　種族別完成順序

	圓	星	十字	正方	長方	龜甲
内	1	2	3	5	4	6
本	1	2	3	4	5	6
蕃	2.5	2.5	1	4	6	5

四、誤試回數と完成時間

誤試が平均どれ位の回數行はれるものであるかといふ事は完成時間と共に、このテストの上に重要なことである。今學年別内・本・蕃別に依つて表を作つて見ると、第十四表の様になる。ここに出してある數字は、六形態全部に對する一人當りの誤試數である。之に依つて見ると、大體に於て完成時間の長いものほど、誤試が多くなつて居るから、動作の遲鈍といふ事もあるが、必要以上の時間は大體誤試に用ひられて居るものである。然し内地人二年生男兒と本島人四年生男兒とを比較して見ると、時間は前者が二秒少

第十四表 誤試回數と完成時間

性＼學年＼種族		內	本	蕃	平均
男	2	13.01 (105)	14.22 (149)	20.71 (212)	15.98 (155)
	3	11.39 (98)	12.56 (109)	21.82 (234)	15.26 (147)
	4	9.42 (75)	11.01 (107)	19.73 (153)	13.39 (112)
	平均	11.31 (93)	12.58 (122)	20.56 (200)	14.82 (138)
女	2	11.72 (124)	15.62 (170)	43.89 (468)	23.74 (254)
	3	9.51 (96)	16.72 (156)	33.08 (367)	19.77 (206)
	4	9.81 (97)	15.55 (130)	26.09 (272)	17.15 (166)
	平均	10.27 (106)	15.97 (152)	30.24 (369)	18.83 (209)
男女平均		10 79 (100)	14.28 (137)	25.40 285	16.83 174

（括弧內數字は完成時間）

ないのであるに、誤試數は二箇多い。又本島人二年は完成時間百四十九秒誤試十四强で、蕃童四年の完成時間百五十三秒誤試二十弱に比べると、後者は時間は四秒長いだけであるが、誤試は六箇近くも多くなつて居る。それゆゑ誤試の囘數が增せば、完成時間は長くなるが、兩者必ずしも平行するものではないことが知られる。

第十圖　內・本・蕃男女間の開き

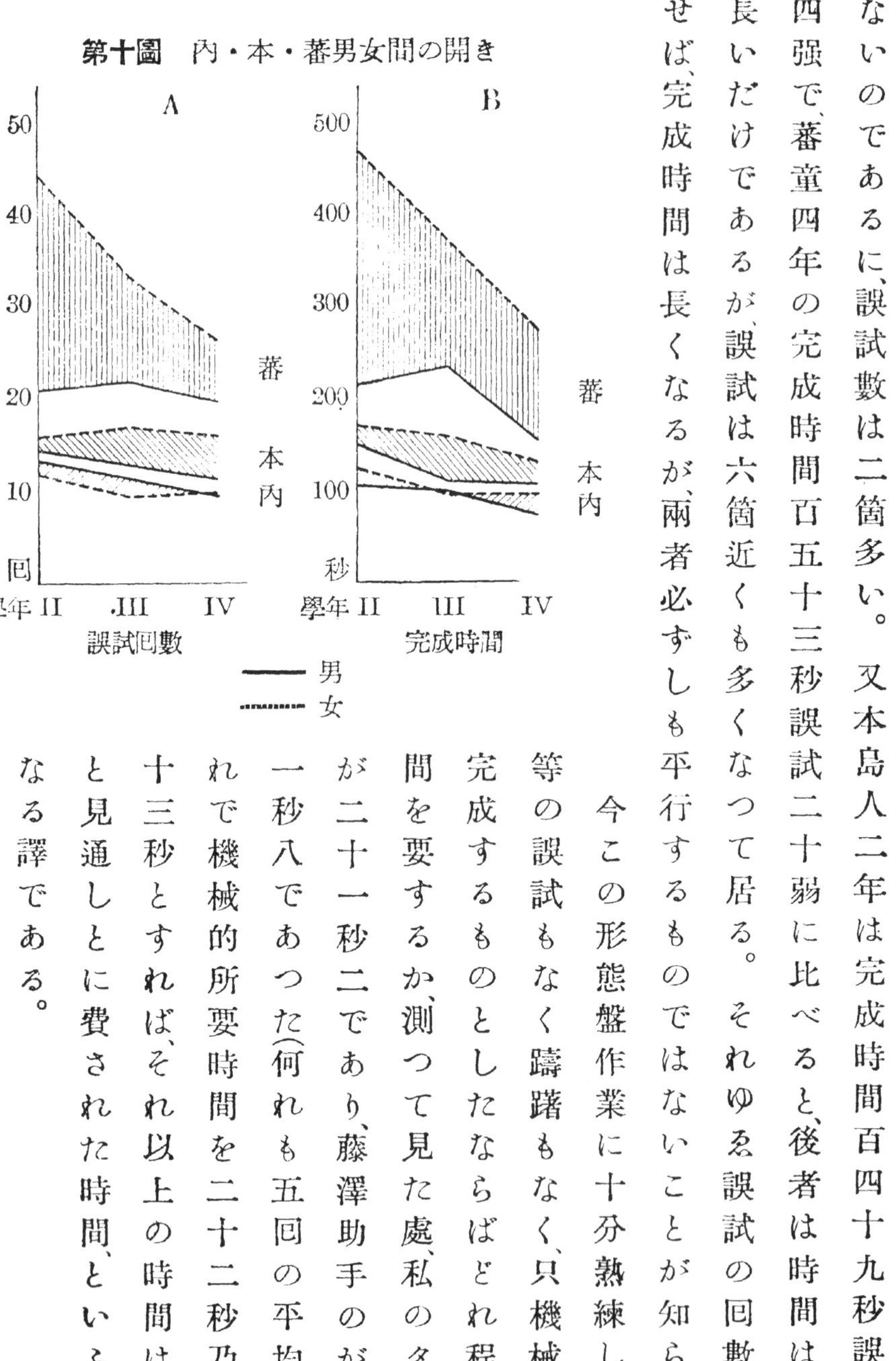

今この形態盤作業に十分熟練して、何等の誤試もなく躊躇もなく、只機械的に完成するものとしたならばどれ程の時間を要するか、測つて見た處、私のタイムが二十一秒二であり、藤澤助手のが二十一秒八であつた(何れも五回の平均)。それで機械的所要時間を二十二秒乃至二十三秒とすれば、それ以上の時間は誤試と見通しとに費された時間、といふ事になる譯である。

次に誤試回數と完成時間の上から見

た、內・本・蕃男女間の開きについて、第十圖を第二表及第十一表から作つて見た。誤試回數完成時間共に、その開きが蕃・本・內の順で小さくなり、誤試回數だけで見ると、蕃・內共に學年の進むにつれ減少して居るが、本島人は同じ樣な狀況に止まつて居る。さうして內地人は四年生に於ては殆んど男女同じになつて居る。完成時間だけについて見ても、略是と同じ樣な傾向が見え、內地人は三年生が男女略同一になつて居る外、若干男兒が速い事になつて居る。勿論この結果だけから一般的に結論することは危險であるが、興味ある傾向として注意せられる。

尙第十圖に著しい事は、誤試回數完成時間共に、學年の進むにつれて、若干少なくなつて行くが、中にも蕃童の女兒はこの減少の量が、目立つて大きいことである。之に就て思ひ合はされる事は、蕃地勤務の警察官の話に、蕃人は男より女の方が、內地人文化に順應し易く、直ぐにいろ〳〵な內地趣味を覺えて、ハイカラになつて行くが、男の方はいつまでも舊慣に拘泥して居て、容易に內地人化しやうとしない。そこで新舊思想の衝突が、靑年男女間に見られるといふ事であるが、若しこの圖に顯れた處が、一般生活の上にも存在するとしたら、左樣なこともあらうかと考へられる。

最後に完成時間と誤試回數との二點から見た、各學校の順序を比較して見ると、第十五表の樣になり、更に之を男女に分つて見ると第十一圖が出來る。一師附屬・錦・旭の三校は、何れの方からも一・二・三の順番に變りがない。學區内に比較的低い階級の父兄の多い壽が、小學校中の下位を占めて居ること、市内公學校中では、細民の多い大橋が下位になつて居ることなど、家庭生活の反映の如く見える。一師附屬公學校は、誤試の回數に於ては下位になつて居るけれども、其の差は極めて小なるものであり、完成時間に於ては第四位にあるのであるから、夫等を併せ考へれば、老松と相並ぶものといへる。薄々・新港・馬蘭などが、高砂族ではあるが、行政區域内に住居し幾分進歩した生活環境に

第十五表　學校別誤試回數と完成時間

學校名		誤試數	同順位	完成時間	同順位
一師附	小	6.3	1	82秒	1
錦	小	8.3	2	96	2
旭	小	8.5	3	97	3
壽	小	9.9	4.5	126	6
老松	公	9.9		120	5
大橋	公	11.3	6	131	7
一師	公	11.5	7	110	4
薄々	公	14.3	8	202	9
新港	公	17.1	9	243	11
馬蘭	公	17.8	10.5	239	10
馬太鞍	公	17.8		290	14
二師	公	19.2	12	187	8
ツオウ教育所		21.0	13	271	12
卑南・知本	公	26.8	14	283	13

あるもので、好成績を擧げて居る。

第十一圖　誤試と完成時間(學校男女別)

誤試中數の平均順位			完成時間中數の平均順位	
1	一師附小女		一師附小男	1
2	錦小女		一師附小女	2.5
3	一師附小男		錦小男	2.5
4	旭小男		旭小男	4
5	旭小女		一師附公男	5
6	一師附公男		旭小女	6
7	大橋公男		錦小女	7
8.5	老松公男		大橋公男	8
8.5	壽小女		老松公男	9
11	錦小男		壽小男	10.5
11	壽小男		老松公女	10.5
11	老松公女		壽小女	12
13	新港公男		一師附公女	13
14	大橋公女		大橋公女	14
15	馬蘭公男		二師附公男	15
16	一師附公女		馬蘭公男	16
17	薄々公男		新港公男	17
18	ツオウ男		ツオウ男	18
19	卑南，知本公男		薄々公男	19
20	二師附公男		二師附公女	20
21	二師附公女		卑南，知本公男	21
22.5	馬太鞍公男		馬太鞍公男	22
22.5	薄々 馬太鞍 公女		馬蘭公女	23
24	馬蘭公女		新港公女	24
25	ツオウ女		薄々 馬太鞍 公女	25
26	新港公女		卑南，知本公女	26
27	卑南，知本公女		ツオウ女	27

―――――― 內地人兒童
― ― ― ― 本島人兒童
- - - - - - - 蕃童

更に男女別にして、第十一圖を見ると、完成時間の順位と誤試回數の順位とが、大體は一致して居ても、一致しない場合が非常に多い事が、一層明らかに見られる。

五、各形態に起る誤試狀況

六形態の中、誤試の屢起るもの程、それは見通しがつき難く、解決が難かしいと見られるのであるが、今各形態に於ける一人平均の誤試回數を見ると、第十六表の如くになる。即ち誤試の少いものから數へて、一圓形・二星形・三十字形・四正方形・五長方形・六龜甲形、といふ順序になり、之は內本全く同樣であり、蕃童は圓形と星形とが入れ代つて居るに過ぎぬ。之を第十三表の完成順序と比較して見ると、全く一致して居る。本來からいふと、この不用擬似小片を用

第十六表　各形態一人當り誤試回數

種族	人數	圓	星	十字	正方	長方	龜甲	計	平均
內	844	0.39	0.91	1.37	1.64	1.97	4.51	10.79	1.80
本	963	0.59	1.04	1.71	2.06	3.09	5.79	14.28	2.38
蕃	456	1.73	1.38	2.12	5.34	6.05	8.78	25.40	4.23

第十七表　各形態誤試回數百分比

	人數	圓	星	十字	正方	長方	龜甲
內	844	3.6	8.4	12.9	15.1	18.3	41.9
本	963	4.1	7.3	12.0	14.4	21.7	40.6
蕃	456	6.8	5.0	8.9	22.0	23.1	34.3
平均		4.8	6.9	11.3	17.2	21.0	38.9

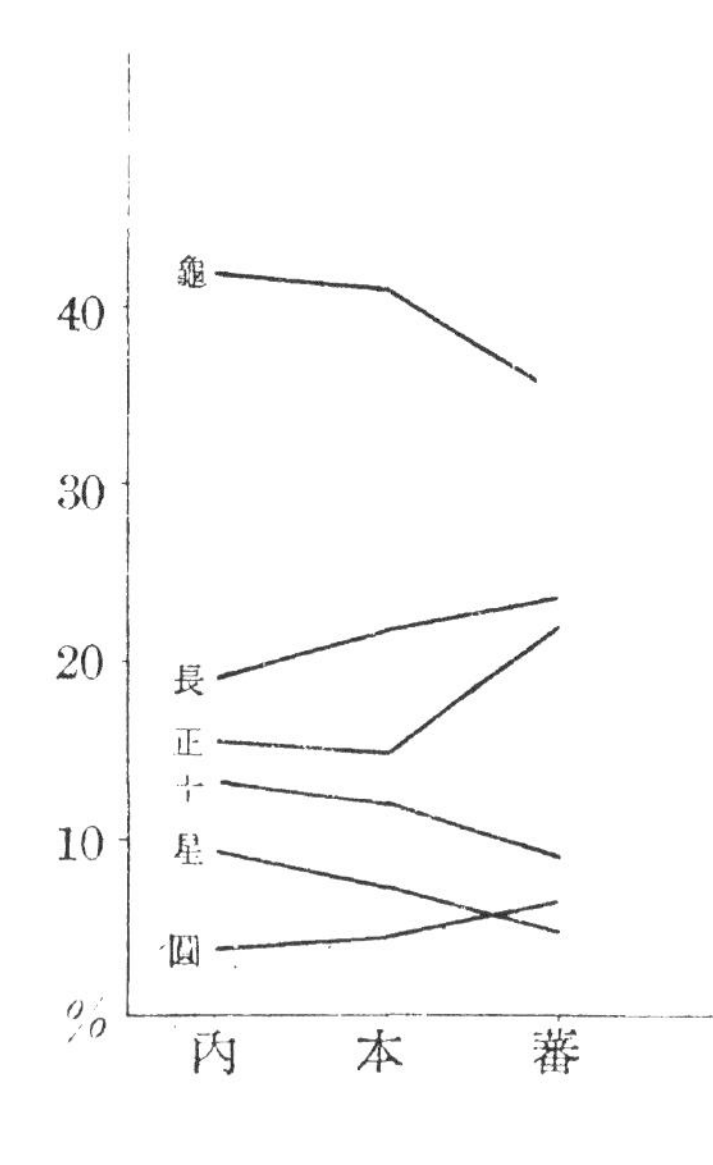

第十二圖
各形態一人當り誤試分布

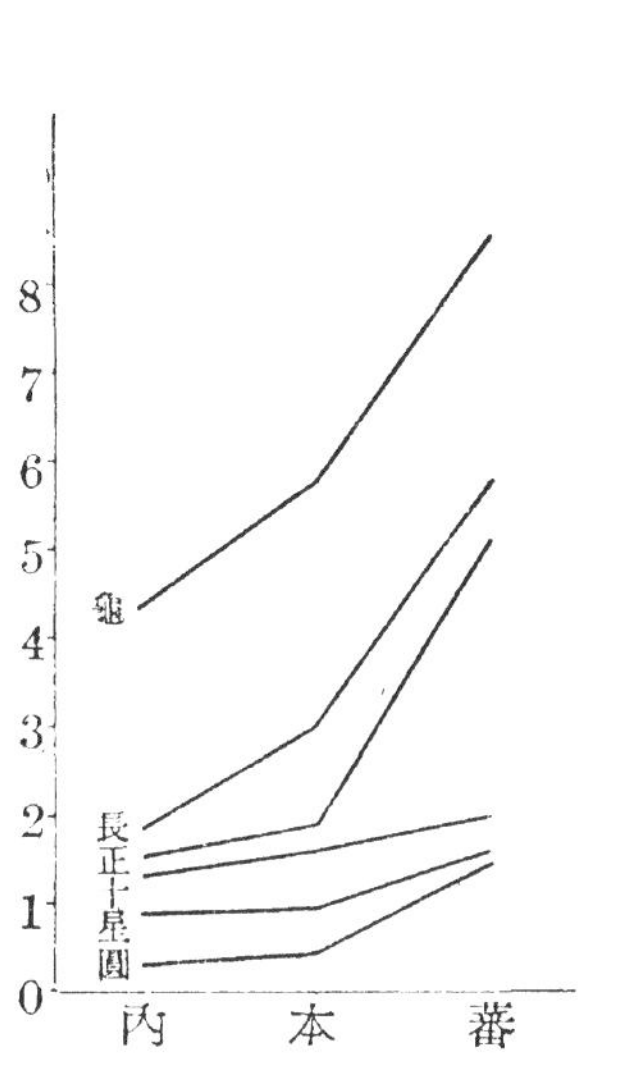

第十三圖
內・本・蕃各形態誤試比較

ぴぬ方法では、後になる程まがひが少くなるのであるから、誤試は初めの方に起り易く、後の方程少くなつてよい様にも考へられるが、斯様な結果が顯れた處を見ると被驗者は先づ見通しのつき易いものから、片付けて行くので、後に殘つたもの程見通しがつき難く、殊に龜甲形などは、最後になり入るべき小片は二箇しかないのに、之を如何に入れるかの見通しがつかず、そこにいろ〳〵の誤試が起つて來るものであることが知られるのである。

今第十六表の誤試實數を、百分比に改めると第十七表が得られる。卽ち此の表は內・本蕃各一人が、六形態全體に就てなす誤試を百と見て、各形態間の誤試分布狀況を見たものである。 この分布狀況を見易くする爲めにグラフに表せば第十二圖(實數)及び第十三圖(百分比)の樣になる。之を見ると內地人兒童は、全誤試中龜甲形の誤試が圖拔けて大きく、その他のものは、圓形・星形・十字形・正方形・長方形の順序で、四乃至五パーセント位づつの開きで增加して行つて居る。本島人兒童も大體同じ樣な傾向ではあるが、開きの具合が稍異なつて居る。蕃童になると、形態による誤試の差が更に小さくなつて居る。この事は何を示すかといふと內地人兒童は、ある特殊な形態に對しては、非常に困難に感ずるが、簡單なものに對しては、あまり澁滯なくすらすらやつてのける。蕃童になると、どれに對しても相當難しく感じ、いろ／＼と誤試を試みることを示

第十八表　男女學年別誤試分布(百分比にて)

族	性	學年＼形態	圓	星	十字	正方	長方	龜甲
內	男	II	3.9	8.1	11.5	16.2	15.7	44.6
		III	3.9	8.4	10.2	16.2	23.2	38.0
		IV	3.9	7.5	10.7	12.0	20.9	44.8
	女	II	3.5	8.3	14.4	15.2	15.3	43.4
		III	3.5	9.6	15.2	16.0	19.0	36.5
		IV	2.6	8.3	15.0	14.8	15.7	43.8
本	男	II	3.5	6.0	11.9	12.4	23.1	43.1
		III	15.0	6.7	10.1	14.9	24.8	38.5
		IV	3.8	8.7	12.7	14.8	19.0	41.0
	女	II	13.9	6.9	11.0	15.3	22.3	40.7
		III	4.5	7.6	14.1	14.7	19.4	39.6
		IV	3.9	7.8	11.8	14.4	21.4	40.6
蕃	男	II	8.6	5.5	9.0	22.8	25.2	29.0
		III	4.9	6.8	6.4	20.9	27.0	33.9
		IV	4.9	4.4	7.2	21.4	24.2	37.9
	女	II	7.6	3.5	12.9	24.6	15.4	35.9
		III	8.6	3.8	7.4	19.5	23.6	37.1
		IV	6.3	5.9	10.3	22.4	23.2	31.9

すもので、この事は本テストに於て計りでなく、藤澤學士擔當の色彩の區別に就てのテストに於ても、この事が氣付かれて居る。即ち色の區別をする場合に、內地人・本島人兒童にあつては黃色とうす黃色、綠色とうす綠色との區別は、相當難かしく感ずるが、他の色の間の區別には、あまり困難を感じない。然るに蕃童にあつては、どの色の區別にもある程度迄同じ様に、困難を感ずるのである。（本年報第三輯藤澤茆色彩好惡と色彩記憶第三表參照。）この二つの事實を比べて見て、幼稚なものの心理が窺はれる。

第十九表　男女別誤試分布（百分比にて）

族＼性＼形態		圓	星	十字	正方	長方	龜甲
內	男	3.9	8.0	10.8	14.8	19.9	42.5
	女	3.2	8.7	14.9	15.3	19.7	41.2
	平均	3.6	8.4	12.9	15.1	18.3	41.9
本	男	4.1	7.1	11.6	14.0	22.3	40.9
	女	4.1	7.4	12.3	14.8	21.0	40.3
	平均	4.1	7.3	12.0	14.4	21.7	40.6
蕃	男	6.1	5.6	7.5	21.7	25.5	33.6
	女	7.5	4.4	10.2	22.2	20.7	35.0
	平均	6.8	5.0	8.9	22.0	23.1	34.3
總平均		4.8	6.9	11.3	17.2	21.0	38.9

各誤試回數が學年の進み行きに依り、又男女の區別により、六形態の上に何等か變化が見られはしないかと思つて、第十八表並びに第十九表を作り更に之を見易くする爲め

第十四圖
學年別六形態の誤試分布

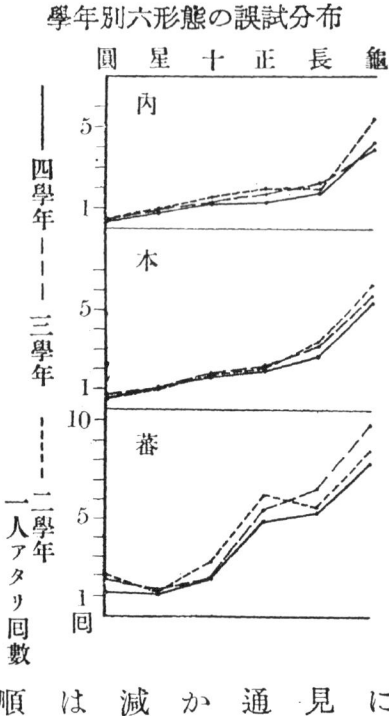

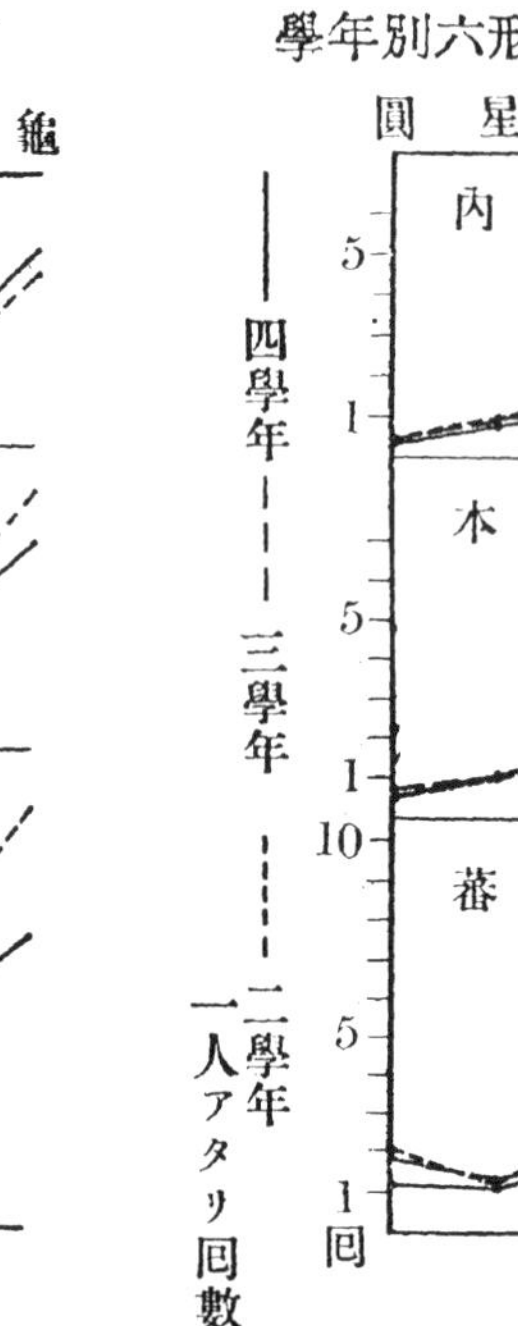

第十五圖
男女別六形態の誤試分布

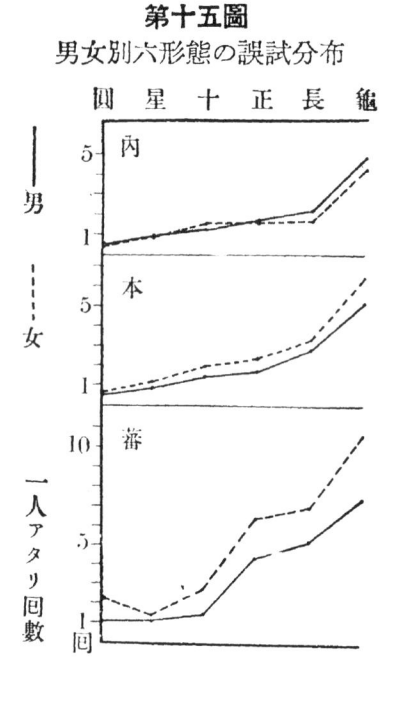

に、第十四圖並びに第十五圖を作つて見た。之に依ると學年別には、全體を通じて內地人兒童・本島人兒童共に僅かづつ略同じ樣に減少し、蕃童はこの減少が稍大きいといふ外、格別のことはない。又男女別にしても、內・本・蕃の順で男女の開きが大きくなつて行くといふ以外、特に形態別にどうといふ、著しい變化は見られない。

又內・本・蕃といふ區別の上から、六形態に於ける誤試分布狀況を見る爲めに、第十六圖を作つて見た。此の圖から見ると、

一、內地人兒童と本島人兒童とは、誤試回數の多少を別にして、六形態誤試分布が非常に似た傾向を有して居るが、蕃童

第十六圖 種族別六形態の誤試分布

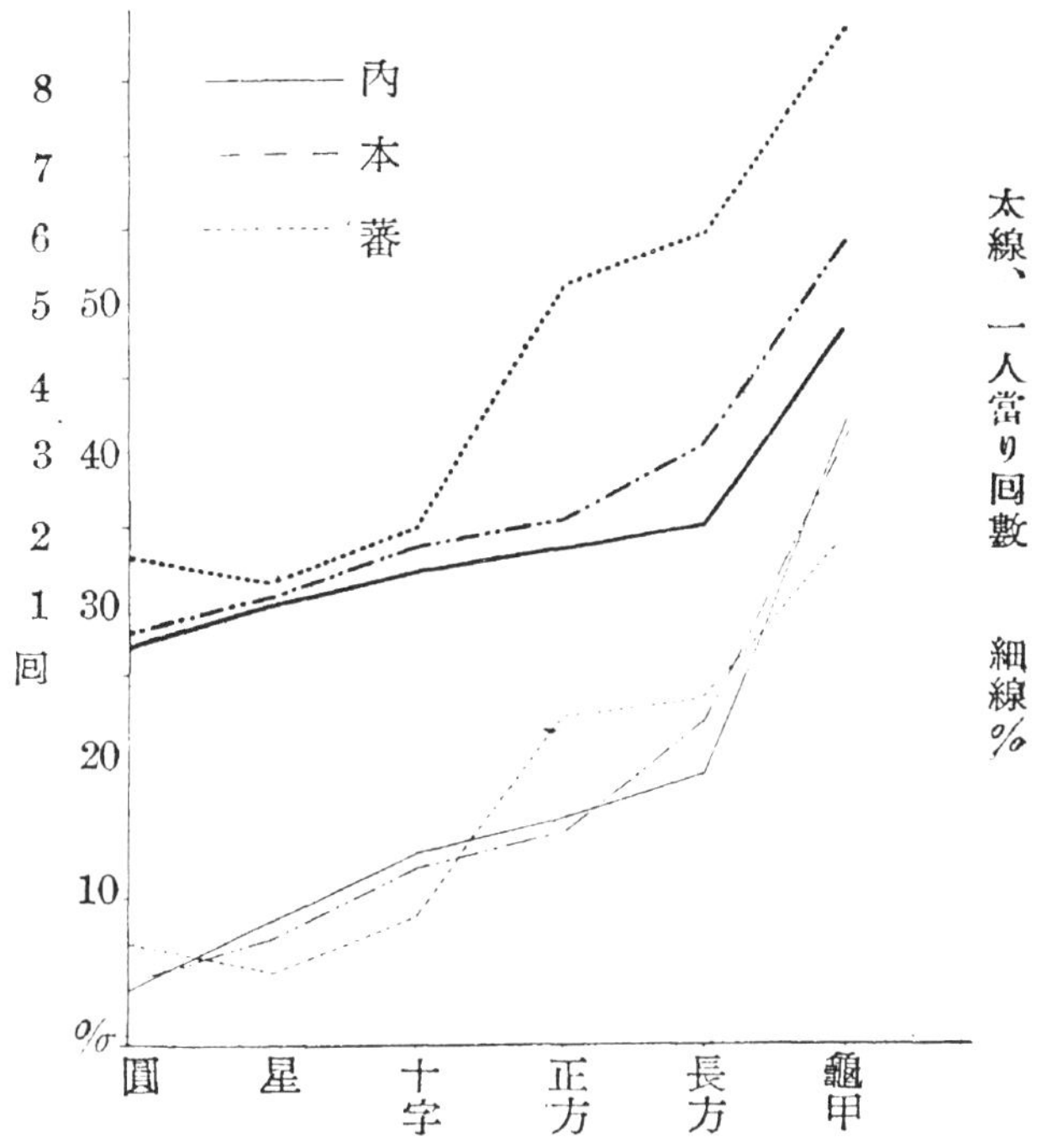

太線、一人當り回數　細線％

———— 內
— — — 本
‥‥‥ 蕃

8 7 6 5 4 3 2 1 回

50 40 30 20 10 %

圓　星　十字　正方　長方　龜甲

は星形・十字形の外は傾向が異つて居ること

二、誤試回數の絶對値の上から見ると、圓形・星形・十字形の三つに於ては、三者が割合に接近して居るが、正方形・長方形・龜甲形の三はその開きが著しく大きい。

三、百分比の圖から見ると、誤試の各形態に於ける分布は、內・本の二つは非常によく似て居り、蕃童は可なり狀況が異つて居るが、然し之を全般的に見れば、根本的な相違は見出されない。即ち蕃童といへども、普通想像して居る樣に變つた心性を有して居るのではない、といふことが知られる。

六、各形態に於ける各誤試の檢討

この形態盤テストを、智能測定の目的に使用しやうとならば、完成時間のみでなく、誤試といふ事を考慮に入れなくてはならぬことは、前にも述べたが、それには先づ起り得べき誤試を擧げ、その心理的性質を調べて、誤試に對する採點の基礎を作らなくてはならない。そこでどの形態にはどの樣な誤試が、どの位の回數起るかを調査して、第廿一表を得た。この表から誤試の心理的意味を探り、完成時間の評點を按配して、得點を定めたならば、より合理的な評點が得られるであらう。

この作業を正しく早く完成する爲めに最も重要な事は、どういふ形をした小片を、どの穴にどう入れたならばうまく當て嵌るかを、正確にうまく見通す洞察が必要である。この洞察が缺けて居れば、全く出鱈目なマグレ當り的作業に陷つてしまふ。さうしてたとひ洞察はあつても、それがある一部分だけに注意が偏り、一つの角だけとか一つの邊だけとかのみに限られ全體の上に洞察がなされないと、誤試が多くなつて來る譯である。たとひ又誤試をしても、一度試みていけなかつたならば、直に別の方法を試みる樣に變更しなければならぬのであるが、智能の低い者にあつては、同じ誤試を何度でも繰り返して居る。之はつまりある一つの見通しをつけると、それに膠着してしまつて、此の考へ方から脫出が出來ないからであつて、蕃童に屢見受ける様に、實驗者が「それは間違つて居るからはいらないのだ、別のをやつて御覽なさい」と注意しても、頑として聞き入れやうとしないで、「はいらないのは考へが間違つて居るからでなく、この板の方が惡いのだ」といつた様に、丸い穴へ餘分な角のあるものを、グン／＼無理に押し込まうと、無駄な努力を止めない様なのがある。この事は殊に長方形に於ける二縦横や、十字形に於ける丸角、龜甲形に於ける斜及小斜等に、顯著に觀察される處で、萬能の神様が、人間の利巧氣な仕業を御覽になつたら、さぞかしこんなものであるであらうかと、齒痒い様な苦笑を禁じ得なかつた。とにかく誤試といつても、その意味は一様でないのであるから、全く見通しのない當てずつぽうは別として、テスト現場からの觀察により、斯様な誤試を生ずる心理的意味を、次に考察して見る事にする。

圓形に於ける誤試

六箇の穴の中、丸味のある弧狀を有するものは、是一つだけであるのでもあり、之を充たす小片の中にも、弧線を有するものは、十字形の小さい方の片と、三分圓の二種しかなく、前者は極めて小さいのであるから、先づ三分圓に氣付くのは、極めて自然でなければならぬが、然し三分圓の角の方に注意が膠着すると、弧線が無視されて、龜甲の頭の處へ持つて行つて試みられる事になる。　さうでさへなければ、圓の中に入れられる事になり、一つ正しく入れられれば、他は容易に出來る譯である。唯時として 　の樣に、三分圓を二個相向き合せて入れ、この角を充たすのに、星形の小三角　を持つて來たりして、雜的誤試を繰り返すことがある。又反圓・二反圓の樣に、三分圓がこの中に入ることは見通しをつけたが、その瞬間錯覺を起して、弧と角とを反對にし、さて變だといろ〳〵して居る間に、正しい入れ方に到達したものである、そこで誤試の重さは、反圓一、二反圓一・五、雜二と假定する。　この誤試の重さの算定は、後段完成時間と見合はせて、このテスト評點を決定する際の參考にしやう爲めである。　第二十表の樣に、記錄の時には四角六角五角なども、別々に取つて見たが、心理的意味を考量すると、之等は他の雜のものと格段の相違を見ないから、雜と一緒に計上して表にあげて置いた。

星形に於ける誤試

この形に於ては、先づ大きい方の片を嵌めれば、問題は解けたも同じであるが小さい方の三角形を先へ入れる爲めに「並び」といふ誤が起つたのであるが、この誤試は要するに星形の五つの角に着目した爲めに、之を充たす小三角が頭に浮び、自然

「並び」の誤試に陷つたのであるから、その重さは一として、雑のを二として宜い。尙この表に擧げてないものに、「反三」と名づくべきものがあつた。それは大きい方の片を入れてから、小三角形を入れるのに、頂點と底邊とを反對に試みたものである。之は中途から氣付いて記錄したので、この表には擧げられなかつたが、之も有意味の誤試として、並びと同じ重さに取扱ふべきであらうと思ふ。

十字形に於ける誤試

この場合にも星形と同樣、小さい片から初めやうとすると、並びの誤試が起り得る譯である。又小さい片の頭の曲線が、あまり强くない爲めに、丸味が無視せられて、充丸角・空丸角などの誤試が起つて來る。それゆゑ「並び」は一として、充丸角・空丸角の誤試は、一樣に之を一・五の重さと看做し、他の雑誤試の二に對せしめる。

正方形に於ける誤試

この形に起る有意味の誤試として、各族共に四角が第一、次に三角中・三分圓の順序である。「四角」の誤試は、四角な穴を充たすには、四角な形でするのがよからうといふ考で、一寸可能性のありさうな、長方形用の四角形を持つて來るのである。「三角中」の誤試は、長さに於て三角形の底邊が、正方形の一邊と同じである樣に見える爲めに、之を當てはめやうと試みるものである。なぜ三角形の他の邊に目をつけないで、底邊の方に目を向ける事になるのかを考へるに、同じ正方形の一邊の長さであつても、穴の一邊といふのと、切り拔いた形の一邊といふのとでは、多少異つて見える事もあらうし、又實際今の場合は、十分の何ミリか小さくもあるといふ事、及びこの二等邊三角形に於ては、長い方の一邊が注意を惹くことが大きいといふ事も考へられる。次に三分圓を持つて來る誤試は、この扇形の弧狀の邊に注意すれば、この誤試は恐らく起らないであらう、その場合は必ず圓形に持つて行かれるのであるが、この扇形に於ては、一般に弧線よりも角の方に注意され易く、その爲めに正方形或は龜甲形に、屢持つて行かれるのである。それで角の方に着目すると、九十度の正方形の角と、百二十度の三分圓の角とが、似た樣に見られて、この誤試が行はれるのである。そこで重さの差等をつけるには、その意味と頻數とから見て、「三角中」と「四角」を一とし、三分圓を一・五、雜を二とする。

長方形の誤試

成人に最も容易に見えて、兒童に難かしいのが、この形である。ここで最も著しい誤試は、「縱橫」であつて、長方形を充たすに長方形を以てするのに、橫長の穴へ長方形を縦長に入れるといふ事が、考へ難いことがその原因である。　つまり横長の長方形を長方形の片で充たさうとすると、横長の形に引つ張られて、長方形を横長に入れてしまふことになるのである。　かく入れた結果は細い若干の隙間が出來、この隙間を充たす様な小片は、どこにもないのにも拘らずそれに氣付かず、更に今一つ「縦横」の誤試をしたものが「二縦横」である。　次に三分圓は正方形の條で述べたのと、同じ理由に依つて起るもので、雜的性質の濃厚なものである。　そこでその重さの評量には、縦横を一とし、二縦横を一・五とし、三分圓を雜と同様二とする。

龜甲形に於ける誤試

六形態中一番難かしいのがこの形態であつて、前に述べた精神の未發達のものほど、難かしさが比較的平均して居るといふ事が、一番難かしいこの形態に最もはつきり出て居る。　卽ち第二十表に見る如く內地人兒童は、小斜の誤試に約半分近くが集り、斜が之に次ぎ他は少數である。　然るに本島人兒童は、この密集度が若干低く、蕃童になると略同じ様に分布して居る。

誤試の意味に就て見るに、一番多い「小斜」といふのは、龜甲形の頭の百〇四度角に入るべき小片の角を、百二十七度角の處へ入れるものと、この小片の最も大きい角を、百二十七度角に入れやうとするもの、及び大きい方の片を入れてから、小さい方の片を裏返しに入れるものなどを含むのである。一體同じ角度でも、之を含む形態を異にすると、同じ様には見えないことは、周知の事實であるが、形の百〇四度角は、幾分過大視され、百四十三度角は過小視される傾向があるので「小斜」の起る前二つのケースは、この理由から來て居り、最後のケースは單なる見誤り不、注意に歸するもので、かの星形に於ける「反三」の誤に相當するものである。そこで比較的之を輕く見てよいと思ふ。次に「斜」は大きな方の片の入れ損ひであるが、大きい方の片になれば、全體の形も龜甲の形に近く、角の錯覺も小さい片より少い筈である。然し擬ひ易い種々の角がそこにはあるので、それに煩はされて角度の認識が難かしくはなつて居る。三分圓の誤試は前に述べた通り、百〇四度角と百二十度角の混同であるが、面白いことは三分圓の百二十度角が、或は九十度角に或は百〇四度角にと、三十度位の差までいろ／＼に誤られる事で、是は別に種々なる形態に於ける角度の錯視として、別に研究を要することと思ふ。四角の誤試は要するに、龜甲形の長い一邊が、長方形を充たす四角形の長い一邊と、全く同じ長さであるといふ點のみに着目して、起つて來る誤試である。之と同樣三角の誤試も、底邊の

第十七圖
各形態に於ける各種誤試分布狀況

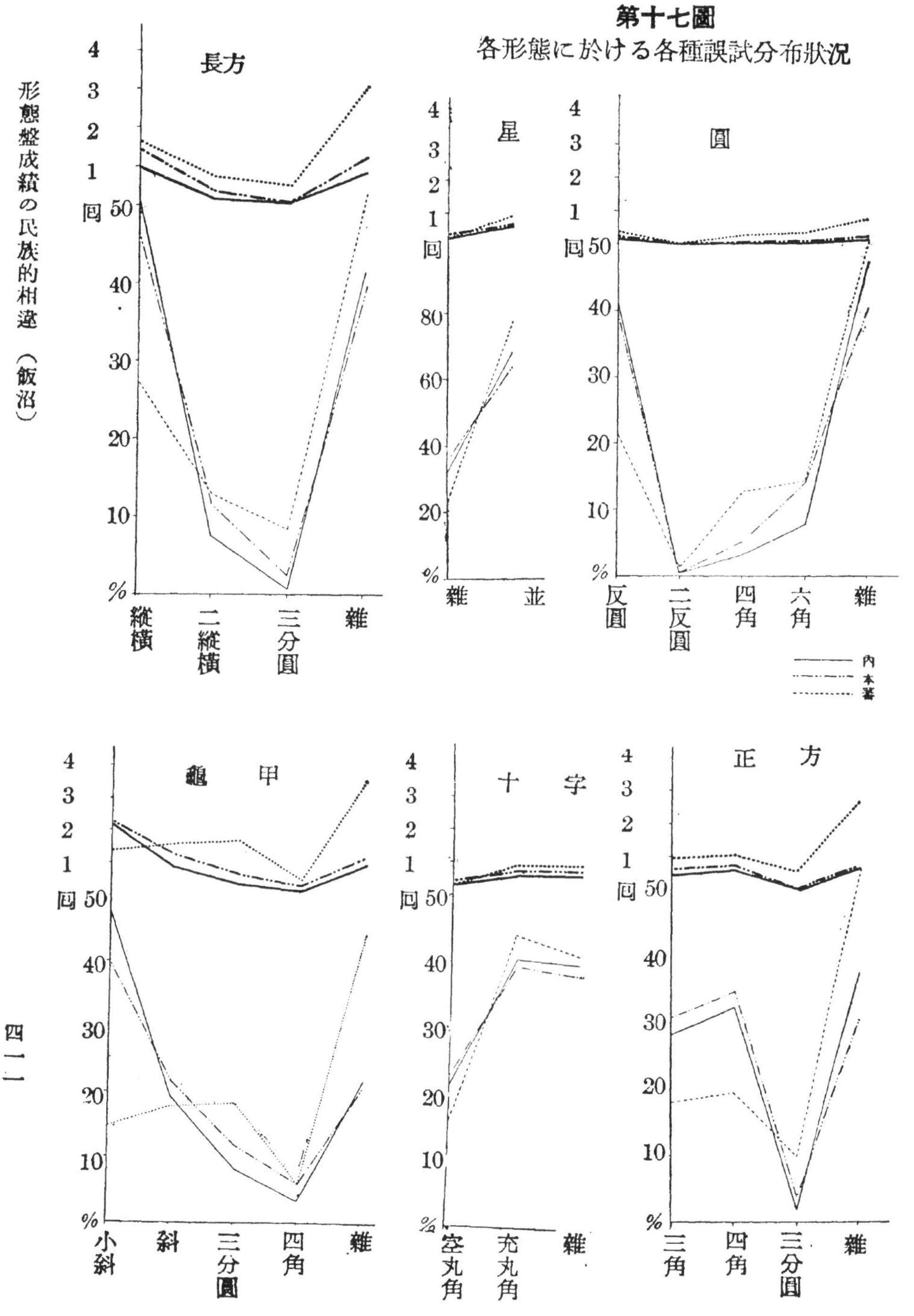

長方

4 3 2 1 回 50 40 30 20 10 %

縱橫　二縱橫　三分圓　雜

星

4 3 2 1 回 80 60 40 20 %

雜　並

圓

4 3 2 1 回 50 40 30 20 10 %

反圓　二反圓　四角　六角　雜

内
本
著

龜　甲

4 3 2 1 回 50 40 30 20 10 %

小斜　斜　三分圓　四角　雜

十　字

4 3 2 1 回 50 40 30 20 10 %

空丸角　充丸角　雜

正　方

4 3 2 1 回 50 40 30 20 10 %

三角　四角　三分圓　雜

第二十表　各形態に於ける各種誤試

事項 \ 形態・誤試種類・族		十字					正方				
		空丸角	充丸角	雜	計	(並び)	三角中	四角	三分圓	雜	計
一人當り	內	0.29	0.56	0.52	1.37	0.13	0.45	0.54	0.03	0.62	1.64
	本	0.38	0.67	0.66	1.71	0.13	0.63	0.71	0.08	0.64	2.06
	蕃	0.29	0.87	0.96	2.12	0.14	0.94	1.02	0.58	2.80	5.34
各族の全誤試を百とした分布	內	21.5	40.4	38.2	100	2.7	28.2	32.5	1.6	37.7	100
	本	22.7	39.4	37.9	100	2.2	30.9	34.6	4.0	30.6	100
	蕃	15.6	43.9	40.6	100	1.6	18.0	19.5	9.9	52.6	100

註　並びは全體についての調査でないので別に掲げた

事項 \ 形態・誤試種類・族		長方					龜甲						
		縱橫	二縱橫	三分圓	雜	計	小斜	斜	三分圓	四角	雜	計	(三角)
一人當り	內	0.99	0.15	0.02	0.81	1.97	2.15	0.87	0.38	0.14	0.97	4.51	0.60
	本	1.42	0.36	0.08	1.23	3.09	2.26	1.25	0.70	0.34	1.24	5.79	0.73
	蕃	1.65	0.75	0.50	3.15	6.05	1.35	1.55	1.65	0.48	3.75	8.78	1.19
各族の全誤試を百とした分布	內	50.4	7.5	0.8	41.4	100	47.7	19.3	8.3	3.1	21.7	100	12.3
	本	46.3	11.5	2.5	39.7	100	39.8	21.4	11.8	6.0	21.0	100	12.5
	蕃	27.5	12.9	8.5	51.1	100	14.7	17.6	18.2	5.7	43.8	100	13.3

註　三角は全體についての調査でないので別に掲げた

事項 \ 形態・誤試種類・族		圓							星		
		反圓	二反圓	四角	六角	雜	計	(四角+六角+雜)	並	雜	計
一人當り	內	0.16	0.00(2)	0.01	0.03	0.19	0.39	0.23	0.28	0.63	0.91
	本	0.23	0.00(2)	0.03	0.08	0.25	0.59	0.36	0.36	0.68	1.04
	蕃	0.34	0.02	0.23	0.24	0.90	1.73	1.37	0.28	1.10	1.38
各族の全誤試を百とした分布	內	41.0	0.5	3.2	7.8	47.5	100	58.5	31.5	68.5	100
	本	39.7	0.4	5.2	14.1	40.6	100	59.9	35.5	64.5	100
	蕃	21.6	1.4	12.7	14.3	50.1	100	77.1	22.1	77.9	100

註　四角三角は雜的のものとして雜と一緒の計を掲げた

長さが龜甲の長さと略同じいといふ點から、誤試を起すのである。かかる意味を綜合して、その重さを小斜〇・五、斜一、三角・四角・三分圓は各一・五雜二と定める。

次に各誤試の各形態に於ける分布狀況を、見易くする爲めに、第十七圖を作つて見た。龜甲形に於ける三角、十字形に於ける並び等は、全部の被驗者に就て調査したのでないから、ここには省いて置いた。

七、採點法に就ての一案

如上の結果から見ると、大體に於て誤試の數と完成時間とは平行して居るのであるが、然し誤試にも全く無意味な、デタラメ的なるものもあり、比較的アデカートなものもあり、一様でないのであつて、前者の如き誤試は、智能程度の低い一つの表れと見えるが、後者の如き誤試は、幼稚なる兒童に對しては、必ずしも嚴しく咎むべきものとは云ひ難い。それゆゑこの形態盤を用ひて智能テストを行ふには、完成時間に依るよりも、誤試狀況に依る事が遙かに合理的である。然し完成時間を全然無視することになると、早くして正確なるものと、遲くして正確なるものとの區別が立たないのと、今一つは制限せられた時間内に、完成してしまはなければならぬといふことが、被驗者を緊張せしめ、最大限に智能を働かしめることにもなるのであるから、完成時間の長短といふ事も、無論必要ではあるが寧ろ之を參考とするに止めた方が、妥當であると思はれる。然らば誤試點數はどう定めるべきであるかといふと、先づ形態の上に於て誤試の最も起り易い難かしいものは重く、誤試の一般に少いもの、卽ち容易なものは輕く評點する事が第一、次に誤試の性質に於て、誰でもが誤りさうな誤試は輕く、あまり人のしない樣な誤試は重く評點する事が第二、同じく誤るにしても、有意味な誤程輕く、無意味な誤程重く評點することが第三、この三つの標準から考へて、全體の得點を百とすると、圓形と星形とは各五點、十字形と正方形とは各十五點、長方形は二十點、龜甲形は四十點として、先づ全體に百點を與へて置く。(此の點數の算出は大體第十七表の內地人兒童の誤試狀況から試みなしたものである。) さうして置いて、先に述べた誤試の重さ――之を表示すれば第二十一表の樣になる――を點數として、之を百點から減ずる。若し誤試が一つもなければ、滿點百點を得る、若し各種誤試を一つ宛なしたとすれば、三十三點を失ひ六十七點の得點となる。若し各形態の雜の誤試を八回づつを行つたとすれば、九十六點を失ひ、僅か四點の得點となる。以上の樣にすれば、作業に對して先

第二十一表　誤試の點數

形態	誤試	點數
圓形	反圓	1
	二反圓	1.5
	雜	2
星形	並	1
	反三	1
	雜	2
十字形	並	1
	丸角	1.5
	雜	2
正方形	三角中	1
	四角	1
	三分圓	1.5
	雜	2
長方形	縱横	1
	二縱横	1.5
	三分圓	2
	雜	2
龜甲形	小斜	0.5
	斜	1
	三角・四角・三分圓	1.5
	雜	2

づ、どれから始めるかといふ全體的一瞥により、容易なものからといふ様な見通しも含まれ、比較的缺點の少ない、智能表示が得られるのでなからうか。此際完成時間は半分毎に區分して表はし、同一點數の者に於ては、完成時間の短いものを優位とするといふ様な事にすれば、一層有效であると思ふ。

八、蕃童各族間の生活環境の相違とテスト成績の優劣

已に述べた處に依り、高砂族間の比較をするに完成時間に於てはパイワン・ブヌン・ツオウ・アミ・ビユーマ・タイヤルの順に、長くなつて居る。又落伍者數の方からは、

略之に近い順序で、パイワン・ツオウ・ブヌン・ビユーマ・アミ・タイヤルと、次第に多くなつて居る。誤試の回數はタイヤル・パイワンは之を缺いて居るので、比較して見る譯に行かぬが、大體この順序に就て、今彼等の生活環境と比較して考察して見やう。

パイワン族は蕃族中でも早くから支那人に接觸し、衣服の如きも男子は手織の布でなく、平地產の紺木綿を用ひ、その樣式も支那風の結び紐のボタンを用ひた、筒袖の短い洋服の上着を思はせる樣なのを着て居り、女は一層支那趣味の强いものを着て居る。かく衣服に手製の麻布を用ひず、幾分文化人めいて居る男の着物は、ここに扱つた蕃人中ではこの族だけに見られる處であるが、尙ほその外この族には彫刻に巧みなものが多く、之もこの族の特徵である。同じく本島人に接し又平地に住んでも、アミ族などはかういふ風には行かない處を見ると、パイワン族の斷然このテストに優秀であるのも、偶然では無いと考へられる。この族に次ぐのはブヌンとツオウとであるが、ツオウ族はブヌン族より僅かに時間では劣つて居るが、落伍者はブヌンが多いから、此の兩者にはあまり大きな差は認められない。一體ツオウ族といふのは、一に阿里山蕃とも唱へられ阿里山地方に住んで居るものであつて、早くから森林鐵道がこの地方には開け、文化人が出入して居る關係上、文化人に接する機會も多く、汽車にも便乗させて貰つて居る程であるから、ブヌン族などに比べると、遙かに文化的になつて居るものと見てよいであらう。この族に比べるとブヌン族は、最も深い山奥に蟠居し、文化には最も緣の遠い環境に住んで居る。服裝住居などもひどく原始的であり、服裝——といつても風呂敷を一寸縫ひ合せた様なものであるが——身體の不潔なことは、蕃人中でもその尤なるもので、蕃人中の蕃人といふ感が深い。それで居て富の程度は相當高く、タイヤルなどは一年中食ふだけの芋粟を、辛ふじて蓄へて居るに過ぎない、どうかすると食糧が早く盡きて、非常に困る程であるのに、このブヌンは耕地の廣い關係もあらうが、二年・三年と食べられる程の粟を、家屋の半分にぎつしり蓄へて居るものが珍しくなく、中には十年分もの粟を死藏して居るものさへある。かうした原始生活を營み文化に遠ざかつて居るにも拘らず、相當頭腦の優れたものがあることは次の二・三の挿話からも知られる。カネトワンの一祭祀者が高砂族中唯一の繪曆を持つて居るが、それが偶然ある一人に依つて作られたものでない事は、現品は今一寸見當らないが、花蓮港地方へ移住した者の中も、之と類似したものを持つて居たと傳つて居る。又總督府警務局齊藤氏の調査によると、この族の一人は附近の山から上

第十八圖　ブヌン族の繪曆

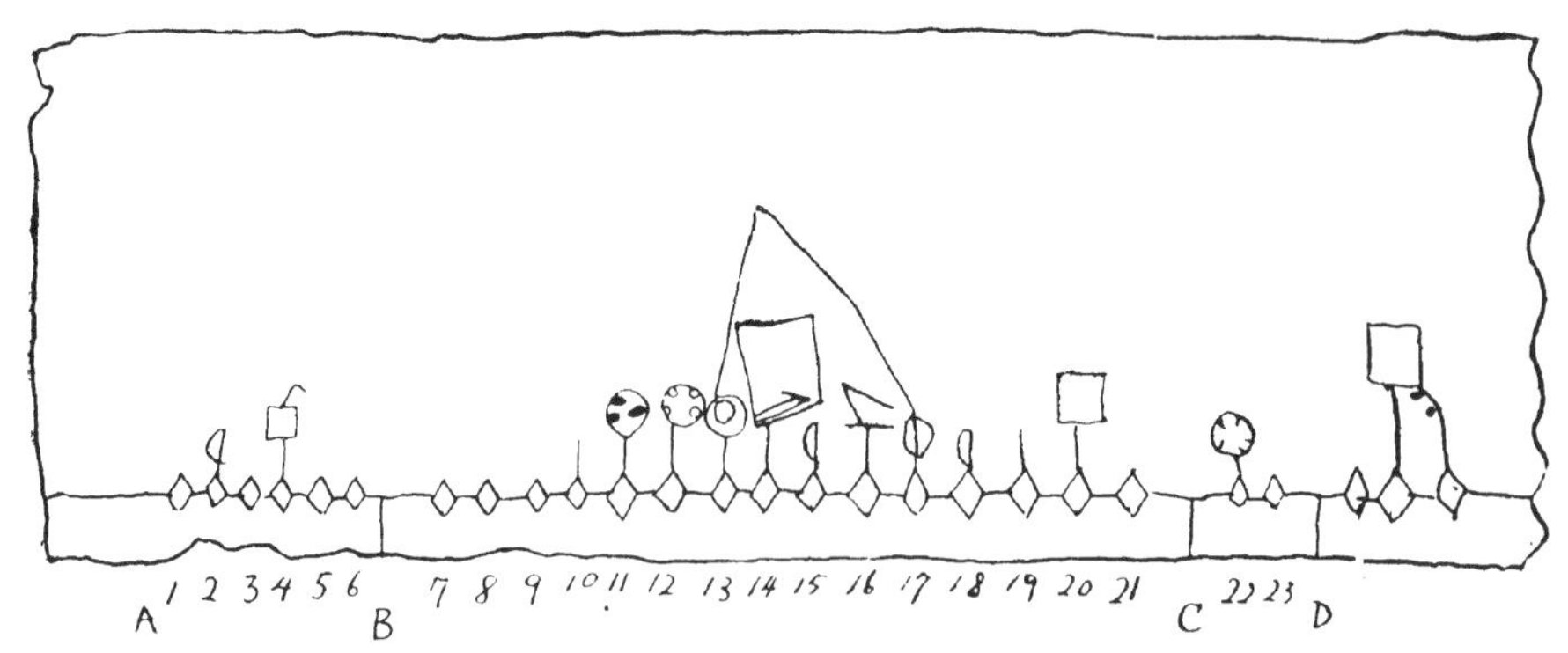

繪曆解說——ＡＢ間はブヌンの一月にて舊曆十一月頃に當る。

1　夢判斷をする
2　酒造り
3　休み
4　開墾始め（試行）
5　休み
6　石器時代を思ひ出し石器を括り耕作の眞似をする
Ｂ　一ケ月祭事なし
7　夢判斷をする
8　榛の木を澤山切りて積み重ね粟作がかく豐かなれと祈る
9　榛の木を分配する
10　羌仔の子の足にて幸福を祝す
11　餅を搗き分配
12　唐黍芋の豐作を祈る
13　種物の準備，若者は獵に出發
14　粟蒔き初め
15　酒造り
16　耕作
17　若者獵より歸り酒を飲む
18　灰忌み
19　古き灰を全部捨てる
20　粟蒔き最後の日
21　休み

（藤澤茽調査）

つたり沈んだりする太陽の位置の變化と月の盈ちかけから、潤年を見出す方法を發見して居るといふ事である。又本島蕃人最後の未歸順蕃として、つい最近まで天險に據つて官命に反抗し續けた、アリマンシケンやラホアレなどいふものは、相當智謀の所有者として、官廳を惱ましたものである。又蕃人には一般に種々なお祭が多いが、特にブヌン族にはお祭が多く、お祭によつて人心が統一團結されて居ることが、非常に著しい様に思はれるが、尚お祭に關聯して思ひ起す事は、私達がテストに出かけた時、豫定の作業を終へるとお駄賃として、キャラメル一箱づつ與へ、その一箇を皆一緒にたべさせたのであつた。處がブヌンの兒童は一向食べやうとしないので、不思議に思つて嫌ひなのかと聞くと「今は收穫祭なので、お祭中は砂糖氣のものは一切禁じられて居るから」といふ事であつた。十二・三といふ食ひたい盛りの腕白小僧達が、蕃社の掟を固く守つて破らうとしない事は、却て文明人に眞似の出來難いことであると思つたことであるが、是等の事から考へて、生活様式がいかにも原始的なるに拘らず、彼等がテストの上では全く意外に優秀な成績を得て居ることは、首肯し得ることであると思ふ。

アミ族とピューマ族とは、この調査に加つた蕃族中、他に類のない行政區域内の平地に住居し、教育所でなく正規の公學校の教育を受けて居るのであるが、アミ族は打ち見た處山の蕃人の様な慓悍さがなく、從順質朴一點張りの種族の様に考へられ、一般に早老であつて、四十歳を過ぎるともうすつかり老ぼれると謂はれて居る。これは一つは彼等が女系女權の傳統を今も續けて、男子が家長として命令權を持たない、謂はば蜂の世界に於ける働蜂の様な地位にあるので、萬事が消極的な女性によつてリードされて居ることに、大いに關係があるのでないかと思ふ。

ピューマ族は所謂八社蕃として、大體武力を以て鳴つて居たもので、一時はアミ族をはじめ附近の蕃社を服せしめ租税を徴し、武士と百姓といつた様な勢力關係にあつたのであるが、その後ここにも武士凋落の風が襲ふて來て、今では經濟的に疲弊して甚だ振はぬ狀態にあると謂はれて居るが、その生活狀況は都會の近い關係上内地の山奥などよりもよい生活をして居る。又蕃人は一般に歌と踊りとは何よりも樂しいものとして好むが、この蕃人の歌にはテノールとバスの二重唱を持つて居ることが、特に目立つて見えた。とにかくアミ族ピューマ族共に、平地に水田を耕作し甘蔗を栽培して居て、富の程度生活の程度共にブヌンなどとは比較にもならぬものがあり、正規の公學校教育を受けて居乍り、かくテストの成績が低いといふことは、注意すべきことである。

最後にタイヤル族は、最近霧社事件などでも知らるる如く、頑固一徹な勇猛果敢な性質を有し、男は耕作などを厭ひ、之を婦女子に委せて、自らは山野に狩することを主とし居た種族である。從つてこの成績に於て最下位にあることは、彼等が筋肉型の性格で、思考的能力が乏しいのであると考へられる。(完)

臺灣に於ける各族兒童智能檢査

力丸慈圓

はしがき

我が臺北帝國大學心理學教室に於て、昭和四年より同九年まで六年間、全島各地の高砂族兒童の智能テストを行ひ、これと比較對照するため、其間臺北市內の內地人小學校、本島人公學校兒童に就ても、同樣のテストを行ひ、その結果の一部は既に報告濟みであるが(1)、本論文も亦その一部たる團體テストの結果である。

調査した學校數については本年報第三輯所載の藤澤氏の論文を參照されたい(2)。尙又被檢兒童の學年別男女についての詳細は同氏同論文第二表の通りである。

一、テストの種類、方法及評點法

兒童に課した團體テストの種類は、大別して甲乙二類に別たれる。甲は三、四學年生に、乙は二學年生に施したものである。甲乙共に八種のテストから成つて居り、今茲に報告するのは、其中から各々四種を採つたものである。以下その各々のついて、其の種類、テスト方法、結果の採點法を略述しよう。

テストの種類

(I) 甲(三、四學年生に課したるもの)に屬するテスト。

テスト1、抹消

テスト2、系列

テスト3、迷路

テスト4、ブロック計算

テスト1は第一圖に示す如き、極めて普通用ひらるゝ抹消テストの一種である。テスト用紙綴込みには、此の圖を、印刷した頁の反對面に、之と類似の有刺正方形百二十箇程が印刷されて居り、之を練習用とする。以下凡てのテスト（乙のテスト4を除く）に夫々若干の練習を附する。但しテスト用圖は常に練習用圖の裏面に隱れる樣に印刷されて居り、兒童には、練習用圖に依りて練習終るまでテスト用圖を開いて見ることを禁止して置く。

テスト2以下も皆な普通有りふれたテストであり、內地其他で從來なされたテストの結果と比較の便宜上特に在り來りものを使用した譯である。玆に謂ふテスト4は實際使用したテスト用紙綴込にはテスト5となつて居り、テスト4として形態記憶テストが插入されてゐるのである。此の形態記憶テストは、本教室で新に考案された獨特のものであるが、之に就いては已に別に報告された所である。(3)

(II)　乙（一、二學年生に課したるもの）に屬するテスト。

テスト1、　記號テスト

方眼紙の如き縱橫に罫線を以て仕切りたる紙面の各方眼中に左より右に×―○―の四箇の記號を記入して行くテストである。方眼の數は橫に十八箇、縱に二十八箇あり、橫の數は記號數四の倍數でないから、正しい順序に記入された記號は、同一記號が縱に重ならぬ筈である。テスト用圖は單に方眼紙の形に過ぎないの

テスト 1

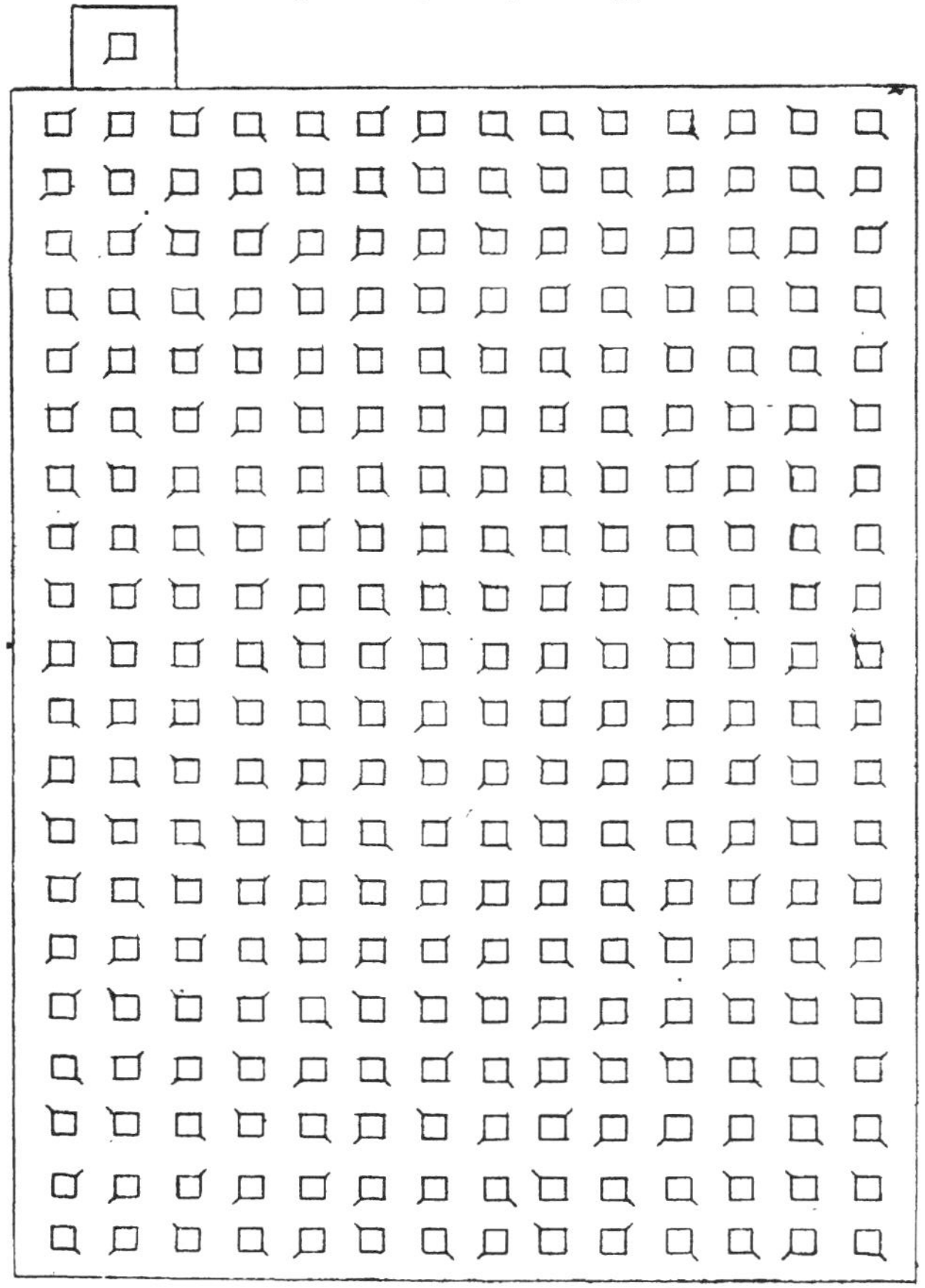

第一圖 抹　消（原圖ノ$\frac{3}{7}$大）

テスト 2

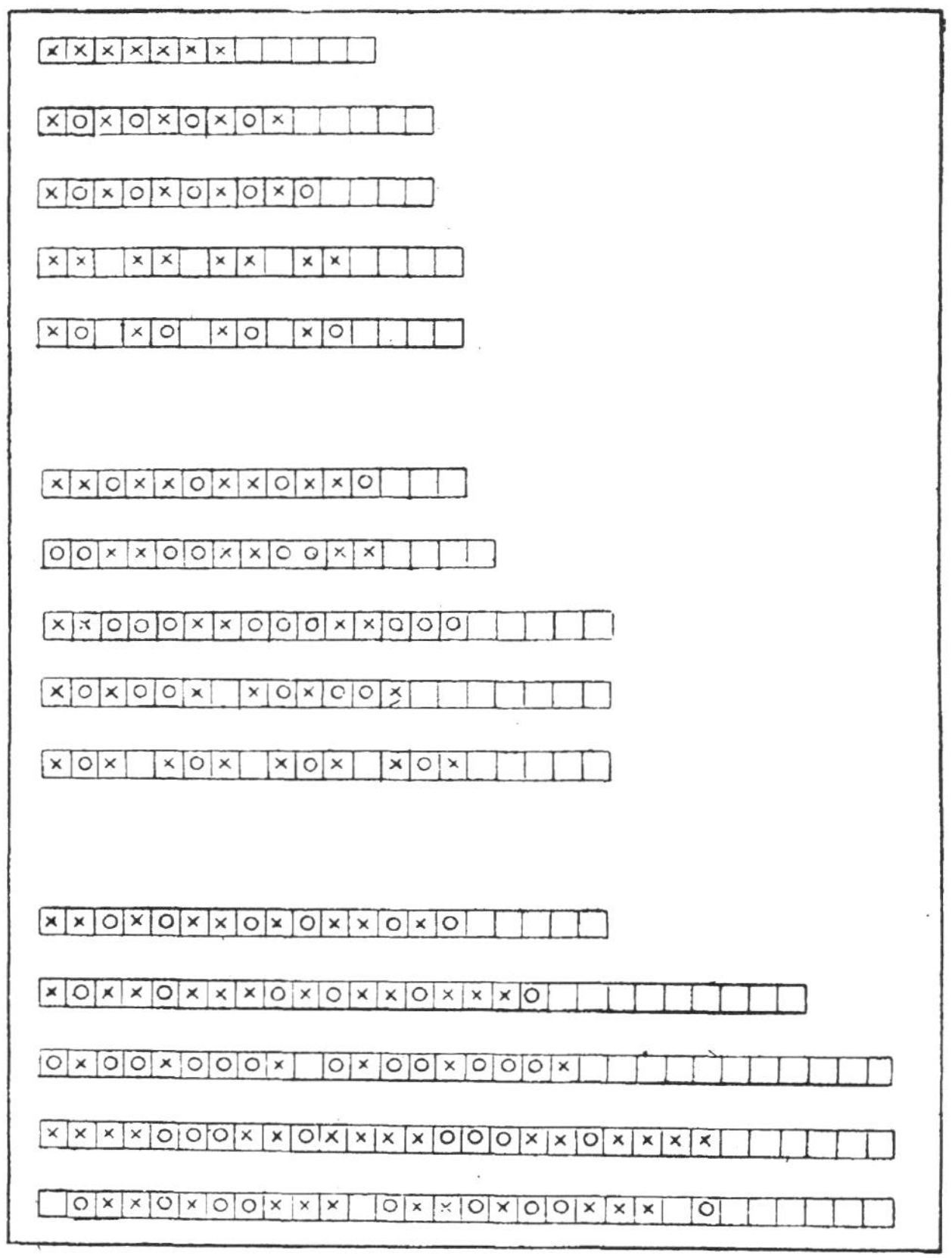

第二圖 系　列（原圖ノ$\frac{3}{7}$大）

テスト3

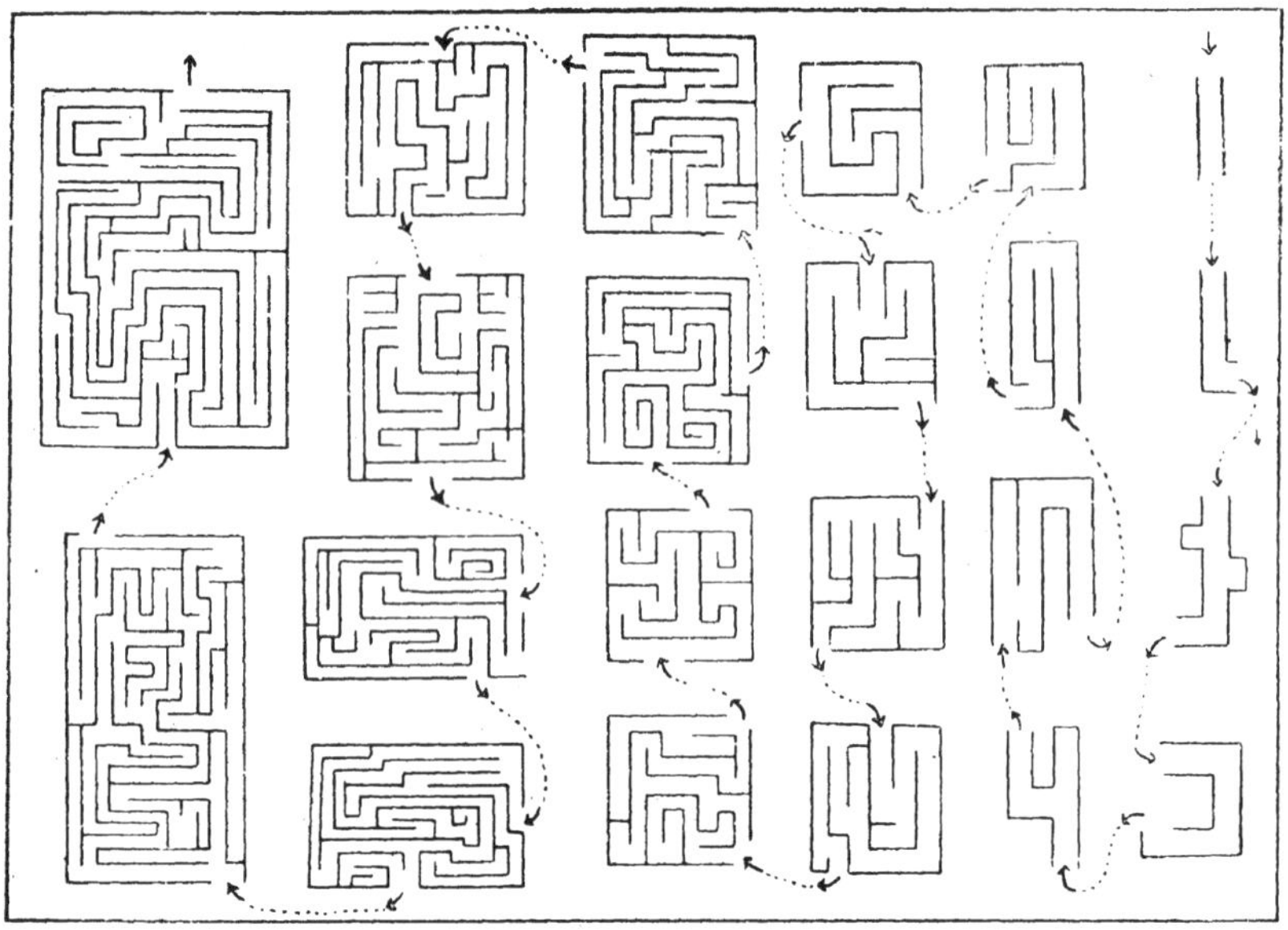

第三圖　迷　路（原圖ノ$\frac{3}{7}$大）

テスト4

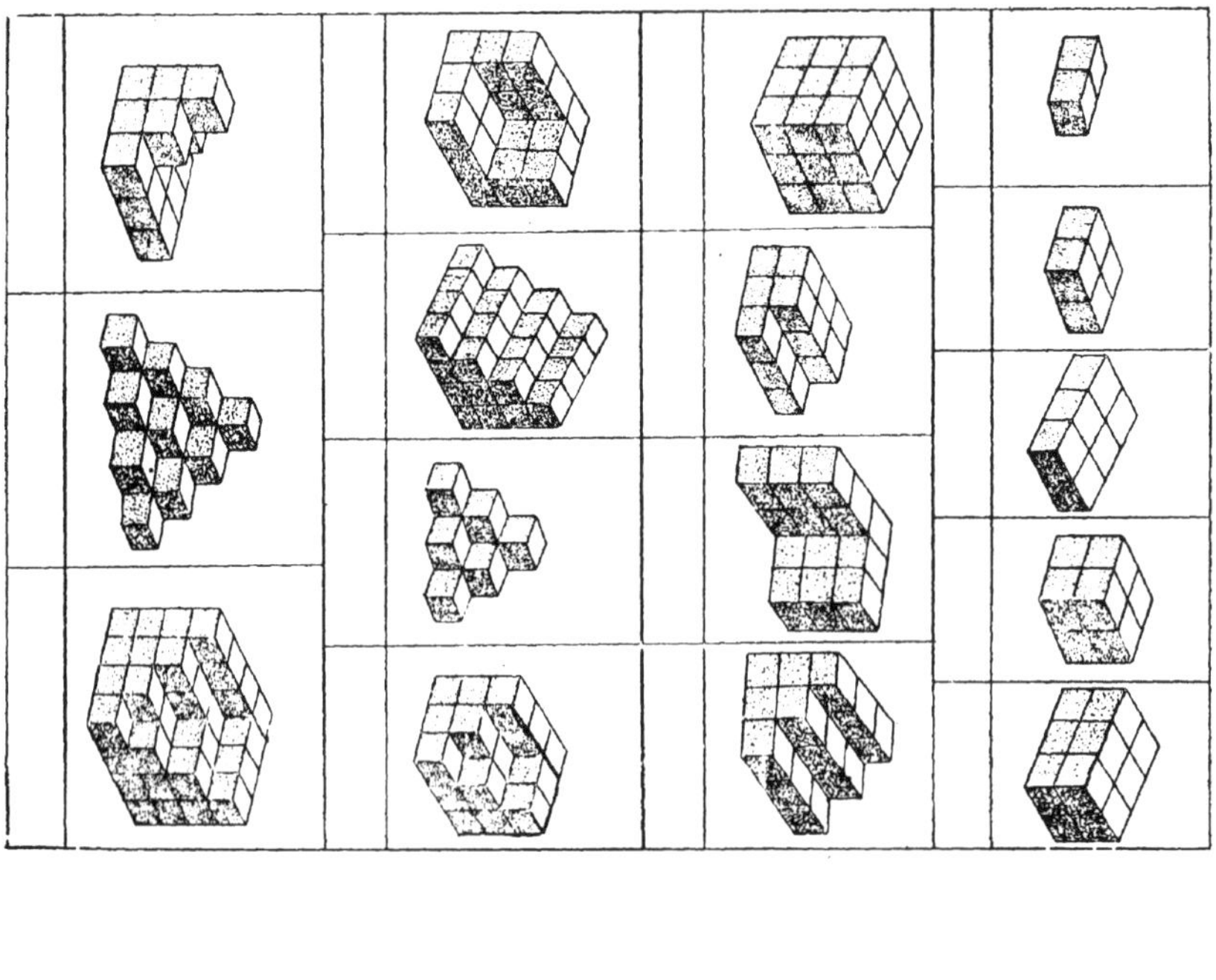

第四圖　ブロック（原圖ノ$\frac{3}{7}$大）

であるから、圖の掲出を略する。

テスト2、十三テスト

テスト　2

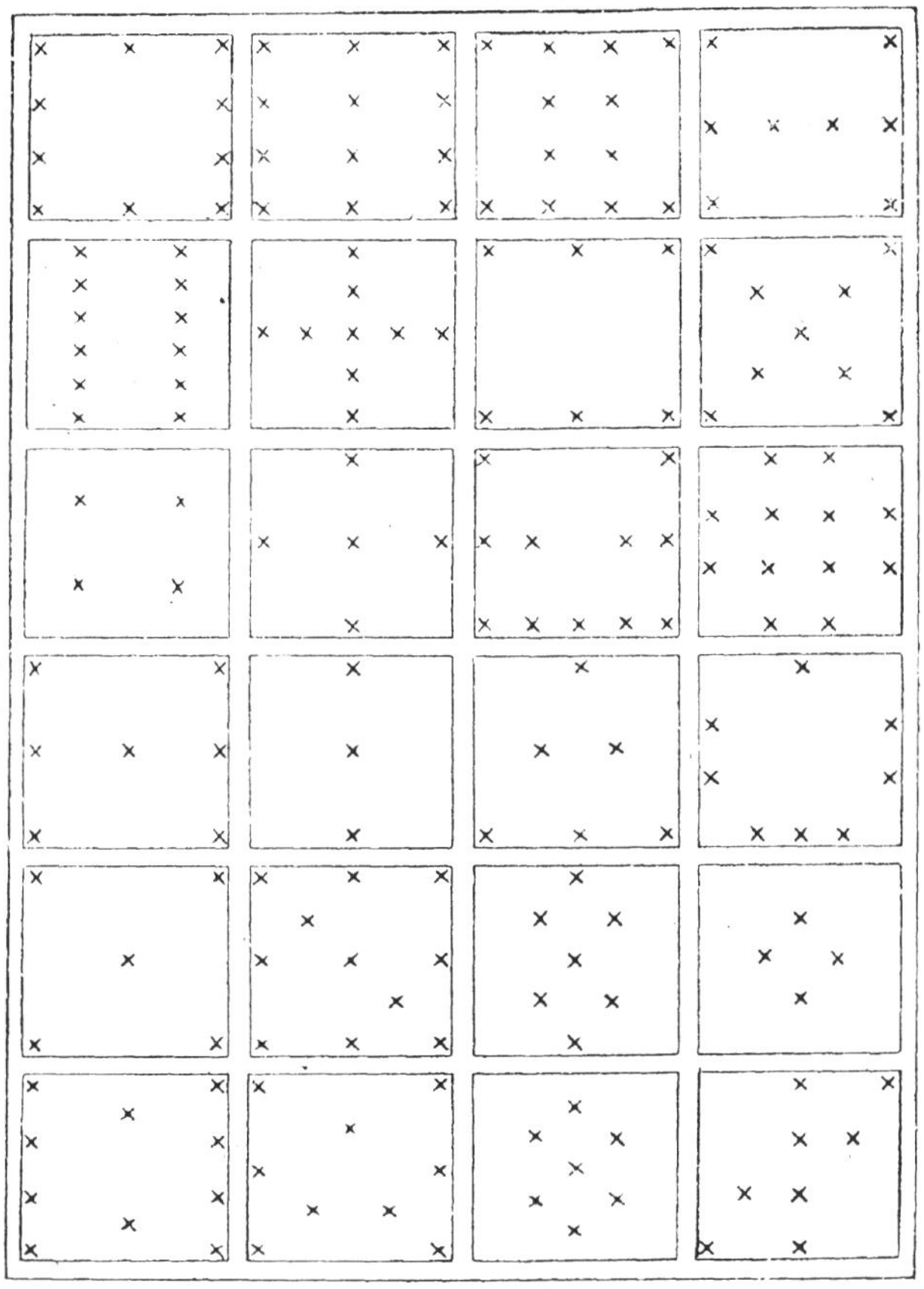

第五圖　十　三（原圖ノ$\frac{3}{7}$大）

第五圖の如く、方形枠内に數箇(3—12)の十字形が與へられて居り、被檢者は之に幾つかの圓を書き加へて、一枠内の圓と十字形との數の和を十三箇とすればよいのである。適當の名稱がないので、假りに十三テストと稱しておく、數補充テストなどとも云ふべきか。(4)

テスト3、過不足指摘

第六圖がそれである。從來行はれた、此種のテストを參照し、蕃童の日常親炙せ

る事物を考慮して、新たに工夫されたもの〻多くを含む。實物を比較して多過ぎると思はる〻部分を鉛筆にて線を引きて消し、不足の部分に圓をつけしむるのである。表現された事物が何んであるかと云ふことが、一見して彼等蓄童にも理解される樣にと、相當苦心して、彼等の生活中に親しく入り込んで來る物を選擇した積りであつたが、猶且つ物の理解と應答の方法の理解とが甚だ困難であり、山の兒等では、二學年生には後に此テストを除いた所が多かつた。

テスト　3

第六圖　過　不　足（原圖ノ$\frac{3}{7}$大）

テスト4、　對應テスト

之も至適名稱が見つからぬので、假にかく呼ぶことにする。

テスト 4

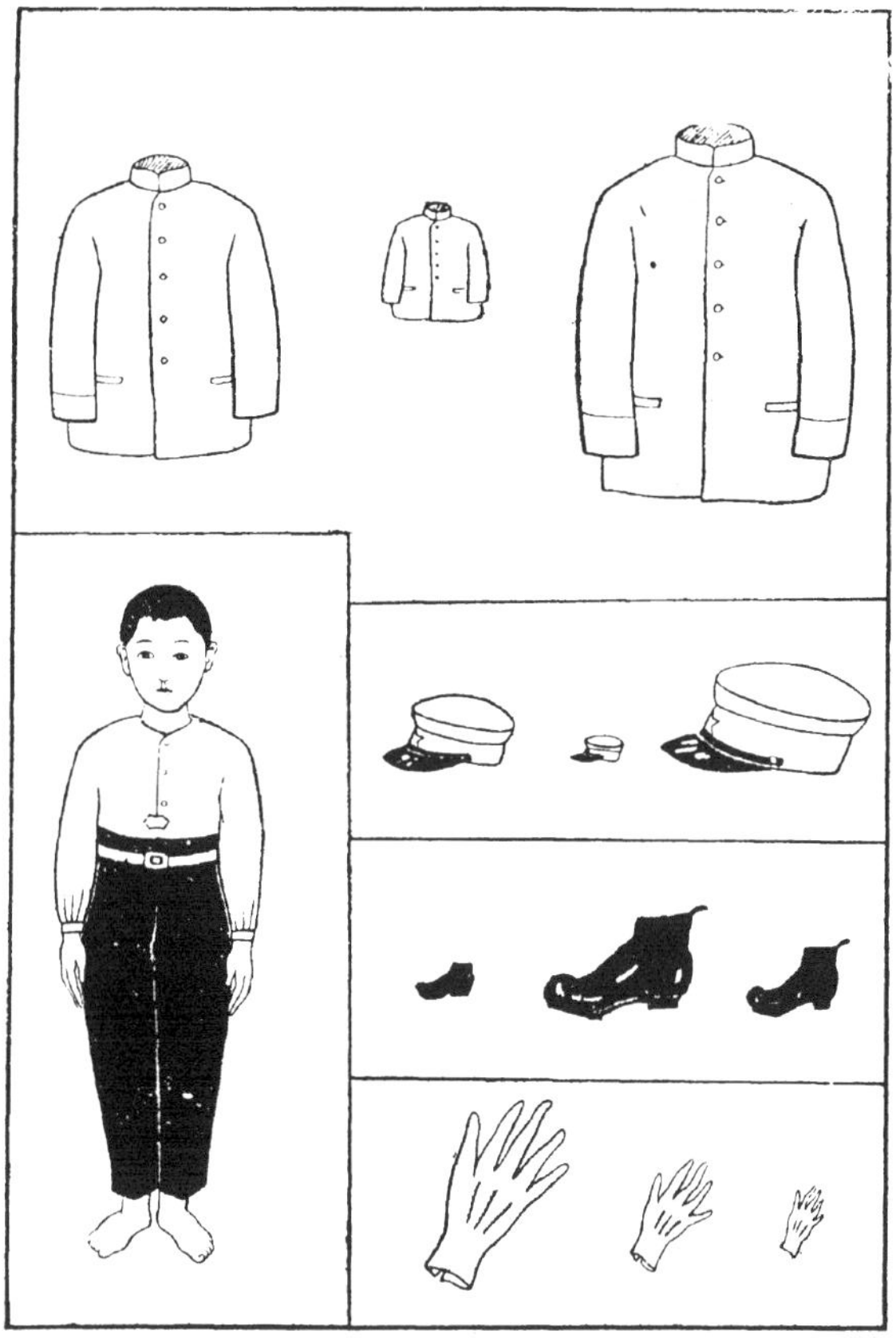

第七圖 對　應（原圖ノ$\frac{3}{7}$大）

第七圖の左下に示された人物に適する大さの上衣、帽子、手袋、靴等を選定せしむるテストである。

テストの實施法

實施方法一般としては、普通の團體テストに際して採らるゝ方法と何ら異りは無い。一脚の机に一人づつの兒童を配して、成るべく間隔を廣くし、他人の模倣を防ぐことに努めた。テストの始めに當り、兒童に與ふる一般的注意としては大體次の如きことを云ひきかせておく。

隣の人の眞似をせぬこと、

鉛筆を持てと云ふまで持たぬこと、

鉛筆を置きなさいと云つたらすぐ置くこと、
紙を開けよと云ふまで、次の紙を開けて見ぬこと。
テストの一々については、夫々に對する、一定の敎示を豫め作成し、各地各部種族兒童、その敎示通り精粗過不足なく一律の敎示を與ふるが正式のテスト法であり、その積りで形式的の敎示文を作製して見たのであるが、實際に當つては、殊に高砂族兒童や本島人兒童などに於ては、そんな形式的な敎示では、どんなことをするのかさへも到底理解出來ぬことが直に明かになつたので、大多數の兒童の理解といふことを標準として、出來得る限り懇切叮寧に說明を施し、更に練習に際して、思ひ違ひ、未領得の者を訂し敎ゆる樣にした。故にテスト實施法として普通爲さるゝ、一々のテストに對する敎示文の揭出は省略することゝする。
各テストに與へらるゝ時間は次の通りである。

甲
テスト1（抹消）一分
テスト2（系列）一分
テスト3（迷路）四分
テスト4（ブロック）二分三、十秒

テスト1(記號)五分
乙
テスト2(十三)五分
テスト3(過不足)三分
テスト4(對應)制限ナシ

テスト實施者はストップウオッチを以て時間を嚴測し、被檢兒童をして一齊に始めしめ、一齊に止めしむること法の如くする。始める前に、鉛筆を持つことを命ずると直に書き始むる兒童が屢々あるので、之を防ぐ爲、鉛筆を持つた手を高く擧げしむることをした。

テストの評點法

テスト1(抹消)の評點法

抹消の評點法は如何にせば最も合理的であるかは餘程愼重に考慮せねばならぬ問題であると思ふ。此の方法として考へられる方法が凡そ四通りある。先づ初め便宜の爲めに記號を假定する。

A ＝正確度
R ＝當然消すべき數
r ＝正消數
c ＝實際抹消數
w ＝誤消數
o ＝消し落し數

とすれば、考へられる四通りの方法とは、次の如き符號で表はされる。

1. $A=c-(o+w)$
2. $A=r-(o+w)$
3. $A=R-(o+w)$
4. $A=\frac{c-w}{c+o}$

これ等について少し批評を加へて見る。

第一の方法は素人考へとしては誠に合理的に見ゆる方法であるが、深く考察すれば大なる缺點を藏してゐる。何んとなれば、實際に消された數(c)中には已に誤消數(w)も含まれてゐる筈であるから、wの增大は同時にcを增大することゝなり、結局此評點法ではwは無關係となり、被檢者はwを全く考慮中に置かず、たゞ消し落し(o)にのみ注意すれば良成績を得らるゝことゝなるからである。形式的に示せば$c=r+w$であるから$c-(o+w)=r-o$となり、而も$r=R-o$であるから$r-o=R-o-o$となり、一箇のoが得點の上には二點の減少を來すことゝなる。wは無關係でoには過重の責任が擔せられてゐるから、極端な場合を云へば全部消せばよいことになる。

第二の方法は專門家によつても往々採用されて居る所のものであるが、(5)これも完全とは謂へぬ樣である。此方法は正消數であるrからoとwとの双方を共に同等の價値に於て減點する如く見ゆるのであるが、實は減せらるゝ値は等價でなくしてoに對してはwの二倍の價となつてゐるのである。何故ならば$r=R-o$であるからrは正答數Rから既にoだけの點數が自ら減じられたものである。其上更にoを減ずることは、見落しに對する罰點が不當に苛酷ではあるまいかと思はれる。今假りに$R=30$, $r=28$とすれば$o=2$である。更にwの數だけ減少されるのであるから、此方法による得點は此場合oが不變であればwの數に反比例する。即ち$w=1$として作用する。wが一箇ならば一點、二箇ならば二點だけ得點が減少されることになるのである。之に反してwが一定でありoが變化すると、得點の上には$o=2$として影響を及すことゝなる。$o=2$の時$r=28$であるが$o=3$ならば、$r=27$となる。之から更にoが減ぜられるから、各々の得點は(wが共に零とすれば)夫々26, 24となる。卽ちoの一箇の差が得點には二點の差となる。被檢者自ら一箇の見落しの爲めに一點の損失を招いてゐる上、評點の際此の見落しの爲め更に一點減點されることゝなる。wは一點oは二點宛のウェイトを有せしむることは果して合理的と謂へようか。勿論wとoとに對する罰點には多少の差があつて然るべきであらう。何故ならばwはその爲抹消の速度が減殺されるが、oは却つて進度を增加するからである。併しoにwの二倍の課負をすることは少し不公平の樣に思はれる。

第三の方法、卽ち $A=R-(o+w)$ はoとwを全く同等に取扱つたものであるが之は前述の理由により理想的方法とは云ひ難い。

第四の方法、卽ち $A=\frac{c-w}{c+o}$ はWhippleの採る方法であるが(6)、$c=R-o+w$ であるから、$\frac{c-w}{c+o}=\frac{R-o}{R+w}$ となる。此場合oによる罰點とwによる夫れとは如何なる割合となるであらうか。卽ち$\frac{R}{R}$なる數を一定數とし、或るxなる正數がその分子から減じられた場合と、その分母に加へられた場合と孰れがどれだけ大であるかと云ふに、前者は $1-\frac{x}{R}$ であり後者は $\frac{R}{R+x}$ であるから、夫々 $1-\frac{x}{R}=\frac{R^2-x^2}{R(R+x)}$、$\frac{R}{R+x}=\frac{R^2}{R(R+x)}$ となり、前者が $\frac{x^2}{R(R+x)}$ だけ小である。即ち同數だけの誤を、消落しについてなした場合と、消謬りになした場合とでは、前者の方が得點が稍や小となる。換言すれば、o と w とは同等に罰せられず o の方に稍や重科が課せられる譯である。而して此の差は x が大となる程大きくなるけれ共、最も極端な場合、即 $R=x$ の場合と雖も $1/2$ に過ぎない。即ち、此方法に依れば o と w とは等價ではなく、されぱとて第二法の如く o に過大の負擔を課することもなく、此點に於て他の方法の缺點を補ふことが出來る。猶ほ此法の特長は、得點が實數でなくして、比によつて表はさるゝ點にも存する。R の代表値の大いに相違する或る抹消テストと他のそれとを比較する場合、此方法による時は、そのまゝ直に比較が可能である。

以上の理由により最後の方法が最良と思はるゝが、併しこれとても理想的ではない。何となれば、正確度を測る上に於ては此方法に滿足するとしても、實際或る人の能力は正確度だけに依つて表はすことは出來ないからである。仕事の量を考量することも大切なことである。正確度だけについて此方法で測れば、o も w

もなく、一箇だけ正當に抹消した人も、同樣にして、二十又は五十を抹消した人も、得點は共に1となる。故に此方法に依る時は、更に實際の仕事量を別に觀察しなければならぬ。乃ち Whipple は、被檢者がどこまでやつたかその範圍をeとし、前の如くして得た正確度Aに之を乘じたものを最後の得點Eとしてゐる。今此のテスト1の採點法は此の Whipple 法に從ひ $Ae=E$ を以て得點とする。

其他のテストの評點法

抹消以外のテストの評點法については別段の困難は發見されない。與へられた問題一箇又は一系列を一點として、それが正しく答へてあれば一點を與へ、不合格ならば零として計算すればよい。

たゞやゝ趣を異にするは乙のテスト1であるが、之も×に始まり|に終る記號系列を一點として計算したから、其他のテストに對する評點法と原則的には同一である。途中に於て記號系列の順序を謬り又は或る記號を脱落した場合にも、更に正しい系列に立直つた場合には、×の位置の如何に拘らず、その×から始つた正しい系列に一點を與ふることゝした。乙のテスト3(過不足)も原則的には同樣の

評點法に由つたのであるが、兩耳不足せる顏面圖について、片耳の不足のみを指摘せる者には$\frac{1}{2}$點を與へたことが、稍や異例である。

二、各族平均年齢

檢査された各族のテスト時に於ける平均年齢は第一表の通りである。散布度を表はす爲めの標準偏差を示すべきであるが、都合により省略する。唯だ實情について言へば、內地人兒童に於ては、義務教育制度の關係上、年齢の偏差が小であることは勿論である。高砂族殊に高山蕃では一般に就學年齢が後れて居り、又同一學年に於ける年齢も可なり區々である。表に就て觀るに、

本島人は內地人よりは平均約一年乃至一年半年長である。

高山蕃は內地人よりは一年乃至三年々長である。

高山蕃中に於ても殊にパイワン族が各學年共年齢が多い。

第一表　被檢者年齢各族比較（カゾヘ歳）

	內地人	本島人	パンツァー	パナパナヤン	ツオウ	パイワン	ブヌン	アタイヤル
三・四年	10.19	11.20	11.01	11.11	11.69	13.38	11.94	11.21
二　年	8.38	9.81	9.01	9.00	10.12	11.71	10.64	9.25

それに次ではブヌン族、ツオウ族である。

以下考察せむとする、テストの成績と被檢兒童の曆年齡とが相關を有すること勿論であるが、年齡の影響を取除く特殊の數學的方法は、以下考察するが如き場合に適用することは不可能であるから、單に考慮中に加ふるより外はない。

三、テストの適否

各テストが各族に對して適當であるか否か、換言すれば或るテストが或る種族又は部族に對して困難に過ぎ又は易きに失する等のことの有無を一應檢討して見よう。

テストの目的は勿論個人差又は團體的差異を明かにするにあるのであるから、大多數の被檢者が同樣な成績を得る樣なものはテストとして不適當なものである。換言すれば、テストは、其結果の成績が或程度まで區々にならねばならぬ。勿論團體によつてその代表値は異り其の散布度に大小のあることは當然であるが、代表値が低ければ低いまゝに、それを中心として相當の散布度があつて始めて、その値はよくその團體の代表値たり得るのである。散布度の非常に大なる中心値は信頼性に乏しいこと謂ふまでもないが、非常に小なる場合もテストとして不適である。卽ち偏差の或程度の擴りを有たねばならぬ。テストは或特質が有るか無いかを物語るものでなく、連續的な趨異を示すことを本義とするからである。連續的趨異を見る爲には、或る問題に對する理解の有無を檢する方法に由つてもなさるゝが、更に或る作業を或る一定時間にどれだけ誤りなく成遂げ得るかを見る方がより合理的である。本調査に用ひたテストの問題は殆んどこれに因るテストである。正答の範圍は制限されて居ず、被檢者の能力に從つて增大し得るのである。時間的制限の爲めに終り迄全部の正答を得ることは不可能にされて居るから有能者の得點限度も一律に限定されることはない。その試みらるゝ範圍は不定であり、或る者は一〇、或者は二〇の範圍に亘るのである。正答の比率を決定することは各人に就いて一々なされなければならず、從つて或る問題に對する困難度を測るに用ひらるゝ普通の方法(例へばσ尺度による法)を適用することは不可能では無いが非常に困難である。同様に異なれる各部種族は、それ〳〵の趨異の範圍を有するから、各族に對する或問題の難易の程度を決定することは不可能では無いけれ共、相互に比較し得るが如き尺度を作製することは不可能である。

或る問題に對する困難度は、その部族に對する限りのものであり、他に移轉することは不可能である。正答の比率が一定せぬからである。換言すれば、これだけ答ふれば全部答へ終るといふ限度が不定であり、又これだけ正答しなければならぬといふ制限もないからである。或る部族は平均して多くの正答を與へ、或部族は大部分の者が少數の正答を與へたとすれば、前者は平均して能力の高きことを示し、後者は之に反することを表はすことは事實であるが、各々の部族に對する分布曲線は夫々の分布範圍を座標とした曲線をなす筈であるから、その群團について は曲線の形から難易度がほゞ判斷されるけれども、一の群團について一般的に易いこと又は難いことが、それと同一のことが他の群團について如何であるかは不明である。故に各々異つた座標の上に立つた分布曲線を比較して各群團間の難易の度を比較することは無意義である。

併しながら、各群團の平均を觀察して、その試みた範圍が――勿論之は正答數の大さの擴りによつて判斷する外はない――略ぼ一定であるならば、正答數の代表値（例へば算術平均）の位する位置によつて、共通の或る問題が或る群團に取つて、容易であるか困難であるかを推知することが出來る。何となれば、各分布曲線の立つ座標が略ぼ同一であるからである。例へば甲のテスト3(迷路)の如きがそれである。殆んど全部の部種族が最後(第二十二)まで試みてゐるが、内地人、本島人の平均得點は夫々一七・六、一六・二であるから、此二種族にとつては此問題は易きに過ぎたと謂ふべきである。其他の高砂各部族には略ぼ適當なテストと謂ひ得る。乙のテスト2(十三)についても同樣であり各族とも最後まで試みてゐるが、內地人本島人には易きにすぎ、大部分の高砂族兒童には難きにすぐる。此の二つのテストについては凡ての部種族の被檢者の少くとも一部の者が與へられた時間內に於て、與へられた問題の全部を試みてゐる。卽ち各族共、同一問題の同一範圍についてテストされたことになるのであるから、相互に難易を比較することが可能である。此の二つを他と同一原理に據らしむる爲には、今少し問題數を增加するか、或はテスト時間を減少する要がある。更に此二つと似て而も一層問題數の極限に到達することの容易なるは乙のテスト4(對應)である。これは全部で問題數は四であり、時間に制限を置かず、各兒童が符號を記入し終るを限度とした爲め、各部種族とも最後まで試みてゐる。而も各部種族とも平均は殆んど3を超えてゐる。卽ち凡てに對して容易にすぐることが明らかである。唯だブヌン族兒童にとつては略ぼ適當なテストの如くである。とにかく此のテストは各族とも(ブヌンを除く)その分布曲線は正規曲線を成さず著しく右偏するが故に後に見らるゝが如く此については脱逸度(Variability)の比較を省くことゝした。

以上の所述は以下述べんとする、各族平均得點の比較による智能の比較を無意義ならしむるものでないこと勿論、寧ろその意義を一層闡明するものである。

四、結果及び其各族比較

テストの結果は各々の表自らが最も簡明に物語る通りであるが、之に就いて簡單なる批判を加へて見る。

甲テスト各族比較

甲に屬する各テストの各族に對する結果は第二表の通りである。既述の評點法に由つて採點した各被檢者の結果を各部族總被檢者數を以て算術平均した値である。單に此表によつても、どの群團との間にどのテストに就いてどれだけの差異があるかは詳細に觀察すれば判明するけれども、その差が果して確實にして、これだけの人員についてのテストの結果から、一般的な差として承認するに足る

第二表　甲テスト各族平均得點，脫逸度及平均ノ標準誤差

	被檢者總數	抹消			系列			迷路			ブロック		
		平均得點	σ	σ_m	平均得點	σ	σ_m	平均得點	σ	σ_m	平均得點	σ	σ_m
內地人	570	78.0	21.79	0.91	6.75	2.06	0.09	17.56	2.48	0.10	7.46	2.52	0.11
本島人	643*	73.6	22.81	0.90	6.36	1.82	0.07	16.19	2.68	0.11	7.45	2.39	0.09
パンツァー	306	72.8	31.72	1.81	3.67	1.80	0.10	14.34	3.45	0.20	4.74	1.95	0.11
パナパナヤン	55	67.4	27.17	3.66	3.67	1.78	0.24	14.62	3.52	0.47	4.73	2.30	0.31
ツオウ	42	78.3	26.52	4.09	4.17	1.59	0.25	16.26	4.66	0.72	4.55	2.15	0.33
パイワン	158	92.1	70.41	5.60	4.08	2.13	0.17	12.84	5.27	0.42	3.27	2.18	0.17
ブヌン	128	61.1	45.63	4.03	3.13	1.89	0.17	11.44	5.56	0.49	3.03	2.23	0.20
アタイヤル	156	44.1	25.07	2.01	3.18	1.86	0.15	10.46	4.37	0.35	3.22	2.18	0.17

* 立方體ニ限リ 642 人

か否かは不明である。勿論それは、玆に掲げられた資料から、統計學の公式に從つて、何人も計出し檢討し得べき所であるから、詳細の結果は省略することゝし、各族間の差の確實度(Significance)のみを示すと、第三乃至第六表の通りである。第三表乃至第六表は、各族間の平均得點の差($M_1-M_2=D_m$)を、その差の標準誤差($\sqrt{(\sigma_{m1})^2+\sigma(_{m2})^2}=\sigma_m$, diff.)(7)で除した値を示すと同時に、各族間の平均得點の標準偏差の差 ($\sigma_1-\sigma_2=D_\sigma$)

	アタイヤル	ブヌン	パイワン	ツオウ	パナパナヤン	パンツァー	本島人	內地人
アタイヤル		× 6.45	×10.77	× 0.45	× 0.71	× 3.48	1.46	2.10
ブヌン	3.78		× 5.08	4.71	3.50	4.43	7.82	13.30
パイワン	8.07	4.49		8.94	9.14	9.28	11.87	12.12
ツオウ	7.50	3.00	× 1.99		× 0.17	× 1.65	1.25	1.60
パナパナヤン	5.57	1.16	× 3.69	× 1.99		× 1.57	1.63	2.01
パンツァー	10.63	2.65	× 3.28	× 1.23	1.32		6.23	4.89
本島人	13.41	3.02	× 3.26	× 1.12	1.64	0.40		1.12
內地人	15.41	4.09	× 2.49	× 0.07	2.81	2.56	3.44	

右上半：D_o/σ_o, diff.　左下半：D_m/σ_m, diff.

第三表 各族平均得點ノ差及脫逸度ノ差ノ信賴度，甲テスト１（抹消）
× 印ハ左端縱列記名族ノ平均又ハ脫逸度ガ上端橫列記名族ノ夫ヨリモ小ナルモノ。無印ハ之ニ反ス。

を、その差の標準誤差、$\sqrt{(\sigma_{o1})^2+(\sigma_{o2})^2}=\sigma_o$, diff. (8) で除した價をも示したものである。前者は各族間の代表値相互の間に果して統計的に確實なる差異の存否を確むる爲であり、後者は各族間に於ける趨異の差の確實度を知る爲めであることは云ふまでもない。各表とも前者は左下半に、後者は右上半に示されてゐる。此等の表の觀察から次のことが知らるゝ。

(I) 各族の平均得點の相互差異について、

(一)テスト1(抹消)

(1) 內地人の平均得點は、アタイヤル、ブヌン二族の夫れとは確實なる差異あり、內地人大なる優越を

	アタイヤル	ブヌン	パイワン	ツオウ	パナパナヤン	パンツァー	本島人	內地人
アタイヤル		× 0.19	× 1.69	1.35	0.40	0.46	0.41	× 1.67
ブヌン	× 0.22		× 1.20	1.43	0.52	0.64	0.54	× 1.31
パイワン	3.91	4.13		2.57	1.67	2.36	2.38	0.50
ツオウ	3.41	3.47	0.30		× 0.79	× 1.11	× 1.28	× 2.61
パナパナヤン	1.69	1.42	× 1.08	× 1.43		× 0.11	× 0.21	× 1.56
パンツァー	2.72	2.70	× 2.05	× 1.85	0		× 0.22	× 2.89
本島人	18.71	17.94	12.67	8.42	10.76	22.42		× 3.00
內地人	21.00	19.05	14.05	14.33	11.85	23.69	2.82	

$D_{\sigma}/\sigma_{\sigma}$, diff.（右上）

D_m/σ_m, diff.（左下）

第四表 各族平均得點ノ差及脫逸度ノ差ノ信賴度，甲テスト2（系列）
× 第三表ニ準ズ

示す。其他との差異は、不確實である。

(2) 本島人は確實なる差に於てアタイヤル族に優る。其他との差は不確實。

(3) パンツァー族はアタイヤルに勝る。

(4) パナパナヤン族はアタイヤルに勝る。やゝ確實なる差に於てパイワンに劣る。

(5) ツオウ族はアタイヤルに勝る。

(6) パイワン族は各部種族に勝るも確實なる差はアタイヤル族及ブヌン族との間に見らるゝのみ。

(7) ブヌン族はやゝ確實なる差に於て、內地人とパイフンとに劣る。

	アタイヤル	ブヌン	パイワン	ツオウ	パナパナヤン	パンツァー	本島人	内地人
アタイヤル		× 2.77	× 2.31	× 0.51	2.02	3.29	6.50	7.27
ブヌン	1.63		0.63	1.45	4.25	5.70	6.02	8.56
パイワン	4.33	2.15		1.03	3.89	5.52	8.35	9.00
ツオウ	7.25	5.54	4.12		1.87	1.36	3.88	4.27
パナパナヤン	7.05	4.68	2.83	× 1.91		0.19	2.47	3.06
パンツァー	9.70	5.47	3.11	× 2.56	× 0.55		4.81	6.06
本島人	15.49	9.50	7.79	× 0.16	3.27	8.04		1.82
内地人	19.72	12.24	10.98	1.78	6.13	14.64	9.79	

D_σ/σ_σ, diff.

D_m/σ_m, diff.

第五表　各族平均得點ノ差及脱逸度ノ差ノ信頼度，甲テスト3（迷路）
× 第三表ニ準ズ

(8) アタイヤル族は凡ての他の部種族に劣る。

(二)テスト2(系列)

(1) 内地人は他の凡てに勝る。但し本島人との差は不確實。

(2) 本島人は内地人を除く凡てに勝る。

(3) 高砂族相互の間には殆んど差なし、確實なる差異はパイワンとブヌンとの間にのみ存し前者勝る。アタイヤルとパイワン間にも殆んど同程度の差あり。アタイヤルとブヌン殆んど同じく共に高砂族中の最下位にあり、パイワン、ツオウ殆んど同じく、共に高砂族中最高位にあり。

(三)テスト3(迷路)

	アタイヤル	ブヌン	パイワン	ツオウ	パナパナヤン	パンツァー	本島人	内地人
アタイヤル		× 0.26	0	0.11	× 0.48	1.53	× 1.50	× 2.43
ブヌン	× 0.73		0.26	0.30	× 0.27	1.75	× 1.07	× 1.81
パイワン	0.21	0.92		0.11	× 0.48	1.53	× 1.50	× 2.43
ツオウ	3.59	3.90	3.46		× 0.47	0.80	× 1.00	× 1.48
パナパナヤン	4.31	4.59	4.17	0.40		0.15	× 0.39	× 0.96
パンツァー	7.60	7.43	7.35	0.54	0.03		× 4.40	× 5.18
本島人	23.50	20.09	23.22	8.53	8.50	19.36		× 1.30
内地人	21.20	19.26	20.95	8.31	8.27	17.00	0.07	

D_σ/σ_σ, diff.

D_m/σ_m, diff.

第六表　各族平均得點ノ差及脱逸度ノ差ノ信賴度，甲テスト4（ブロック）

× 第三表ニ準ズ

(1) 内地人は確實なる差に於て他の凡てを凌駕す。

(2) 本島人は内地人を除く殆んど凡てに勝る。但だツォウに稍々及ばざるも差は不確實である。又パナパナヤンとの差も不確實。

(3) 高砂各族間にては、ツォウ最も良く、ブヌン、アタイヤル最も劣る。後の二族間にてはブヌン勝るも差は不確實。パイワンは唯だアタイヤルのみに確實に勝る。パイワン、パンツァー、パナパナヤンの三族間には差の確實なるものなし。最後の二族とツォウとの差も不充分である。

(四)テスト 4(ブロック)

(1) 内地人は凡てに優る。唯だ本島人との差は甚だ不確實にして無きに均し。

(2) 本島人は内地人を除く他の凡てに勝る。

(3) 高砂族間にては、パンツァーとパナパナヤン殆んど相等しく、共にツォウを除く他の三族に確實に優越を示す。ツォウは他部族との差に於て確實なるものなし。パイワン、ブヌン、アタイヤル三族中ではブヌン最下位にあるも差は不確實。

要するに甲テストに於て平均點から見た各族間の成績は内地人最も高位であり本島人之に次ぐ。二者の間では各テスト共著しい差なく、唯だ迷路のみが確實な差を示すのである。高砂各族間ではアタイヤル最下位であり、ブヌン之に次ぐ。パイワン族は抹消に於て斷然優位を示すけれども確實な差はアタイヤル、ブヌンに對する差のみであり他は不充分な差を見するにすぎぬ。迷路、ブロックに於ては却つて他部族に確實に凌駕される。概して謂へば高砂族中ではツォウ最も秀で、パンツァーとパナパナヤンとは殆んど同等にして之に次ぐ優位を示すこととなる。

(II) 各族脱逸度の差異について

(一)テスト1(抹消)

(1) 内地人の趨異度は他の凡てに比して小である。就中ブヌン、パイワン、パンツァーとの間には確定的の差が存在すること第三表の示す通りである。

(2) 本島人は内地人を除く他の凡てのものより趨異度が小である。之と確實なる差を有する部族は内地人の場合と同じである。

(3) 高砂族中ではパイワンが最も趨異が大であり、他の凡てに對して確實に大差あることを示す。この事はパイワン族兒童は、その所得平均點よりすれば他の凡ての部種族よりも優れてゐるにも拘らず、他の孰れよりも得點が不統一であることを示すものであり、彼等の中には相當年長者を含む爲に、平均得點は高きも、全體としては粒が不揃ひであり、一方可なり不良な者を含むものである。パイワンに次いで趨異度の大なるはブヌン族である。パナパナヤンとの差が不確實である外は全部有力確實なる差を示す。次でパンツァー、パナパナヤン、ツオウ、アタイヤルの順序であり、アタイヤルは高砂族中最小の趨異を示し、内地人、本島人との差も不確實である。此族とツォウハナパナヤンとの間には殆んど趨異の差の見るべきものなく、此三族に於て最も平均の安定なるを知る。

(二)テスト2(系列)

(1 此テストに於ては內地人はパイワンを除く他の凡ての部種族よりも大なる趨異を示し、抹消テストに於けるパイワンの如き位置にあることを物語るものである。卽ち成績は最良であるが、脫逸度が大で不安定である。但しパイワンと他族との趨異の差は悉く確實なる差であつたが、內地人の今の夫は悉く不確實なる差である。卽ち內地人兒童の系列の成績は可なり動搖性を有つてゐるが、他と比べて內地人がより大なりと一般的に結論し得る程確定的なるものは一つもない。

(2) 本島人も可なり動搖を示すも他と決定的な差を示す程のものはない。

(3) 各族中ではパイワン最も趨異が大であり、此點內地人を凌ぐけれども、此處にも亦有力確實なる差はない。要するに系列テストに於ては、一般に得點の小なると共に、脫逸度も小であり、各部種族を通じて確實なる差は一も見當らない。

(三)テスト3(迷路)

(1)內地人は他の全部に比して趨異小であり、其中本島人、パナパナヤン二族を除く他の凡てと確實なる差を有する。

(2)本島人も又內地人に次で趨異小であり、パナパナヤン、ツオウ二族を除く他族は確實なる差を以て本島人よりも動搖性甚しきことを知る。

(3)高砂中にてはブヌン最大、パイワン之に次ぎ、ツオウとアタイヤル、パンツァーとパナパナヤンとは殆んど同等であつて各々次位をなす。

(四)テスト4(ブロック)

(1)內地人は最も不安定であり、趨異度は全部の他族を凌ぐ。併し確實なる差はパンツァーとの間に於けるもの唯一つである。

(2)本島人に就いても內地人に對すると同樣のことが云へる。

(3)高砂族中に於てはパンツァーが最も脫逸度小であり、此點他の凡てに優る。而も他の高砂族との間に於ける差は不確實であるが、內地人、本島人の夫とは確實である。

之を要するに脫逸度に於ては抹消テストにてはパイワン族が最も大なる動搖

を示し、系列テストではは各部種族間の趨異に確實なる差あるものなく、迷路は各族間の差著しく、内地人に最小、ブヌン族最大の脱逸を現はして居る。ブロック計算テストにありては、内地人、本島人は脱逸度高く、高砂族兒に低く、殊にパンツァーに於て然るものである。

全體を通觀するに、ブヌン、パイワン二族に趨異の大なるものあり、而も其の差は統計學的に見て有意義なる差異をなす場合が多い。系列とブロックとに於ては、高砂族に於けるよりも、寧ろ内地人、本島人に脱逸度高きは一見奇異の觀があるけれども精査する時は理由あることが發見される。前掲第三圖第四圖に見らるる如く、二者共に最初の數箇は容易であり、後に進むに從つて困難度を增すのであるが、彼等高砂族兒童は限られたる時間内に於て、後の困難なる部分まで進む能力なく、假令進みても正答を得ず、得點の範圍は多く最初の數箇に限らるゝが故に、當然平均よりの脱逸の程度小となるものと思料される。抹消に於ては終始困難度の差なく、迷路にはあれども與へられたる時間比較的長き爲共にこの現象が起らなかつたものと見ゆる。

乙テスト各族の比較

乙テストの結果は第七表に示す通りである。此を基礎として、前の甲の場合と同一方法に依つて、第八乃至第十一表を得る。

第七表　乙テスト各族平均得點，脫逸度及平均ノ標準誤差

	記號				13				過不足				對應			
	被檢者數	平均得點	σ	σ_m	被檢者數	平均得點	σ	σ_m	被檢者數	平均得點	σ	σ_m	被檢者數	平均得點	σ	σ_m
內地人	275	46.71	14.27	0.86	275	19.77	4.52	0.27	275	16.05	3.15	0.19	275	3.96	0.21	0.01
本島人	324	44.25	14.00	0.78	324	20.50	4.72	0.26	324	14.51	4.35	0.24	318	3.85	0.58	0.03
パンツアー	162	28.98	10.58	0.83	162	5.72	6.22	0.49					162	3.50	1.00	0.08
パナパナヤン	30	27.45	12.25	2.24	30	11.57	8.82	1.61					30	3.47	0.96	0.18
ソオウ	26	26.12	14.54	2.85	26	8.50	8.70	1.71					26	3.54	1.08	0.21
パイワン	81	28.81	14.76	1.64	81	11.88	9.07	1.01	81	4.06	4.16	0.46	72	3.04	1.46	0.17
ブヌン	98	22.40	11.28	1.14	98	10.01	8.52	0.86	43	2.31	2.36	0.36	89	2.54	1.59	0.17
アタイヤル	87	28.90	15.02	1.61	87	7.07	7.23	0.77	87	2.06	2.47	0.26	87	1.76	1.52	0.16

(I)各族の平均得點の相互差異について

(一)テスト一(記號)

(1)內地人の平均得點は他の孰れよりも勝れて居る。但し本島人との差の

	アタイヤル	ブヌン	パイワン	ツオウ	パナパナヤン	パンツァー	本島人	内地人
アタイヤル		2.69	0.16	0.21	1.42	3.47	0.81	0.58
ブヌン	× 3.30		× 2.47	× 1.50	× 0.55	0.70	× 2.78	× 2.96
パイワン	× 0.04	2.21		0.09	1.28	3.22	0.59	0.37
ツオウ	× 0.85	1.21	× 0.82		0.89	1.89	0.26	0.13
パナパナヤン	× 0.53	2.01	× 0.49	0.37		0.99	× 1.05	× 1.20
パンツァー	0.04	4.67	0.09	0.96	0.64		× 4.28	× 4.34
本島人	8.58	15.83	8.48	6.15	7.09	13.39		× 0.33
内地人	9.73	17.00	9.68	6.91	8.03	14.78	2.12	

D/σ_{σ} diff.

D_m/σ_m, diff.

第八表　各族平均得點ノ差及脫逸度ノ差ノ信賴度，乙テスト１（記號）
× 第三表ニ準ズ

みは不確實。

(2) 本島人の得點は、内地人を除く他の凡てに超え、而もその差は皆な確實なる差である。

(3) 高砂中ではパンツァー族最も優れ他の凡ての部族に勝る。但し其差は小にして、確實なる差はブヌンとの間にのみ見らる。パンツァーに次ではアタイヤル良し。但し差は孰れも不確實である。その他の部族間にも差の見るべきものはない。即ち高砂族中では最高のパンツァーと、最低のブヌンとの間にのみ差あるも他は差の取るに足る程のものはない。

	アタイヤル	ブヌン	パイワン	ツオウ	パナパナヤン	パンツァー	本島人	内地人
アタイヤル		× 1.57	× 2.04	× 1.11	× 0.47	1.55	4.33	4.67
ブヌン	2.56		× 0.59	× 0.13	× 0.31	3.29	5.94	6.25
パイワン	3.79	1.41		0.26	0.19	3.61	5.88	6.15
ツオウ	0.76	× 0.79	× 1.70		× 0.10	1.98	3.26	3.43
パナパナヤン	2.53	0.85	× 0.16	1.30		2.18	3.57	3.74
パンツァー	× 1.48	× 4.33	× 5.50	× 1.56	× 3.48		3.85	4.25
本島人	16.58	11.66	8.29	6.94	5.48	26.87		0.74
内地人	15.49	10.84	7.51	6.51	5.03	25.09	× 1.97	

D_o/σ_o, diff.

D_m/σ_m, diff.

第九表 各族平均得點ノ差及脫逸度ノ差ノ信賴度，乙テスト2 (13)
× 第三表ニ準ズ

(二)テスト2(十三)

(1)内地人は本島人を除く他の凡てに勝る。稍や後者よりも得點小きも微差取るに足らぬものである。

(2)本島人に關しては前述のことから自ら明らかである。

(3)高砂族中ではパイワン最も勝れ、パンツァー最も劣るも、差の確かなるは、この兩者間の差と、後者とブヌンの夫れとのみで、他は不確實である。

(三)テスト3(過不足)

此のテストは普通幼兒に用ひられてゐるものであり、高砂族には適當と思料し、彼等に理解さるゝ事物を選擇することに可なり苦心を拂つて用意されたものであるが、實際彼等をテストとして見ると成績は非常に不良であり、二十箇問題に於て、平均得點は二乃至四點(第七表參照)であり、その趨異の範圍も狹小であり、加之テスト方法を理解せしむるに可なりの長時間を要する爲め、表に見る如く三部族についてテストしたのみで、以後は之を行ふことを中止したのである。此の三部族のみに就いて見れば、パイワン最も良く、ブヌンとアタイヤルとは差がない。但しパイワンと他の二部族との間の差も確實でない。

內地人本島人と高砂族との間には大差があり、殆んど比較にならぬ。平均得點から觀るに此二種族には稍や容易に過ぎ、高砂族兒童には困難に過ぎると見る

	アタイヤル	ブヌン	パイワン	本島人	內地人
アタイヤル		0.34	× 4.21	× 7.52	× 2.96
ブヌン	0.57		× 4.39	× 6.42	× 2.72
パイワン	3.77	3.02		× 0.38	2.89
本島人	35.57	28.37	20.10		5.45
內地人	43.72	33.51	23.98	5.35	

(右上: D_σ/σ_σ, diff.　左下: D_m/σ_m, diff.)

第十表　各族平均得點ノ差及脫逸度ノ差ノ信賴度，乙テスト3（過不足）

× 第三表ニ準ズ

	アタイヤル	ブヌン	パイワン	ツオウ	パナパナヤン	パンツァー	本島人	内地人
アタイヤル								
ブヌン	3.39							
パイワン	5.57	2.08						
ツオウ	6.85	7.41	1.85					
パナパナヤン	7.13	3.72	1.72	× 0.25				
パンツァー	9.67	5.05	2.42	× 0.18	0.15			
本島人	13.06	7.71	4.76	1.48	2.11	3.89		
内地人	13.75	8.35	5.41	2.00	2.72	5.75	3.67	

D_m/σ_m, diff.

第十一表 各族平均得點ノ差及脫逸度ノ差ノ信賴度，乙テスト4（對應）

× 第三表ニ準ズ

べきである。これは必ずしも生得的智能の差と云ふよりも、山の兒童が殆んど實物にのみ親しく、平面圖について觀察比較することに殆んど無經驗である爲めでは無いかと思はれる。

内地人と本島人間には小差ではあるが確實なる差があり、前者が後者に比して勝つてゐる。これも或は前記と同様の理由に本づくものではあるまいか。

（四）テスト4（對應）

此テストは既述の如く、分布曲線の形から觀て多くの部種族にとつては容易に過ぎ、たゞブヌンにとつては適當でありアタイヤルにとつては稍や難きに過ぐるとさへ思はるゝのである。從つてこの二部族は他と可なりの大差を示してゐる。ツオウ、パンツァー、バナバナヤンの三部族は殆んど差がない。パイワンは中間に位する。

内地人と本島人とでは前者稍や勝るも差は小であり、又不確實である。ツオウ、バナバナヤンと内地人とも差なし。その他と内地人とは確實な差あり。本島人と高砂族とについても略ぼ同樣のことがいはれ得る。

之を要するに乙テストに於ても概して内地人最も優位を示し、本島人之に次ぎ高砂族最も劣ることは甲に於けると同樣である。高砂族中に於ける優劣は問題によつて一樣でない。アタイヤルでは第一の記號テストでは可なり良成績を示し、他の多くの部族と同樣又は稍や勝れた結果をさへ現はしてゐるが、その他のテスト殊に最後の對應テストに於ては確實に他部族に劣つた成績を擧げてゐる。第一の記號テストに於ける他部族との差は孰れも不確實であるから、結局アタイヤルには全體的に見て他よりも平均得點は小であると結論せねばならぬ。之に次いで成績不良なるはブヌンである。他の四部族間に於ては殆んど甲乙を見な

(II)各族脫逸度の差異について

第一の記號テストに於てパンツァー族が最小の趨異度を示して居り、殊に內地人、本島人との差に於て確實なる差を生じて居るのは如何なる理由に因るか不明である。第二のテストに於ては此部族も他部族同樣可なり大なる動搖を示して居り、內地人に比しては確實なる差を生じてゐる點から見て、パンツァーが一般的に粒が揃つてゐるとは考へられない。第一テストに於ける確實なる差は上述の二つのみであり、他は充分なる差とは謂へぬ。

第二テストに於ては、內地人本島人の趨異度は一般に小さく、共にアタイヤル、ブヌン、パイワン等のそれに比して、確實なる差を示す。

第三テストに於てアタイヤル、ブヌン兩族の趨異度の小なるは、旣述の如く彼等に於ける得點が甚だ小なる爲である。

第四テストに就ては、殆んど凡ての部種族の得點分布曲線が非常に歪曲する爲、信賴度を測る數學的公式を適用することが妥當ならずと考へらるゝ爲め之が比較を略することゝする。

内地人と本島人との趨異度を比較するに、第一、第二テストに就ては全く差がない。第三の過不足テストに於て確實に内地人に小となつてゐるのは、既述の如く、本島人兒童一般が家庭に於て事物の繪畫を觀察比較する經驗に於て、内地人兒童に劣る爲の後天的影響に因るものであらう。

五、結果の性的差異

本論文の關する範圍内のテストの結果に就て性的差異の存否を見るために各族の夫々の男女を比較考察して見ることゝする。

甲テストに就て

第十二表は前の第二表を男女各々に分類して表はしたものである。これによつて大體性的にどれだけの差があるかゞ、各族の平均得點についても其趨異度についても觀察されるが、一層之を明瞭確實にする爲めに、之を基礎として、既述の方法に由つて、差の確實度を計算して見た結果が次の第十三表である。茲にも亦代表値(平均)についての男女の差と、趨異度(標準偏差)についての夫れとの各々についての信頼度を見ねばならぬ。代表値については性的差異なくして、趨異度には差あるもの、又は之に反する場合があり得べきからである。

第十二表　甲テスト各族平均得點，脫逸度及平均ノ標準誤差ノ各男女別

		被檢者數	抹消			系列			迷路			ブロック		
			平均得點	σ	σ_m	平均得點	σ	σ_m	平均得點	σ	σ_m	平均得點	σ	σ_m
內地人	男	282	78.5	23.42	1.39	6.54	2.18	0.13	18.52	2.27	0.14	8.17	2.45	0.15
	女	288	77.5	19.98	1.18	6.97	1.92	0.11	16.63	2.32	0.14	6.77	2.39	0.14
本島人	男	330	74.1	20.67	1.14	6.38	1.74	0.10	17.31	2.05	0.11	7.87	2.42	0.13
	女	313*	73.0	24.86	1.41	6.34	1.90	0.11	15.00	2.76	0.16	7.01	2.27	0.13
パンツァー	男	167	82.2	33.05	2.56	3.74	1.88	0.15	15.84	2.13	0.16	5.56	1.74	0.13
	女	139	61.5	25.89	2.20	3.58	1.70	0.14	12.53	3.93	0.33	3.74	1.71	0.15
パナパナヤン	男	32	70.3	24.49	4.33	3.97	1.76	0.31	15.91	3.14	0.55	5.31	2.18	0.39
	女	23	63.3	30.02	6.25	3.26	1.72	0.36	12.83	3.22	0.67	3.91	1.86	0.39
ツオウ	男	33	81.1	30.04	5.23	4.15	1.65	0.29	16.85	4.31	0.75	4.67	2.36	0.41
	女	9	70.6	24.55	8.18	4.22	1.69	0.56	14.11	5.24	1.75	4.11	0.99	0.33
パイワン	男	88	101.0	73.10	7.79	4.16	2.14	0.23	14.22	4.82	0.51	3.59	2.16	0.23
	女	70	80.9	65.15	7.78	3.97	2.12	0.25	11.11	5.31	0.63	2.87	2.13	0.25
ブヌン	男	60	60.7	43.26	5.58	2.80	1.72	0.22	12.60	5.11	0.66	3.17	2.33	0.30
	女	68	61.5	47.61	5.77	3.41	1.98	0.24	10.12	5.64	0.68	2.91	2.13	0.26
アタイヤル	男	70	48.4	26.34	3.15	3.03	1.77	0.21	11.44	4.42	0.53	3.30	2.19	0.26
	女	86	40.6	23.41	2.53	3.30	1.92	0.21	9.66	4.14	0.45	3.15	2.17	0.23

＊ブロックニ限リ 312 人

第十三表を見るに、抹消、系列の兩テストに於ては、各族とも男女間に於ける差は、

平均、趨異度共に悉く不確實である。迷路テストに就ては、平均、趨異度共に確差あ

	抹消		系列		迷路		ブロック	
	D_m/σ_m diff.	D_σ/σ_σ diff.	D_m/σ_m diff.	D_σ/σ_σ diff.	D_m/σ_m diff.	D_σ/σ_σ diff.	D_m/σ_m diff	D_σ/σ_σ diff.
内地人	0.55	2.67	2.53	2.17	9.45	0.36	6.67	0.43
本島人	0.61	3.27	0.27	1.60	12.16	5.46	4.78	1.15
パンツァー	0.61	3.01	0.76	1.20	8.95	6.92	9.10	0.21
パナパナヤン	0.92	0.95	1.48	0.12	3.54	0.13	2.55	0.82
ツオウ	1.08	0.80	0.11	0.09	1.44	0.69	1.06	3.70
パイワン	1.83	1.02	0.59	0.08	3.84	0.84	2.12	0.13
ブヌン	0.10	0.77	1.85	1.13	2.61	0.79	0.65	0.71
アタイヤル	1.93	1.03	0.96	0.71	2.54	0.57	0.43	0.08

第十三表　各族男女平均得點ノ差及脫逸度ノ差ノ信頼度

るものがあり、ブロックテストに就いては平均得點に關してのみ確實なる差あるものがある。差の充分なるもの耳について少し論述して見る。

（一）迷路テストについて

(1)内地人男女を比較するに、男子の得點は明確に女子のそれを凌ぐ。趨異度

については女性稍や大なる如くであるが、微差不確實である。

(2)本島人に於ても男子は平均點に於て明瞭に女子に勝る。のみならず又男子は女子に比して明確に趨異度が小である。

(3)パンツァー族兒童に關しても亦、全く本島人に關すると同樣の事實が觀らる る。其他の高砂族に關しては差の充分信頼すべきものが發見されない。

アタイヤルを除く全部が些少ながら趨異度が女に大であることは注意すべき現象である。

(二)ブロックテストに就て

(1)內地人では平均得點に於て男子が斷然女子よりも優位に立つことを示してゐる。

(2)本島人に於ける平均得點の男女差の絕對値は微少であるが、その少差の確實度は充分信頼に價するものである。矢張り男が優れてゐる。

(3)パンツァー族兒童でも、男子が女子に明確に勝る。其他の高砂族では男女差は見られない。

全部種族を通じて、このテストでは、趨異度に於ては性的差別の確かなる

ものは一つも見出されない。たゞ微少ながら、男子の趨異度が大なる點は、

		記號				13				過不足				對應			
		被檢者數	平均得點	σ	σ_m	被檢者數	平均得點	σ	σ_m	被檢者數	平均得點	σ	σ_m	被檢者數	平均得點	σ	σ_m
內地人	男	153	44.11	12.99	1.05	153	19.56	4.35	0.35	153	16.36	3.21	0.26	153	3.96	0.19	0.02
	女	122	49.14	15.32	1.39	122	20.02	4.71	0.43	122	15.66	3.04	0.28	122	3.97	0.22	0.02
本島人	男	164	40.33	10.93	0.85	164	20.41	4.72	0.37	164	15.60	3.83	0.30	158	3.82	0.60	0.05
	女	160	48.28	15.57	1.23	160	20.55	4.73	0.38	160	13.40	4.24	0.34	160	3.88	0.56	0.04
パンツァー	男	98	29.42	9.91	1.00	98	6.34	6.19	0.63					98	3.48	1.01	0.10
	女	64	28.06	11.54	1.44	64	4.78	5.83	0.73					64	3.53	0.98	0.12
パナパナヤン	男	12	28.50	11.55	3.34	12	12.33	8.96	2.59					12	3.50	1.19	0.34
	女	18	26.61	12.56	2.96	18	11.06	8.69	2.05					18	3.44	0.76	0.18
ツオウ	男	17	28.93	15.73	3.82	17	8.15	8.95	2.17					17	3.35	1.28	0.31
	女	9	20.61	13.30	4.43	9	9.17	8.16	2.72					9	3.89	0.31	0.10
パイワン	男	44	28.23	13.90	2.10	44	12.36	9.08	1.37	44	4.86	4.46	0.67	38	3.18	1.41	0.23
	女	37	29.50	15.42	2.54	37	11.31	9.03	1.49	37	3.09	3.54	0.58	34	2.88	1.49	0.26
ブヌン	男	50	25.18	14.57	2.06	50	11.02	8.82	1.25	21	2.50	2.47	0.54	46	2.57	1.58	0.23
	女	48	19.75	12.54	1.81	48	8.96	8.07	1.16	22	2.14	2.23	0.48	43	2.43	1.61	0.25
アタイヤル	男	46	27.67	15.26	2.25	46	8.11	7.22	1.06	46	2.59	2.56	0.37	46	1.96	1.47	0.22
	女	41	29.78	14.62	2.28	41	5.57	7.13	1.11	41	1.48	2.21	0.35	41	1.54	1.55	0.24

第十四表　乙テスト各族平均得點，脫逸度及平均ノ標準誤差ノ各男女別

前の迷路テストと鮮かな對照をなす。

乙テストに就て

第十四表は第七表の男女分類表である。之から計算された平均得點の差及び趨異度の差の確實度を第十五表とする。

	記號		13		過不足		對應	
	D_m/σ_m diff.	D_σ/σ_σ diff.	D_m/σ_m diff.	D_σ/σ_σ diff.	D_m/σ_m diff.	D_σ/σ_σ diff.	D_m/σ_m diff.	D_σ/σ_σ diff.
内地人	2.89	1.89	0.84	0.52	1.90	0.63	0.33	1.50
本島人	5.30	4.38	0.26	0.03	4.89	1.28	1.00	0.80
パンツァー	0.78	1.31	1.63	0.53			0.31	0.27
パナパナヤン	0.42	0.32	0.38	0.12			0.16	1.59
ツオウ	1.42	0.59	0.29	0.32			1.64	4.22
パイワン	0.38	0.65	0.52	0.03	1.99	1.46	0.86	0.33
ブヌン	1.98	1.05	1.20	0.62	0.50	0.47	0.41	0.13
アタイヤル	0.66	0.28	1.66	0.08	2.18	0.97	1.27	0.35

第十五表　乙テスト各族男女平均得點ノ差及脱逸度ノ差ノ信頼度

乙テストに就いても甲の場合と同じく、大體に於て明確なる性的差異を示すものは極めて稀有である。十三テストには各部種族を通じて平均にも趨異度にも全く男女差の信頼すべきものはない。對應テストの平均點についても同様である。但だ記號テストに就て、本島人の男女差に平均趨異共明確な差異が現はれて居り、而も共に女子が男子よりも大である。過不足テストに就ても本島人のみ確實な差を示してゐるが、玆では男子の平均得點が女子に夫の勝れてゐる點に於て記號テストと相反する。

要するに男女の能力に就ては、今のテストの結果に現はれたる限りに於ては、低學年兒童に於ては其の差なきものと見るべく、やゝ高學年に於て一、二の作業に(迷路、ブロック)其差が見らるゝも、他の作業に之を見ざる點よりして、智的能力全體に關して一般的結論を下すことは不可能である。趨異度に關しても同様である。

六、結語

(一)テストの適否といふ問題は今回の吾々の知らむとする直接目的ではなかつたのであるが、副次的産物として或る收穫が得られた。卽ち或種のテストを作るに當つて、多分適當であらうと豫想されたものが、實際施行して見ると不適當であることのあることが知られた。例へば乙テストの過不足の如きがそれである。

表現された事物は全部彼等高砂族が日常接する事物のみであるにも拘らず、彼等が其繪畫に親しくないことの爲めに、彼等は之について精細な點を見分けることを善くしないらしい。又對應テストは内地人、本島人のみならず、高砂族中の多くの部族にとつても容易に過ぐることが知られた。それは普通爲さるゝが如く、矢張り幼兒テストに用ふべきものである。

甲テストに就ては大體適當と思はれる。勿論各部種族の能力の差に從つて、その施行時間についても或る族には長きに過ぎる等の嫌はあるが、之は止むを得ないことである。同時に又或る族に容易にすぐるテストが、或族には困難な場合のあることも、同一テストを多くの異れる部種族に施す以上は止むを得ないことである。吾々の目的は各族間の差異を知ることにあつたのであるから、同一テストを各族に通用したことに不合理はない。

(二)各部種族についての結果を比較するに、内地人兒童は凡てのテストに於て最大なる平均點を獲てゐる。若し平均點の大なる事が直に智能の優秀なることを示すものとすれば、内地人兒童が最も優れた智能を有することが知られる。甲テストの凡てが注意の集中能力、判斷力、筋肉的意志動作、計數の能力等に密接なる關係を有し、それに就ての得點の大なることは、智能度の高いことを示す上の、少くとも一部の目安を成すことは今更ら云ふを俟たぬ所である。乙テストは甲ほどに普通用ひらるゝものでは無いが、而も猶ほ上述の精神活動の方面と緊密なる關係あることは拒み難い。故に之も亦その得點は少くとも智能度を現はす一部の尺度とするに足るであらう。

內地人兒童に次で優れた結果を示すものは本島人兒童である。而して多くの場合に於て內地人との差は不確實な差である。但し內地人に比して平均一年乃至一年半年長であることを忘れてはならぬ。

高砂族兒童中で多くのテストに就て最も劣つた結果を示したものはアタイヤルとブヌンとである。他の部族相互間については、ツォウが稍や優位を示すも、大體に於て大なる差異は無い。恐らく同等程度と見るべきであらう。

既述の如くパイワンは他の凡ての部種族に比して、平均年齡に於て約一年乃至三年々長であることを考慮するならばパイワンの位置は今少し低くして差支ないものであらう。但しブヌンとの年齡差は、三四年生にては極めて僅かであり、二年生にても一ケ年に過ぎず、アタイヤルとの差も二年を出でぬのであるから、ブヌンとアタイヤルとが高砂族中の最劣位にあることには、假りに年齢の影響が除かれたとしても大なる動搖はない筈である。 他部族中では恐らくパイワン最下位に落ち、ツオウが高砂中の最優位を獲るのではないかと思はれる。

(三)趨異度より見る時は、內地人、本島人に於て一般に低く、パイワン、ブヌン二族は多くのテストに於て大なる趨異度を示してゐる。

(四)性的差異、については、多くの場合男女の得點に差の確實なるものは見られない。 唯だ或る種族の或る少數のテストに於て差異が存するけれども、この事實から、直に差の一般的存在を結論することは早計であらう。 趨異度の性的差異に關しても同樣であり、一般的には差異なきものと見える。 從つて男子が女子よりも一般的に趨異度が大であるといふ從來屢々なされた結論は、今の吾等の結果から觀るときは俄に承認しがたい。

註(1) 臺北帝國大學文政學部哲學科研究年報、第三輯、藤澤茽論文の序參照
(2) 同前、五〇三頁
(3) 本年報、第一輯
(4) Lämmermanu は單に數テストと呼んで居る。 (Zeitsch. angew. psychol. Beiheft 20. 1926)
(5) 大伴茂、教育診斷學も其一例

(6) Whipple: Manual of Mental and Physical Tests. Simple Processes. p. 313.

(7) $\sigma_m = \frac{\sigma}{\sqrt{N}}$

(8) $\sigma_o = \frac{\sigma}{\sqrt{2N}}$

教育の可能と限界

福島重一

目次

一

教育とは何であるか。我々は教育といふ場合、先づ第一に教育する者とされる者とを考へる。從つてそれは人と人との相互作用であると言ふ事が出來る。けれども人と人との總ての相互作用が教育であるとは言へない。人と人との相互作用には教育的でないものも存するから。然らば教育とは人と人との如何なる相互作用であるか。

教育といふことが問はれ、問題とせられるのは常に教育する者の側に於てゞある。教育される者の側に於ては、教育とは何であるかといふことは問題にならない。從つて或る相互作用が教育的であるか否かといふことは常に教育する者の側に於て問題となる。從つて教育的であるか否かといふ事は、教育する者の相手に對する態度によつてきめられると考へられる。然し、ある行爲が教育的であるか否かといふことは、たゞ單に教育する者の側のみからは言はれない。教育といふことが言はれる限り、教育される者に、その行爲によつて或變化がなされるといふこと、教育される者が、それによつてよりよくなることが問題とせられる。從つて、或行爲が敎育的であると言はれる爲には、相手の發展に對して何等かの意味に於て役立つといふことがなければならぬ。こゝに於て、一體人は相手のよりよくなることに對して役立つことが出來るか、若し役立つことが出來るとすれば、それは如何なる意味に於てゞあるかといふことが敎育學にとつて本質的な問題となる。從つてこの場合、人の人としての發展といふものは、たゞ自分自らの努力によつてのみ可能なのであるから、他人の行爲は私のよりよくなることに對して何等の意味も持ち得ないと見る時、我々は本質的意味に於ける人の敎育といふことを否定せざるを得ない。何等かの意味に於て、他者が私の發展に對して役立つと考へられない限り、人の敎育といふことは否定せられる。從つて敎育といふ事が言はれ得るとすれば、人の人としての發展といふ事は、決して自分自らの力のみによつてはなされ得ないこと、何等かの意味に於て他者の生存が必要であるといふことが立證されなければならない。こゝに於て、人の發展とは一體何であるか、人の發展に對して他者は如何なる意味を持つか、人の人としての發展に對する他者の役割如何といふ事が問題となる。こゝに人の人としての發展といふことが言はれる限り、一體人とは何であるかといふ事が先づ問題とせられる。然るに人とは何であるかといふ問題は、結局我とは何であるかといふ問題に他ならない。

一體、私は何であるかといふことは、行爲的には誰にでも知られるが、一たびこれを知的に把握しやうとする時、私は何時の間にかすりぬけてしまつて其形骸のみが私の手に殘される。言はゞ、生命のない影が捉へられる。何故ならば、知的に反省せられるところの私は完了せるもの、過ぎ去つたものとして現實の私ではないからである。私が私だと知的に考へるところのものは、現實の私ではなく、固定化された私、死んだ私である。これは死せるもの過ぎ去つたものとして、生ける私とは全く異つたものである。現實の私は知的對象たり得る存在でもなく實體でもない。これ私が行爲主體であつて、知的對象となり得ないものであるが爲である。自己とはたゞ行爲しつゝあるものであるが爲である。今こゝに行爲しつゝあるもの、それが私であつて、この行爲しつゝある私を離れて別に私といふものがあるのではないからである。

然るに行爲するとは何事かをなすことである。從つて行爲する爲には、何事かをなすやうに私を呼ぶものがなければならぬ。行爲を呼ぶものがなければならぬ。何か内容的なものがあつて行爲を呼ぶのでなければならぬ。何故ならば、行爲はその働きかけるもの、行爲の對象を持たなければならないからである。而もそれは私の行爲を呼ぶものとして、又それに對して働きかけるものとして、何等かの意味に於て私に對してゐるものでなければならぬ。この樣に行爲するとは、私に對して立ち、私に對して呼びかけるものに對して働きかける事である。然るに其呼びかけるものに働きかける働きかけ方、行爲の仕方を規定するものは、その行爲を呼ぶ內容的なものである。その內容的なものが行爲の目的として取上げられる事によつて、行爲の仕方は規定せられるのであるからである。かく私に對して立ち、私に呼びかけるものが、その呼びかけに相應せる行爲を呼ぶのであるから、行爲するとはものの呼びかけに應へることであるといふ事が出來る。水には水に對するやうに、火には火に對するやうに、その呼びかけに相應するやうに行爲することを、呼びかけそのものが要求するのである。(此點に就てはなほ七に於て精しく述べる。) 其故に我々は手島堵庵(朝倉新話)と共に、人とはたゞ應ずるばかりのもの、答へるばかりのものであるといふ事が出來る。かくいふ事によつて我々は、人とは行爲しつゝあるものである、行爲を離れて人はないといふ事を表現すると共に、行爲するとはどういふ事であるかといふことをも共に意味深く表現することが出來る。

人とはたゞ應へるばかりのものである。山は來れと招き、土は耕せと呼びかける、本は讀めよと呼びかける。この萬有の呼びかけに應へるもの、それが私である。このもの、呼びかけがなかつたならば私も亦ない。私があつて、ものが呼びかけるのでもなければ、ものが先づあつて私が呼びかけられるのでもない。ものの呼びかけに即して私の應へがあるのである、應ずるといふ事があるのである。この應ずるものを私共は我といふのである。萬有はそれが私にとつて意味あるものである限り、私に呼びかけてゐる。天の星も私に呼びかければ、地上の石も私に呼びかける。草も木も机も椅子もありとあらゆるものは私に呼びかける。私はたださうした呼びかけに應へるばかりである。私共の行爲とはかうした呼びかけに應へる事に外ならない。生きるとはたゞ應へる事である。

然し呼びかけに應へるとは、それに相應(フサハ)しいやうに應へることであり、相應しいやうに應へるとは、人としてそれゞに相應しいやうに應へることに外ならない。然し事物の呼びかけが私に人としてそれに相應しいやうに應へる事を求めるのは、事物の呼びかけの底に人の聲が聽かれるが爲である。(この點に就ては八に於て述べる。) 人の聲が私を人に迄呼ぶが爲である。人を人に迄呼ぶものは人である。人の呼びかけが人を人に迄呼ぶのである。人の呼びかけが人を人に迄呼ぶのは、人の呼びかけは人に人としての務を課するからである。人は務に於て始めて人としての自覺を持つのである。然し乍ら、實踐的に人として自覺するとはたゞ一般的に人として自覺するのではない。それは誰か特定の人として自覺するのである。何故ならば、人としての自覺は務に於て與へられるのであり、務はただ特定の人の務として私に課せられるものであるからである。嚴密な意味に於て私を人に迄呼ぶものは、私に呼びかける相手である。然るに私に呼びかける相手は誰か特定の人である。それは或は親であるか、子であるか、友であるか、學生であるか、商人であるか、或は知らない人であるか、誰か特定の人である。この呼びかける相手が誰であるかによつて、其相手に對應するやうに應へることが要求せられる。相手の呼びかけは、その相手が誰であるかその相手に對應するやうに應へる事を要求する事によつて、私に誰かとしての務を課し、誰か特定の人に迄私を呼ぶのである。否、相手は既に私を誰かとして呼び、其呼びかけに於て誰かとしての務を課するのである。親の呼びかけは私を子として呼び、その呼びかけに於て子としての務を課するのである。妻の呼びかけは、私を夫として呼び、夫としての務を私に課するのである。私はこの相手によつて投げかけられた務に於て子として或は夫として自覺するのである。然し、かく相手が私を誰かとして呼び、誰かとしての務を課するのは、相手が私に對して立ち、私に對應せるものであるが爲である。相手が私を子として呼ぶのは相手が親であるが爲であり、夫として呼ぶのは相手が妻であるが爲である。このやうに、私に呼びかける相手と相手に應へる私とは、相互依存の關係に於てあり、全く相對應せるものである。相手が誰であるかといふ事は、私が誰であるかといふことに依存し、私が誰かであるのは相手が誰かであるが爲である。實に呼びかける相手と應へる私とは、切つても切れない關係に於てあるのである。かうした相互依存の關係に於て、相手は呼びかけ私は應へるのである。

　私を人に迄呼ぶものは私に對して呼びかける相手である。從つて相手の呼びかけがなければ、人としての私もまた無いと言はなければならぬ。何故ならば、人とはたゞ應へるばかりのものであり、私は相手の呼びかけによつて人に迄呼ばれるのであるからである。然るに呼びかけは呼びかけとして應へを求める。而も相手の呼びかけは、私に人としての務を投げかけ、それに應へることを求める。從つて、この呼びかけに對する應へかたに於て、私の人としての發展といふことは考へられなければならぬ。何故ならば、私は相手の呼びかけによつて始めて人に迄呼ばれるのであるから、呼びかけに對して應へる應へ方に於てのみ人の人としての發展といふ事が問はれなければならないからである。けれども、こゝに應へかたが問題となるのは、務を果す果し方として問題となるのであることはいふ迄もない。從つて、人の人としての發展といふことが言はれる限り、他者の生存は始めから豫想せられてゐると言はなければならぬ。人の人としての發展とは、本質的には人の人としての務を果すこと、相手に對して自分の務を果すこと以外のことではあり得ないからである。この事を離れて人の人としての發展といふ事は言はれない。然るに我々は、發展といふ事をいふ場合、或客觀的なものが他のよりよきものに變化するといふ風に考へる。然しかうした考へ方は行爲的主體的なものを客觀的對象的なものとして把握するものであつて、かゝる立場からは、常に主體的なもののみが問題となる人の敎育に就て考へる場合、正しき見解に達することは出來ない。それは從來の敎育學を支配して來た考へ方ではあるが、それは生成に於てあるものを完了せるものとして捉へんとするものであつて、かゝる立場からは教育の實相は把握せられない。これに對して人は或は言ふかもしれない。一體發展とか發達とか、よりよくなるとかいふことは、二つの狀態を比較することによつてのみ得られる概念である。發展といふことが言はれる爲には、或生存から何物か他のものに成るといふことが言はれなければならぬと。勿論教育といふことが言はれる限り、そこには或ものが或他のものになるといふことが始めから假定せられてゐる。教育に於ては單になすことが問題なのではなく、なることが問題なのであることは言ふ迄もない。發展が其本質的豫想であるといはれるのも、この「なること」が問題となるが爲である。然し我々はそれによつて、客觀的對象的なものの發展をもつて主體的なものゝ發展と混同してはならない。コメニウスの比喩は面白い比喩ではあるけれどもそれはやはり比喩である。人間といふものがあつて、そのものが他のものになる、丁度植物の種子が植物になるやうに、客觀的な物の變化を考へることは誤りである。かゝる立場に立つ限り、實踐的意味に於ける人の發展、人としての人の發展といふことは把握せられない。人は教育によつて人になるといふ。人になるとは實踐的に人になることでなければならぬ。實踐的には人はたゞ自分を人に迄呼ぶ其相手に對して、自分の務をなすことによつて「人となる」のである。務を果さない限り彼は人であつて人でない。我は親に對する務をなすことによつて子となるのである。子に對する務を果すことによつて親となるのである。あるべき人となるのである。この事を離れて人となるといふも無意味である。もしこの事が認められなければならないとするならば、この人となることに對して役立つことこそ、本質的意味に於て敎育であるといはなければならぬ。

こゝに於て、我々は最初に提起した問題に答へなければならぬ。一體かうした意味に於ける人の發展に對して我々は役立つことが出來るか。若し相手の人としての務を果すことに對して役立つとすれば、それは如何なる意味に於てゞあるか。我々は先に述べた事によつて知る樣に、人はたゞ應へるばかりのものであり相手の呼びかけが私を人に迄呼び、人としての務を課するのであるから、相手の呼びかけが私の人となる爲の本質的條件である樣に、私の生存も又彼の人となる爲の本質的條件であると言はなければならぬ。のみならず、我々は日常の生活に於て、相手の私に對する態度が、私の相手に務を果すことに對して重大な關係のあることを知つてゐる。相手の態度は私の態度に對して大なる影響を與へる。相手の私に對する好意は私をして喜んで私の務を果させることは事實である。一切の自己主張を捨てゝ私に仕へんとする相手の態度に對して、私は自己主張をもつて臨むことは出來ない。私は相手のさうした態度によつて素直にせられる。さうした態度によつて呼びかけられる時、私も亦素直にそれに對して應へざるを得ない。人とはたゞ應へるばかりのものである。相手のさうした態度に對してさうした態度を以て應へるといふことは人としての人の自然である。善き行爲が善き行爲を呼ぶのである。もしこの事を否定し得ないならば、相手の態度相手の行爲は、私の務を果すことに對して教育的に働くと言はなければならぬ。此場合、我々は相手が私を教育せんとの意志を以てなしたとか、意志なくしてなしたとかいふ事は問はなくてもよい。もし相手に對する務を果すことによつてのみ、私は人となることが出來るのであれば、私をして喜んでこの務をなさしめる相手の行爲は、本質的意味に於て教育的だといはなければならぬ。若し相手の私に對する態度が、私の人となることに對して重大な影響を與へるとすれば、私の相手に對する態度も亦相手の人となる事に對して影響を與へると言はなければならぬ。相の私に對する態度が私の相手に對する態度を呼び起すやうに、私の相手に對する態度は、それに相應せる相手の態度を呼び起すのである。かうした關係に於て私共はあるのである。人とはたゞ應へるものであるとの人の現實に、敎育の可能性は既に約束せられてゐるのである。然し乍ら、美しい心が美しい心を呼ぶやうに、醜い心も亦醜い心を呼びはしないか。相手に對して務を果すことが、相手の務を果さんとの心を呼ぶやうに、務を果さないことは、相手の同樣の應へを呼びはしないか。のみならず、我々は日常の生活に於て相手に喜んで務を果すよりは、寧ろ相手に對して自分に務を果すことを求めてはゐないか。若しこの事を否定し得ないとすれば、相手を敎育することは可能であるけれども、現實的には必ずしも可能であるとは言へない。何故ならば、その可能の根據が、同時に又それが實踐的に不可能である理由ともなるからである。

二

然し乍ら、我々は相手の呼びかけに應へる事によつて人となる事が出來るとは言へ、たゞ單に私に呼びかける相手を敎育することが出來るか、相手の人としての發展に役立つことが出來るかと尋ねるのは實踐的には全くナンセンスではあるまいか。何故ならば、私に對して立つてゐる相手の人としての發展は、その務を果すことによつてのみ可能であることは先に述べた通りであるが、相手の人としての務は彼に對して立つてゐる私に對する彼の務であるから、私はかく尋ねる時、必然的に相手が私に對する務を果すことに對して、換言すれば相手の私に仕へることに對して、私は相手に役立ち得るかと尋ねることになるからである。一體敎育は相手に仕へることこそ問題にするが、相手が私に仕へることを問題にはしない筈である。たゞ此の問ひは、相手の私に對して務を果すことを、私の責任として問題とする限りに於て眞面目な問題となる。從つてかく尋ねることは、相手の全體的生存が、何等かの意味に於て、私に委ねられてゐるとの自覺の下に於てのみ、始めて實踐的には問題となる。從つてそれはたゞ單に私に對して務を果すといふことを問題とするのではなく、廣く一般に相手がその相手に務を果すやうになる事を問題とする時、換言すれば、相手の人としての發展が私の實踐的責任であるやうな場合、卽それが私の相手に對する務であるやうな場合にのみ、それは始めて問題として取上げられるのである。然るに務は相手によつて私に投げかけられるものとして、私に呼びかける相手が誰であるかによつて規定せられる。然るに相手が誰であるかといふ事は、私が誰であるかといふ事に依存する。かうした相互依存の關係に於て務は課せられる。從つて、我々は相手の人としての發展に役立つことが出來るかといふ問ひが、眞實に眞面目な問ひであるならば、それは既に相手の人となることが私自身の責任であるやうな關係の存在を豫想してゐると言はなければならぬ。この豫想の下に於てのみ問題は問題となる。我々はかうした人と人との關係を敎育的關係と呼び、この關係に於て、一方相手の實踐的生存に對して責任をとる者を敎へる者と呼び、他方何等かの意味でその生存が相手に委ねられてゐる者を敎へられる者或は學ぶ者と呼ぶ。從つて、敎育的關係は必然的に權威と從順との關係でなければならぬ。如何なる意味に於てにせよ、其生存が委ねられてゐる限り、其處には必ず權威といふものが存しなければならぬ。又その權威の前に跪くといふこと、從順といふことがなければならぬ。我々は敎育に於けるこの權威と從順との關係を見失ふ時、敎育の正體を摑むことは出來ない。勿論總ての權威と從順との關係が敎育的であるといふのではない。たゞ敎育的な關係には權威と從順との關係が存しなければならぬといふのみである。我々はかうした敎育的な關係を師と弟子、敎師と生徒、親と子との間に於てみる。

我々は相手を敎育し得るか、相手の人としての發展に役立つことが出來るかとの問ひは、相手の人としての發展が私の實踐的責任となるやうな場合、換言すれば相手を敎育するといふことが、私の務であるやうな場合にのみ眞面目な問題となる。從つて、相手の敎育が可能であるかと尋ねるのが單なる氣まぐれでないならば、それは相手を敎育するといふ務が我々に課せられてゐるが爲でなければならぬ。この務が問題を我々に投げかけるが爲でなければならぬ。然らば一體、誰に對して敎育する務が我々に課せられてゐるのであるか。我々は誰もが師ではないから弟子に對してゞはない。誰もが敎師ではないから生徒に對してゞもない。誰でもが親ではないから子に對してといふことも言はれない。それでは誰にであるか。それは子供に對してゞある。我々はたゞ大人であることによつて、子供に對して敎育する務が誰にも課せられてゐる。人が敎育といふ場合、直ちに子供の敎育を指してゐるのはこれが爲である。又いろいろの學者によつて、敎育は先立つ時代の成長する時代に對する影響であると說かれるのもこれが爲である。先立つ時代とは我々大人を意味し、成長する時代とは子供を意味することは言ふ迄もない。從つて、我々は先づ大人と子供との相互作用が如何なるものであるか、その本質を明らかにすることによつて、我々は相手卽子供を教育する事が出來るかとの問ひに答へなければならぬ。

我々は相手を教育する事が出來るかと尋ねるのは、それが我々の務であるが爲である。而も我々はたゞ大人であるが故に、相手卽子供を教育するといふ務が課せられてゐるとするならば、子供の實踐的行爲に對する責任が、たゞ我々が大人であるが故に課せられてゐるが爲でなければならぬ。然るに、我々が相手の實踐的行爲に對して責任をとらんとするのは、相手の生存が何等かの意味に於て我々に委ねられてゐるとの自覺に基くのである。この大人としての自覺と共に、子供を教育するといふ務が我々に課せられるのである。然しかうした務が大人に課せられるといふのは、子供の生存が我々大人に委ねられてゐるが爲である。子供は未だ自分自身の力で立つことが出來ない。子供の行爲に對する責任が、大人の責任だと言はれるのはこれが爲である。子供の行爲に對して責任を有するが故に、大人は子供の人となることに對して責任を有する。子供の教育に對する責任が大人に歸せられるのはこれが爲である。從つてこゝに於ても、相手の人となることに對して役立つといふ事が、敎育の本質的課題であることは言ふ迄もない。然し乍ら、人となることが敎育の課題であるとは言へ、それが子供の敎育である限り、子供の敎育として他の敎育と區別せしめる或獨自のものが其處に存しなければならぬ。

我々は先に相手を敎育する事が我々の務として課せられるのは、相手が何等かの意味に於て我々に委ねられてゐるとの自覺に基くものである事を述べた。これはたゞ單に子供の敎育に就てのみ言はれることではなく、總て敎育といはれるものに就て言はれる事である。從つて、子供の敎育を他の敎育と區別せしめる或獨自のものが存すべきであるならば、その生存の他の生存に委ねられる「其委ねられかた」になければならぬことはいふ迄もない。何故ならば、委ねられてあることに基いて、敎育的責任は課せられるのであるからである。然るに子供が大人に委ねられてあると言はれるのは、子供が自分で自分の生存を維持することが出來ないことに基く。大人に、子供に對する敎育的責任が課せられるのは、子供が自分自身の力で立つことが出來ないが爲である。從つて、子供の人となる事に對して役立つといふことも、子供が自分で立つことが出來るやうになる事に對して役立つことによつてゞなければならぬ。こゝに子供の教育の獨自の點が存する。然るに自分で立つことが出來る「ひとり立ち」が出來るやうになるとは、言ふ迄もなく大人になるといふ事である。何故ならば、他者に委ねられてゐることが子供の特質であるならば、自分自身で立つことが出來るものであるといふことに大人の特質がなければならぬから。大人は子供に對するから大人なのであり、子供は大人に對するから子供なのである。大人の特性は子供の特性の否定に於て把握せられなければならないからである。然るに其生存が他者に委ねられてゐる生存から「ひとり立ち」が出來るやうになる爲には、どうしても手をとつて導いて呉れるものがなければならない。而もこの手をとつて導いてくれるものは、彼の生存を委ねてゐる大人より他にはあり得ない。それは丁度未だ歩くことの出來ない子供を抱いて其生存を運び、漸く歩きかけやうとするや手を引いて歩かしてやるやうなものである。これが大人によつてなされる子供の教育である。教育とは國語によれば、教ふる、ことであり學ぶことである。學ぶとは「倣ひて行ふ」ことと「習ふ」ことである。習ふとはこの歩くこと、獨りで歩くことを習ふのである。而もそれは大人によつて實例を以て示される事である。「教ふ」といふ事が國語に於て「告げ示す」こと、「導（シル）べをなす」ことを意味するといふ事は、この事實に對應せしめて興味がある。これが子供の教育の本質的意味である。こゝに我々は子供の教育が大人に迄導くことによつてなされるものであること、而もそれは大人によつてなされるものであることを理解し得る。

然しこゝに注意しなければならない事は、大人には大人として子供に對する務がある樣に、子供には子供として大人に對する務があるといふ事である。何故ならば、務は相互に相手によつて投げかけられるものであり、相互に務を果すことによつてのみ、相互依存の關係は保證せられ得るものであるからである。人はたゞ務を受取ることによつて人に迄呼ばれるのであるから、子供も人である限り、子供には子供としての務、子供相應の務がなければならないからである。それでは子供の大人に對する務とは何であるか。それは大人の務が子供に對する大人の務として委ねられた事に基くやうに、子供の務は大人に對する子供の務として委ねたことに基かなければならぬことはいふ迄もない。從つて委ねられた者の務が導くことにあるならば、委ねた者の務は導かれる事になければならない。それは子供が「ひとり立ち」が出來ないといふ事に基く務として、全體的信賴に於て大人の導べに從ふことでなければならぬ。この事から大人の子供に對する導べは、子供が全體的信頼に於て從ひ得るものでなければならぬとの要求が生れる。換言すれば、大人の導べが子供にとつて權威でなければならぬとの要求が生れる。大人と子供との關係は、導く者と導かれる者との關係として、一方に權威が他方に從順が要求せられるのである。

我々は大人と子供との概念的形式的規定から、子供の教育は大人によつて大人に迄導かれる事によつてなされるものであることを述べた。けれども、子供が大人になるとは一體どういふ事であるかといふ事は、單なる大人と子供との形式的關係からは明らかにせられない。それは精々大人になるとは「ひとり立ち」が出來るやうになる事だといふ事が出來るだけである。大人になる事の具體的な意味内容は、子供が其處に於て大人になるところの歴史的社會的地盤に立歸ることによつてのみ、正當に理解せられる。子供が大人になるのはその屬する特定の歴史的社會に於てゞある。從つて子供が大人になるといふ事も、歴史的社會に對する關聯に於てのみ意味ある表現となる。既に「ひとり立ち」の出來るものになるとは、世間に出て一人前の人として處して行くことの出來る者になる事を意味するのである。國語で大人になることを成人するといふ。成人するといふ事には、自然的生物的意味に於て成熟者になる大人になるといふ意味が含まれてゐる事はいふ迄もない。けれどもこの言葉の本質的意味は、その字面に於て見られるやうに「人に成る」といふことである。然しその人になるとは世間に出て世間の人達の間に處して行くことの出來るものとなるといふ事である。始終親の厄介になつて其生活を營むのではなく、親に對する依存關係から獨立して自分で他の人との責任關係にはいり得るやうになることである。成人するとは「ひとり立ち」の出來るものになること、一人前の人になることである。而も一人前の人であるかないかをきめるものは世間である。從つて一人前の人とは世間並の人といふことである。其標準は世間にあるのである。歷史的社會の特定の要求を充す成員のみが一人前の人として認められるのである。從つて一人前の人、大人の概念は其人の屬する歷史的社會の文化の程度によつて具體的な內容は異るのである。其故に大人になるとは、特定の歷史的社會の一人前の成員になることを意味することはいふ迄もない。子供の敎育が大人に迄導くことによつてなされなければならないとは、子供を歷史的社會の一人前の成員に迄導くことによつてなされなければならないとの意である。これ子供が人になるのは、大人になる、歷史的社會の一人前の成員になることによつてゞあるといふ事に基く、子供の敎育の本質的制約である。こゝに於て我々は、子供の敎育が我々の務として課せられるのは、我々が人として特定の歷史的社會の一人前の成員であることに基くことを知る。我々が人であるのは誰かとしてゞあり、子供に對しては大人としてゞあるが爲である。換言すれば歷史的社會の一人前の成員としてゞあるが爲である。

然し乍ら、歷史的社會の一人前の成員になるといふ事が、歷史的社會の特定の要求を充すことによつてゞあるとは言へ、たゞ單に一人前の成員に迄導くことが子供の敎育であるとは言へない。それは決してたゞ單に我々と同じやうな者に迄導くことではあり得ないからである。敎育といふ事が言はれる限り、其處には常によりよきものに對する願ひが祕められてゐる。これ大人と子供とが其處に於て相互に交涉するところの歷史的社會は、その後に無量の過去を殘し、その前には知られない未來をひかへ、それに向つて進展してゐるといふ其歷史性に基く祕義である。歷史は常に動いてゐる。我々大人は何時かは其處から去らなければならない者であり、子供は後に殘る者である。後に殘る者として我々の後を繼がなければならない者である。我々は靜止せる場面に於て子供に對して立つてゐるのではない。世界は動くのである。我々は先立つ時代に屬する者として來るべき時代に屬する者に對して立つてゐるのである。大人と子供との關係は、現實的にはかうした關係に於てあるのである。實にこの事が我々の子供に對する務に嚴肅なる實踐的性格を與へるのである。それはたゞ單に子供を所謂世間並の人に迄導くといふ事ではなく、もつと積極的によりよきものに迄導かんとの願びに基くものである。それは先立つ者の來るべき者に對する願ひに基くものである。其處には我々の後を繼ぐ者に對する希望があり、よりよきものに對する願ひがある。我々はかうした意味に於て、敎育は子供を歷史的社會の要求する成員に導くことであるといふことが出來る。それはたゞ單に大人に導く、一人前の成員に導くことではなく、我々の後を繼ぐにふさはしい者に導くことである。我々が、子供の敎育は大人に導くことによつてなされるものであるといつたのはこの故である。

三

それでは歴史的社會の要求する成員に導くとは如何なる事であらうか。歴史的社會の要求とは何であらうか。歴史的社會の要求とは、先づ歴史的社會を構成する成員の要求であるといふ事が出來る。それは成員の要求として、我々の要求であり、我々の要求を離れて歴史的社會の要求なるものはないとも言へる。してみれば、歴史的社會の要求する成員に導くとは、我々の要求する者に子供を導くことであると言はなければならないやうに見える。果してさういふ事が言へるであらうか。成程、子供が我々に委ねられたものである限りに於て、我々の要求に子供を從はしめる事なくして子供を導くといふ事は出來ない。けれども、たゞ自分達の要求に子供を從はしめる事が敎育であるといふ事が出來るであらうか。

然し乍ら、我々の子供に對する要求を離れて、何處に歴史的社會の子供に對する要求なるものがあるであらうか。我々の子供との相互作用の歴史的現實に於て、我々がそれに從ふことを求める具體的要求をはなれて何處に歴史的社會の子供に對する要求なるものがあるであらうか。歴史的現實に於て、個々の事柄に就ての子供に對する我々の要求は歴史的社會の子供に對する要求として、子供にそれに從ふことを求めてはゐないか。**我々が子供との相互作用の現實に於て、子供に**

問ひ又答へることによつて子供に提出する要求こそ、子供になつてほしいと思ふところのものであつてほしいと思ふところのものである。我々が子供との相互作用に於て、或は善しとし或は惡しとする事を離れて、社會は別に子供に對して何事をも要求しはしない。現實的には子供との相互作用に於てある限りに於て、我々は子供にかくあれとの要求を具體的行爲を以て問ひ、それに應へる事を求めてゐる。この意味に於て、現實的に我々が子供に要求することこそ、我々が將來の社會に對して要求することに他ならないといふ事が出來る。將來の社會に對する我我の願ひは、直接的に子供に對する我々の應へに於て具體化されてゐるといふ事が出來る。

然し乍ら、我々はこの故を以て、子供を我々の要求する者に導くことが教育であるといふ事が出來るであらうか。子供との相互作用の現實に於て、子供の呼びかけに對する應へに於て、子供に對する歴史的社會の要求が表現せられるといふ事は事實である。けれども我々は其故をもつて、我々の要求する者に迄子供を導くことが教育であるといふ事が出來るであらうか。成程、我々の相手に對して要求する事は、常に相手にあつてほしいと思はれるところのものに就ての要求であるといふ事は出來る。けれども私の相手に對する要求は常に必ずしも相手に對する正しい要求ではない。私は誤つた事を相手に要求する事もある。單なる自分の都合によつて相手に要求することがある。私の要求は其場限りの氣まぐれな要求であることが屢である。してみれば、我々の子供に對する要求のみがその例外である事は出來ない。勿論相互作用の現實に於て、我々が子供に要求する事を離れて、歷史的社會の子供に對する要求なるものはない。けれども、我々が現實的に子供に要求する事が、大人としてなすべからざる要求であることがあり得るとすれば、その要求に子供を從はしめる事が教育であるとは言へない。其故に、子供は我々の要求に從ふことによつてのみ、歷史的社會の要求する成員になることが出來るとは言へ、たゞ單に、我々の要求する者に子供を導くことが教育であるとは言へない。それでは歷史的社會の要求する成員に子供を導くとは、如何なる事であらうか。

私と汝との相互作用の現實に於て、相手の私に對する呼びかけは、常に或一定の要求をもつて私に臨むものである。然るにこの相手の要求は、歷史的社會を構成する成員の要求として、歷史的社會の要求を表現するものである。換言すれば私もその一人であるところの仲間の要求を現はすものである。仲間の要求は現實的には常に私に呼びかける相手の要求に於て聽かれる。私に呼びかける相手の要求は、仲間の一人としての要求として、仲間の要求を現はす。相手の要求は仲間としての相手の要求として、私にそれに從ふことを求める。相手の要求が私に迫つてそれに從ふことを求めるのは、それが仲間の要求であるが爲である。仲間として仲間の要求に從ふのは仲間としての務であるが爲である。然し乍ら、相手の要求に從ふことが私の務として課せられるのは、それが仲間の要求として認められる限りに於てゞある。それが全體の要求として認められる限りに於て、それに從ふことが私の務となる。從つて相手の要求は、仲間の一人としての要求ではあつても、常に必ずしも仲間の要求全體の要求であるとは言へない。仲間の要求であるとは言へないにもかゝわらず、相手の要求は仲間の要求として私にそれに從ふことを求める。けれども私は、それが仲間の要求として認められない限りに於て、それを仲間の要求として受容れる事は出來ない。それに從ふことが私の務とはならない。かへつて私はそれを是正するところに、仲間としての自分の務を見るのである。然し乍ら、相手の要求そのものが仲間の要求、全體の要求であるにせよ、ないにせよ、仲間の要求は常に私に呼びかける相手の要求に於て聽かれる。相手の呼びかけが私を仲間の一人に迄呼ぶのはこれが爲である。

相手の呼びかけが、私に仲間と、しての務を投げかけるのは、相手の呼びかけに於て、仲間の要求、全體の要求が聽かれるが爲である。仲間の要求に從ふといふことは仲間としての私の務である。歴史的社會の要求とは卽この仲間の要求に他ならない。それは成員の要求に於て聽かれるものではあるけれども、必ずしも個々の成員の要求ではない。それは全體の要求として歴史的社會のその成員に對する要求である。それは全體の要求、仲間の要求として、成員として從ふべき要求である。從つてそれは成員としての務として受容れらるべきものである。かゝる意味に於て、歴史的社會の要求は、仲間の要求として、我々の要求であるといふ事も出來る。けれどもそれは全體の要求として我々に務として課せられるものであつて、決して他の仲間に對する我々の要求ではない。我々の要求する者に子供を導くのが敎育であると言はれないのはこれが爲である。何故ならば、我々の要求する者に子供を導くといふ場合、我々は子供に對する者として立つてゐる。換言すれば、他の仲間に對するものとしての我々を意味してゐるからである。

歴史的社會の要求は、全體の要求、仲間の要求として、我々にとつて務として課せられるものである。然し乍ら、それは仲間の要求として、私に呼びかける相手の呼びかけに於て聽かれるものである。我々は相手の呼びかけに於て仲間の要求を聽くが故に、仲間に迄呼ばれ、仲間としての務が課せられるのである。私はたゞこの相手によつて投げかけられた務を果すことによつてのみ、歴史的社會の要求するものとなることが出來る。それは大人にしても子供にしても同じ事である。大人は子供に對する自分の務を果すことによつて、子供は大人に對する自分の務を果すことによつて、歴史的社會の要求する成員となる。從つて、子供が歴史的社會の要求する成員になるといふも、決して遠い未來に於てその要求に副ふものとなるのではなく、大人とのこの相互作用の現實に於て、その要求する成員となるのである。而もそれは、相手に對する自分の務を果すことによつてゞある。歴史的社會の要求するものとは、相互作用の歴史的現實の要求するもの以外のものではあり得ない。この要求を充すことによつて、大人も子供も歴史的社會の要求する成員となるのである。然し大人には大人として子供を導くことが要求せられ子供には子供として導かれることが要求せられる。大人は導くことによつて、子供は導かれる事によつて、歴史的社會の要求する成員となる。然るに導くことは、何等かの意味に於て、相手に對して要求する事であり、導かれる事は相手の要求に從ふことである。從つて、子供は相手の要求、他の仲間の要求に從ふことによつて、歴史的社會の要求する成員になることが出來る。何故ならば、子供は我々の要求に從ふことによつてのみ、仲間としての務を果すことが出來るからである。こゝに我々の子供に對する重大な責任がある。子供は我々の要求に從ふことによつてのみ、歴史的社會の要求する成員となる事が出來るとは言へ、我々はこの故を以て子供を我々の要求に從はしめる事が教育であるといふ事は出來ない。何故ならば、我々の要求に從ふことが子供の子供としての務となるのは、我々の要求に於て、全體の要求が見られる限りに於てゞあるからである。我々の要求は、それが子供の行爲に對する導べである限りに於て、歴史的社會の要求として子供にみられ、それに從ふことが務として課せられるのである。然るに、我々の子供に對する要求は、それによつて委ねられた事に對する務を果す限りに於て、子供の行爲に對する導べとなる。從つて、我々の子供に對する要求は、それによつて子供に對する務を果す限りに於て是認せられる。然るに、相手に對する務を果すとは、歴史的社會の要求に從ふことである。從つて我々の子供に對する要求は、我々自身歷史的社會そのものゝ要求に隨順することによつて、全體的なものゝ要求を身を以て示す場合にのみ、子供の行爲に對する導べとなり、それに從ふことが子供の務となる。我我は自ら歷史的社會の要求する者となることなくして、相手を歷史的社會の要求する者に導くことは出來ない。

我々の子供に對する要求は、子供にとつては歷史的社會そのものゝ要求として、聽かれ、我々の要求に從ふことは、子供にとつては務とならなければならない。歷史的社會の要求は、子供にはたゞ大人の要求に於てのみ知られるのであり、たゞそれに從ふことによつてのみ、子供は歷史的社會の要求する成員となることが出來る。從つて大人の要求は、子供によつて自分の務として受取れるものでなければならぬ。かゝる場合にのみ、それは子供に對する導べとなり、子供にとつて權威となる事が出來る。權威は導く者の權威として、導きそのものに基くものである。大人の要求は子供がそこに於て、自分のなすべきこと、導べを見ることが出來る限りに於て、子供にとつて信賴すべきものとなり權威となる。かゝる場合にのみ、子供は大人の要求に於て、全體の要求を見ることが出來る。

大人の子供に對する要求は、子供の行爲に對する導べでなければならないのであるから、それは子供の現實的要求に相應せるものでなければならぬ。若しさうでないならば、我々の要求が如何に善意に基く場合と雖も、それは子供の行爲に對する導べとはなり得ない。導べは導べとして、先づ子供によつて求められるものでなければならぬ。從つて導くといふことが我々の務であるならば、我々は先づ子供が何を要求してゐるか子供の現實に耳を傾けなければならぬ。一切の自己主張を捨てゝ、先づあるが儘の子供を其儘に受容れなければならぬ。あるが儘の子供をあるが儘に受容れることが、導くことの本質的條件である。私の務は決してたゞ空漠とは課せられはしない。務は子供によつて投げかけられるのであり、子供の呼びかけに應へることによつて應へられるのである。、子供の現實的な呼び聲に耳を傾けることなくして、どうして務を果すことが出來やう。務は相手の呼びかけによつて投げかけられるものとして、それに應へることによつてのみ果されるのである。從つて大人の子供に對する要求は、それがたゞ子供の眞實に要求するところのものに對する應へであるやうな場合にのみ、眞實に子供の從ふべき又從はんとする具體的生活理想となるのであり、かくして始めて大人の一言一動は子供の生活の具體的規範ともなるのである。かくして始めて大人の導べは、子供にとつて權威ともなるのである。權威は務を果すことから來り、子供にとつてそれが生活の理想たるところから來るのである。子供の大人に對する反抗は、大人の要求が突如として子供に對してなされ、子供の呼びかけに耳を傾けないことから生ずるのである。この事が權威と從順との關係を破壞し、本來可能なるべき敎育を不可能ならしめるのである。從つて大人の權威は、たゞ子供に聽くことによつて保證せられると言はなければならぬ。我々が子供の要求を聽かずたゞ自分だけの立場から子供に要求する時、子供は導かれることに對する自分の務を果すことが出來ない。大人の要求が子供の現實に相應しないものであつたやうな場合には、たゞ子供の反抗[illegible]す子供をして自分の務を拒否するに至らしめるのである。それは子供を[illegible]人でないものに迄導くことに他ならない。こゝに大人の子供に對する導べが、特定の具體的な間柄に於てなさるべき理由がある。

四

子供を導く爲には、子供が何を求めてゐるかを知らなければならない。子供を知る爲には、子供と始終接觸してゐることが必要である。從つて、大人と子供との相互交渉は、偶然に委ねられ其場限りのものであることは許されない。然るに、大人と子供との關係は、先にも述べたやうに、委ねられたものと委ねたものとの關係であるが、この子供を委ねられる大人は直接的には實は親である。親子の關係は決して偶然的な其場限りの關係ではなく、或必然性に基く委ねられたものと委ねたものとの關係である。子供は自然的生物的根據に基いて、言はゞ運命的に親に委ねられるのである。子は何處からか知らない處から、親に委ねられたものとして此世に現れる。而も人は子を持つこと、子を委ねられることによつて、始めて父となり母となる。かうした或運命的なものが親と子とを結ぶのである。この世に現れた一つの生命を人に迄呼ぶものは親である。親が先づ子を我子として受容れることによつて子は人に迄呼ばれる。子を我子として受容れることによつて人は親となる。子が親としての務を投げかけるからである。然し親の務は、相手の生存が無條件的に投げ與へられてゐることに對する務として、相手に求める事なく此方から總てを與へんとの愛に於て果される。親の子に對する慈しみは、相手の無條件的な投げ與へに對する應へである。このやうに親子の間柄は、全く相互に自分自身を捧げる愛によつて結ばれてゐる。かうした愛が自然所與的相互關係の意味を充してゐるのである。こゝに導くことの可能性が、現實的に保證せられてゐる。それは最も自然的な又最も奥深い人の本性によつて保證せられてゐる。何故ならば、親が子を慈しむといふこと、子が親に親しむといふことは、言葉の根源的意味に於て自然であるからである。從つて、親の子に對する、子の親に對する務は單なる務としてではなく、喜ばしき肯定に於て受容れられてゐるが爲である。

親の愛は委ねられたことに對する喜ばしき肯定として、導くことに對する喜ばしき肯定である。從つて、それは相手に對して何物をも求めず、たゞ自らの生存が相手の生存に役立つことをのみ願ふ。相手の成長、相手の人となることのみが親の喜びである。こゝに親の愛の本質的特性が存する。それは言葉の根源的意味に於て敎育的愛である。無條件的に總てを與へ、與へることに於て喜びを感ずるのが親の心である。その愛は、あるが儘に、其儘に子を子として受容れる。親の心にとつては子は其儘によいのである。かうした愛の地盤に於て子は導かれるのてゐる。親によつて子の眞實の要求は聽かれ應へられる。子を最も深く知つてゐるものは親である。親は一切の自己主張を捨てゝたゞ子に聽かうとする。實に親のこの心が、その要求と子の要求との間の距離をなくするのである。親の導きは子に聽かれた子の要求に對する應へであるが故に、それは子の又從はんとするものとなるのである。從つて、子として親の導べに從ふことは自然である。親の子の爲に一切を投げ與へる愛が、子に導かれることに對する全體的肯定の心を呼び覺すのである。親の慈しみの導べが子のそれに從はんとの心を呼び覺すのである。かくして子は相手に對して自分の務を、單なる務としてゞはなく、限りなき喜びに於て受容れるのである。親の導べが、子が全生存を其儘に委ねてゐることに對する愛の應へであるやうに、導かれる事は、親の慈しみの導べに對する愛の應へである。こゝに眞實の和合がある。權威と從順とは其相互信賴に於て保證せられてゐる。かうした關係に於て、子は人に導かれるのである。子は親によつて歷史的社會の要求する者に導かれるのである。親子の關係が總ての敎育の典型であり、模範であると言はれるのはこれが爲である。

然し親の務は、たゞ單に自分との直接的交渉に於て、子を人に導くことのみではない。親は子の全體的生存を委ねられたものとして、子の他の人との關係に於て、子となす事に對しても責任を有する。子はこの世に現れると共に、親に對して子となるのであるが、それと共に、兄に對しては弟となり、祖父母に對しては孫となり、召使に對しては主人の子供となる。又親の友人に對しては友達の子となる。更に少し成長すると、其遊び友達に對しては友として立つ。然しこれらの關係に於てなされる凡ての事に對する責任は、結局親の責任に歸せられる。親はたゞ單に自分との直接的交渉に於ける子の行爲に對して責任を有するのみならず、自分が直接にその交渉に關與し得ない樣な場合に於ても、その子の行爲に對して責任を有する。何故ならば、子は誰かの子として、他の人との相互交渉の關係に立つのであるが爲である。從つて親は子の遊び友達、又親を通して交る他人を、子の人となることに對して有意味である樣にする責任がある。然しこれといへども、子の現實が親にこの事を告げるが故に、親に務として課せられるのである事は、直接的交渉の場合と異るのではない。たゞ異るのは、親は直接的にではなく、間接的に子に應へる事が要求せられてゐるといふことのみである。かの有名な孟母三遷の教は、親のかうした務の如何に重大なものであるかを語るものである。

子が遊び友達にせよ、他の大人にせよ、一般に親以外の他の人と交渉するのは親を通してゞある。子はたゞ誰かの子として他の人との相互交渉に關與するのであるから、子の他の人との相互交渉は不可避的に親の地位境遇によつて規定せられる。のみならず、子の遊び友達にせよ或は他の大人にせよ、それらの人達と子供との交渉の仕方は、總て親のそれらの友達に對する交渉の仕方、親のそれらの人達に對する態度を反映する。子は親に委ねられたものとして、子の生存の仕方、子の他の人との交渉の仕方には、親の他の人との交渉の仕方を反映してゐる。こゝに親によつてなされる敎育の必然的な限界がある。親の子に對する態度をみるに、それは相手に何物をも求めず、たゞ此方から與へることに喜びを持つもののやうに見える。親は子に對する自分の務をたゞ單に務であるが故に取上げてゐるのではなく、この務を喜ばしき肯定に於て受容れてゐる。實にこの事によつて、親は子を人に迄呼び、人に迄導いてゐる。親はこの慈しみによつて、子を歷史的社會の要求するものに導いてゐる。けれども、親の愛は元來、我子に對する愛である。一の生命が無條件的に自分に委ねられてゐるといふ事に基く愛である。それは相手の無條件的な投げ與へに對する應へである。子の呼びかけが私を親となし、眞實の人に迄導いてくれるのである。其故に、私は我子の呼びかけに對しては總てを忘れてそれに應へはするが、他の人の私に對する呼びかけに對しては、私は必ずしも「あるべきやう」に應へはしない。總ての親達は自分の子に對してこそ、喜んで自分の務を果しはするけれども、自分に對する總ての相手に對して、必ずしも自分の務を喜んでなしてはゐない。こゝに親の子に對する教育の限界がある。何故ならば、親のその相手に對するかうした態度は、必然的に子のそれらの人達に對する態度となつて現れるからである。實にこの故に、總ての人は人の子として此世に生れ、親の自らの爲には何物をも求めず、たゞ相手の爲に役立てよかしと思つてなされる慈しみの導べによつて導かれ、人となるにもかゝわらず、所謂凡俗の衆生として必ずしも相手に對して務を果すことによつて人とはならないのである。

親は其愛によつて眞實の教育者たるごとを自ら保證しはするが、又實にそれがただ我子のみに對する愛であることによつて、自らの教育者たることに對してまぬがれ得ない制限を與へてゐる。蓋しこれは、其愛が自然的運命的に委ねられた事に對する應へであるといふことに基く本質的な制限である。

五

我々は先に、子供が歴史的社會の要求する成員になるのは、大人の導べに從ふことによつてゞあること、大人の子供に對する要求は、それが子供の行爲に對する導べとなる限りに於て、是認せられる事を述べた。けれども我々は、大人の要求は如何なる條件を滿すことによつて導べとなり得るか、導べの本質的な基礎條件を明かにしたのみであつて、それの有する具體的內容は未だ明かにする事をなさなかつた。從つて、子供が子供であることに基く子供の敎育の具體的內容は未だ明らかにせられてゐない。從つて我々はこゝに、導べの具體的內容を明らかにすることによつて、歴史的社會の要求する成員に導くことの積極的意味を明らかにしなければならぬ。この事はおのづから親子の關係に於てなされる敎育を補ふこと、或は是正することをその本質的課題となす他の重要な敎育的關係に我々を導くであらう。

「導べ」とは先にも述べたやうに、國語に於ける「敎へ」の意味である。敎育とは國語によれば敎へることであり學ぶことである。敎へる者の側からは敎へと呼ばれ、學ぶ者の側からは學問と呼ばれる。然るに、敎へは人がそれによつてのみ人となる事の出來るものである。從つて、導べは人がそれに從ふことによつて人に導かれるところのもの、人生の道しるべでなければならぬ。然るに敎へは又同時に學ばれることであり問はれることである。卽學問である。學びとは倣ひて行ふこと、習ふことである。然らば「導べ」は倣はれるものであると言はなければならぬ。更にそれは問はれるものとして、求められるものでなければならぬことも言ふ迄もない。これが國語に於ける「導べ」の意味である。從つて導べは、子供によつて問はれ求められることであり、大人によつて其問に答へることによつて敎へられることであり、その敎へられることが子供によつて學び習はれるのである。この問ひ—敎へ—學びの辨證法的對話に於て敎育といふ事が成立つのである。從つて導べは子供の呼びかけに對する我々の應へに於て、具體的に子供に示されるものであり、子供はそれに從ふこと、それを學ぶ事によつて人となることが出來るもの、歷史的社會の要求する成員となることが出來るものでなければならぬ。然るに我々が歷史的社會の要求する成員となる事が出來るのは歷史的社會の成員としての務を果すことによつてゞある。從つて大人によつて具體的に示されるところろの導べは、それに從つて行爲することが、歷史的社會の成員として子供の務であるやうなものでなければならぬ。然るに、我々に子供を導くことが務として課せられるのは、子供が未だひとり立ちの出來ない者として、我々に委ねられた者であるといふ事、子供は來るべき時代に屬するものとして、我々の後を繼ぐべき者であるといふ事に基く。從つて、我々が子供に示すところの導べは、それに從つて行爲することが、歷史的社會の成員としての子供の務であり、子供はそれに從つて行爲することによつて、ひとり立ちの出來るものとなり、我々の後を繼ぐにふさはしい者となる事が出來るやうなものでなければならぬ。而もそれは、我々の子供に對する應へに於て、具體的に示されるものとして、我々自身を現はすものであると共に、特定の歷史的社會の成員として我々を特質づけるものとして、歷史的社會的なものでなければならぬ。一面それは客觀的社會的なものであると共に、他面個性的であり、行爲者その人を現はすものでなければならぬ。かゝるものとして、我々が子供の呼びかけに應へることによつて、具體的に示すところの導べは、我々の屬する歷史的社會の禮でなければならぬ。禮とは、我々が歷史的社會の成員として、それに從つて行爲することが務として要求せられるところの言行の規範である。

成員は歴史的社會の禮に從つて行爲することを要求せられる。歴史的社會の成員に對する要求は、その社會の禮に於て具體化されてゐる。而もそれは我々の子供に對する應へに於て具體的に示されるものであり、子供はそれに從つて行爲することによつて、歴史的社會の要求するものとなる事が出來るのである。然し乍ら、それは我々の子供に對する應へに於て具體的に示されるものであり、又我々を特定の歴史的社會の成員として特質づけるものであるから、我々はこの概念を擴大しなければならぬ。それは我々が歴史的社會の一人前の成員として、我々の現實的行爲に於て體現してゐるもの、或は體現するものでなければならぬ。何故ならば、それは我々の行爲に於て體現せられる限りに於て、子供の行爲に對する導べとなり得るからである。又我々はそれを體現せる者としてのみ、一人前の成員と言はれるのであり、一人前の成員であるが故に導くことの務が我々に課せられるのであるからである。從つて、それはたゞ單に嚴肅な意味に於ける道徳にのみ限らるべきではなく、共同社會に於ける我々の一切の行爲に對する規範の意味に用ゐられなければならぬ。然るに行爲するとは、現實的な人或はものの呼びかけに應へることに外ならない。從つて禮とは、一般に呼びかけに應へる「應へかた」、それに從つて應ふべき應へかたであるといふ事が出來る。歷史的社會にはかうした「應へかた」がある。それが仲間の呼びかけに對する、或は事物の呼びかけに對する大人の應へに於て現はされてゐる。子供に傳へなければならないものは、この「應へかた」に外ならない。人の眞實に知らなければならない事、又眞實に知らんと欲する事は如何になすべきか、如何に應ふべきかといふ事である。然るに我々に如何に行爲すべきか、如何に振舞ふべきかを示すものは、我々の屬する社會の禮である。社會にせよ人にせよ、生きるとは只應ずることと應へる事である。從つて子供は生きる爲には、その屬する社會の應へかたを學ばなければならない。社會は其生存を維持し發展せしめる爲には、この「應へかた」禮を次の時代に傳へなければならぬ。これが大人の子供に對する、先立つ時代の來るべき時代に對する務である。否、たゞ單に來るべき時代に對する務であるのみではない。それは我々にそれを傳へた我々に先立つ諸時代に對する務である。

人の呼びかけに對する、或は事物の呼びかけに對する我々の應へは、それが共同社會に於てなされるものである限りに於て、換言すれば、それが相手に對する或は仲間に對する呼びかけとなる限りに於て、共同社會に屬するものである。共同社會に屬するものとして、共同社會の固有の「應へかた」に從つて應へることが要求せられる。私の應へはそれが相手に對する、或は他の仲間に對する呼びかけとなるが故に、私は自分の行爲に對して責任をとる事が要求せられるのである。從つて歷史的社會の固有の「應へかた」に從つて應へるといふことは、我々の務として課せられるのである。かうした意味に於て、この歷史的社會の固有の「應へかた」を禮と呼ぶのは妥當であらう。然しこゝにそれを禮といふのは、この言葉の持ち得る最も廣い意味に於てゞあることはいふ迄もない。人の呼びかけに對する應へは言ふ迄もなく、あらゆる事物の呼びかけに對する應へにも又それに從つて行爲すべき社會的規範があるといふのである。而も子供の教育に於て問題となるのは、この禮に從つて行爲するやうに導くといふ事にあるといふのである。何故ならば誰の行爲にせよ、それが我々に對する呼びかけとなる限りに於て、我々に屬するものであり、我々に屬するものとして、我々の屬するところの社會の禮に從つて行爲することが要求せられるからである。こゝに子供を歷史的社會の禮に從つて行爲するやうに導くといふ事の必然性が存する。子供によつて問はれ、大人によつて教へられ、子供によつて習はれるところのものは、この「應へかた」禮以外のものではない。こゝに一本の筆がある。筆がある以上それに應ずる應じかたがある。これが習はれるのである。單に道具にそれ相應の應じかたがあるのみではない。自然の一切の事物には、それぞれ應じかたがある。美術詩小說等によつて我々の敎へられるのは所詮、美しいものを見る見方、觀賞の仕方、或は美しいものを表現する仕方、換言すれば美しいものに對する應へかた以外のものではあり得ない。科學に於ても、哲學に於ても、尊ばれるのは結局その方法、研究の方法である。研究の方法とは、事物に對する應へかたに外ならないからである。このやうに問はれ、敎へられ、習はれるところのものは應へかたであつて、單なる內容ではない。然しかくいふも、それは決して內容を離れて仕方が敎へられるといふのではない。我々がかく主張するのは、應へかたが習はれることによつておのづから內容も又傳へられるからである。我々は自ら應へることによつてのみ、換言すれば行爲することによつてのみ、そこに存する具體的內容を如實に知ることが出來る。我々は自ら相手に對して務を果すことによつてのみ、善とは何であるかを知り、自ら美しきものを觀賞し表現することによつて、美の何たるかを知るのである。道具もそれを用ひることによつて、それが何であるかゞ知られる。而も子供は大人の導べに從つて行爲することによつてこれを知るのである。これ教育に於て行爲の仕方、「應へかた」を習ふことの意味である。

子供は子供相應に物の或は人の呼びかけに應へてゐる。けれども、子供のそれらの呼びかけに對する應へかたを見るに、我々大人から見て誤つてゐる事が屢ある。食べられないものを食べやうとし、危險なことも知らずに火を捕へやうとする。人の迷惑をも顧みず、我儘を通さうとする。要するに、其應へかたは自分自身の生存に對し、又仲間との共同生活に對して合目的でない。合目的でないのは、人として、仲間として、呼びかけに相應しいやうに應へてゐないが爲である。こゝに大人がその屬する社會の禮に從つて、子供の應へかたを是正することの必然性が存する。從つて、大人の委ねられた事に對する責任は、子供をして其誤つた應へかたを是正し、應へかたを合目的ならしめ、仲間としてそれに相應しいやうに應へるやうに導くことによつて果されると言はなければならぬ。生きるとは行爲することであり、行爲するとは呼びかけに應へることに外ならないのであるから、實踐的には常に一般に物の、事の、或は人の呼びかけに對する應へかたのみが問題となる。從つて、この應へかたを是正してゆくところに、人生の根本問題が横たはると言はなければならぬ。これを是正することを離れて道徳もなければ教育もない。それは子供の場合に於ても、我々大人の場合に於ても同じことである。たゞ子供は大人の導べに從つて行爲することによつて、始めて正しく物に應へ、人に應へる事が出來るやうになる。出鱈目ではなく、人として、仲間としてそれに相應しいやうに應へる事が出來るやうになる。こゝに子供の子供としての發展がある。

歷史的現實の無限に多樣な內容は、たゞ現實に呼びかける「もの」に、或は人に應へることによつてのみ開かれる。而もそれは、それに相應しい應へかたを通してのみ開かれるのである。歷史的社會のものに或は人に對する應へかたが、これを開く唯一の鍵なのである。この鍵が大人の導べによつて子供に與へられるのである。この鍵を與へられる事によつて、子供に歷史的現實により意味深い仕方に於て關與する事が許されるのである。人とはたゞ應へるばかりのものである。應へが、應へる仕方が意味深くなる事、意味深き仕方に於て應へることにこそ、人の人としての發展、實踐的生存としての人の發展がなければならぬ。

六

大人の子供に對する作用は、子供の應へかたを是正し、歴史的社會の禮を體得せしめる爲の導べとして、子供自身の生存にとつて不可缺なものであると共に、社會もそれなくしては持續し發展することは出來ない。これ子供を歴史的社會の要求する成員に導くといふ事が、その社會の總ての一人前の成員、大人の務として課せられる所以である。親の子に對する敎育的責任も、この全體的社會の共同の課題を親が引受けたものであるといふ事が出來る。何故ならば、子を歴史的社會の要求する成員に導くといふことは、親が特定の歴史的社會の一人前の成員であるといふ事から來る務に外ならないからである。從つて子供の敎育が親によつて完全になされ得ない限りに於て、それを是正し、それを補ふといふ事が、全體的社會の課題となるのは當然である。然るに社會に於ける多樣なる文物の發達と共に、それに對應せる種々の應へかたを合理的に子供に傳へる事の必要が生ずる。もはやそれを親の傍に於て、偶然のまゝに委して置く事は許されない。よし家庭に於て、親の導べに從つてそれを學ぶ事が最も好ましい事であるとするも、凡ての親にさうした餘裕があるとも限らない。親は其職業の爲に家庭を離れ、子供に接觸する機會を多く持たない。又家庭に於て其職業に從事する場合には、子供に餘りに、早く勞働を強いるといふ事になり易い。從つて合理的にこれを傳へるといふ事は、總ての家庭にこれを期待する事は出來ない。のみならず、子供は或一定の年齡に達すると友達を求める。友達との遊びに於て、子供は彼等自身の共同社會を構成する。彼等はこの社會に於て、市民生活の根本樣式の下に生活する事を學ぶことが出來る。從つて、この子供達の社會を敎育的に意味あるやうに導くといふ事は、子供の敎育にとつて重要なことである。然しこれ又總ての家庭に對して望まれ得る事ではない。こゝに家庭に於てなされるかうした敎育の缺陷を補ひ、これを是正する爲の機關として、學校が社會に生ずるに至つたのである。從つて、學校敎育の課題は「もの」或は人に對する歷史的社會の固有の應へかたを合理的に子供に傳へるといふ事、この目的の爲に、子供達自身の構成する社會を利用するといふ事でなければならぬ。否、子供達自身の構成する社會を、歷史的社會の禮を合理的に傳へる爲の機關たらしめる事でなければならぬ。こゝに敎師の全體的社會に對する特殊な使命がある。然し乍ら、學校敎育は本來家庭の敎育を補ひ、是正する事を課題とするものとして、家庭敎育の地盤を始めから豫想するものである事を忘れてはならぬ。

子供は學校にはいると共に、教師との關係に立ち、生徒となる。今迄親の權威の下にあつた子供は、今全く新しい權威の前に立つのである。又子供は學校にはいる事によつて多くの友達を得、友との關係にはいり、御互に平等なものとして相手に對して立ち、其事に基く務が課せられるのである。かくして子供は、市民生活を其縮圖に於て生活する事によつて學ぶのである。然し其社會も、直接的に或は間接的に、教師の導べに從ふことが要求せられる。教師は子供達のさうした社會の主（アルジ）である。從つて、學校に於ては教師は生徒に對して權威を以て臨み、生徒はそれに從ふ事が要求せられる。然らば教師の生徒に對するかうした權威は何所から來るのであらうか。勿論この場合と雖も、權威は教育的權威として、生徒を導く事、教師としての務を果すことに基くことは言ふ迄もない。我々は誰でも子供の呼びかけによつて投げかけられた務を果す限りに於て、子供に對して權威として立つてゐる。換言すれば、子供の呼びかけに應へ、應へることによつて子供の行爲に對して導べを示す限りに於て、大人は子供にとつて權威となるのである。權威は常に相手に對する自分の務を果すことに根據を持たなければならぬ。この點に於て、教師の生徒に對する權威も大人の子供に對する權威と異つたものではない。

然し乍ら、總ての一人前の成員に子供を歴史的社會の要求する成員に迄導くといふ務が課せられてゐるにせよ、總ての一人前の成員がこの務を果す十分な機會を持つとは言へない。人はそれぞれ、其特殊な分野に於て、自分の仕事を通して、社會に對する自分の務を果すことが要求せられてゐる。我々の社會に對する務は、利益社會に於ける分業の原則によつて定められた地位職業によつて制約せられてゐる。從つて、子供を敎育するといふ事が、總ての一人前の成員の務であるとは言へ、その務は一部特定の人に委ねられなければならぬ。自分達に代つてやつてもらはなければならぬ。この務を代つて果すものが敎師である。從つて、敎師の生徒に對する責任は、大人の子供に對する責任と決して別のものではない。たゞ大人の子供に對する責任が、敎師の生徒に對する責任に於て具體化されるのみである。大人と子供との敎育的關係は敎師と生徒との關係に於て、具體的關係となり、この關係に於て其責任關係は明瞭となるのである。從つて、大人と子供との關係に就て述べた事は、敎師と生徒との關係に於ても妥當する事は言ふ迄もない。然し乍ら、敎師は他の成員から其務を委ねられたものとして、その務を委ねられた理由が直ちに敎師の責任の內容を規定するものでなければならない。換言すれば、全體的社會が學校を必要とする理由が、同時に又、敎師としての地位に基く務の內容を規定すべき事はいふ迄もない。敎師は他の成員からその務を委ねられたものとして、他の成員の敎育的意志を代表するものとして生徒の前に立つのである。從つて、敎師のなすことに對して我々も又其責任をとるべきである。それは決して敎師のみの責任ではない。我々總ての連帶責任である。實にこの事に、敎師と生徒との關係を特色づける他の性格が現れる。敎師と生徒との關係に、政府と人民との關係に於けるやうな處があるのはこれが爲である。それは純粹に道德的基底に立つものであるけれども、それは又法的に根據づけられてゐる。敎師は市民社會の要求を代表するものとして、一面その權威は法的に保證せられてゐる。然し法的に保證せられてゐるといふ事は、敎師の生徒に對する權威が法的にも又承認せられてゐるといふに過ぎないのであつて、決して純粹に敎育的な關係であることに基く權威にそれが代るといふのではない。

七

歷史的社會の固有の應へかたを合理的に子供に傳へるといふ學校敎育の根本

的課題は、如何にしてなされ得るのであらうか。こゝに問題となるのは合理的にといふ事である。何故ならば、社會が永い歴史的過程を通つて發見せる禮を、短い歳月の間に發見し體現せしめるといふ事が、學校敎育の重大な課題であるが爲である。從つて我々はものの呼びかけとは何であるか、呼びかけに應へるとはどういふ事であるか、又應へかたは如何にして是正せられるかに就て根本的に考へ、その理論の示すところに從つて、我々の問題に答へなければならぬ。

一體ものが私に呼びかけるとは、私の應へを呼ぶことである。私に應へを求めることである。凡て私に對して生起することは、私にせまつて應へを求める。私がそれを好むにせよ好まないにせよ、私はそれに應へなければならぬ。私はそれを拒むことは出來ない。これが私共の生の現實である。そこには回避する事の出來ない或運命的なものがある。歷史的現實に於て生きるとは、かうした偶然的に私に對して生起するものの呼びかけに對して應へることである。それではこのやうに私にせまつて應へを求めるものの呼びかけとは如何なるものであらうか。我々は既にそれを物の呼びかけといふことによつて、それがものの言葉であることを示してゐる。何故ならば、呼びかけとは話しかける事であり、話しかけるるのは言葉によつてであるからである。それは、ものの私共に話しかける言葉、私共にせまる言葉として私共に應へを求めるのである。總て生起はかうした言葉を以て私にさゝやきつゝ私に迫つて來る。それは私共に迫つて應へを求めるものとして、呼びかけと言はれるのである。それでは私共にせまつて應へを求めるこのものの言葉とは何であらうか。

呼びかけは現在的である。呼びかけるのは現在に於てゞある。けれども呼びかけは應へを呼ぶものとして、未來的なものを示してゐる。何故ならば、この未來的なものが私によつて期待されるものとなるが故に、應へがなされるからである。生起はこの期待されるものを私に投げかけることによつて、私にさゝやくのである。現在的なものに於て未來的なものが聽かれるが故に、呼びかけは應へを呼ぶのである。從つてこの未來的なものの期待されるものこそ、物のさゝやき物の言葉でなければならぬ。それは私によつて期待されるものとして、私の意欲の對象となるものとして、內容的なものでなければならぬ。生起によつて荷はれてゐる內容的なものを私は意欲し或は意欲しないが故に、生起に對して働きかけるのである。それは生起に荷はれてゐるものとして、私に生起に對して働きかけることをる。

求めるのである。總て生起は特定の内容をもつて私に呼びかける。從つて生起の内容は生起そのものの私に對する言葉である。この言葉を持たないものは私にとつてはものではない。そのさゝやく言葉に於てのみ、生起は私に對する生起なのである。その言葉を離れて生起なるものもなければ事物もない。從つて、それは事物の有する内容であるといふよりは、寧ろ事物そのものをそのものたらしめるものであると言はなければならぬ。又實際、我々はそれを事物そのものをしてそのものたらしめるものをして聽くが故に、呼びかけるものに對して應へるのである。鹽をして鹽たらしめるものは其鹹味である。其味を失つた鹽は最早鹽ではない。鹽の鹽として私に呼びかけるのは、その鹹味である。それをしてそれたらしめるものが私をさし招くのである。從つて私共をさし招く内容的なものは、そのものに偶然的に附着する或ものではなく、そのものをしてそのものたらしめるものであると言はなければならぬ。呼びかけに於て聽かれるものは單なる抽象的な内容ではない。それは、そのものをしてそのものたらしめるもの、そのものをそのものたらしめる理として我々に聽かれるものである。かゝるものとして、それはものそのものの自らを語る言葉であると言はなければならぬ。それがそのものをしてそのものたらしめる理として聽かれるが故に、換言すればそれが、ものそのものの自らを語る言葉であるが故に、それはものの呼びかけとして聽かれるのである。呼びかけに於て聽かれるのは、ものの理であり言葉である。

ものの理は私に呼びかける言葉として私に應へを求める。それは私に呼びかける限りに於て、私の期待する或ものとなる。私の行爲の目的となる。この行爲の目的が私の應へかたを規定する。期待されるものが私の應へかたを規定するのである。然るに期待されるものは、ものの呼びかけとして私に聽かれるものの言葉である。從つて私に如何に應ふべきかを告げるものは、私に呼びかけるものの言葉、理であると言はなければならぬ。土には土に對する樣に、牛には牛に對する樣に應へなければならないのである。それぞれ呼びかけは、それにふさわしい樣な應へを私に求めるのである。それに相應せる應へを求めるのである。我々は土に對して水に對するやうに働きかける事は出來ない。其處には一定の理法がある。それに從ふことなしに、我々は指一つ動かす事すら出來ない。而もその應へかたを私に告げるものは呼びかけである。事物の理が私に如何になすべきか、如何に應ふべきかを告げるのである。我々がものに應へることが出來るのは、ものの呼びかけを聽くことによつてゞある。その理に從ふことによつてゞある。その理に從つて應へる事によつて、呼びかけに於て聽かれたもの、期待されたものを現實にする事が出來る。私の意欲は滿されるのである。然るに意欲は、私の應へに對する物の應へに於て滿される。從つて、期待されたもの、ものの呼びかけは、私のそれに對する應へに對するそれの應へによつて現實にせられると言はなければならぬ。鹽の鹹味は、その呼びかけに對する私の應へに對する鹽の應へに於て現實にせられる。そのものをしてそのものたらしめるものは、私の應へに對するそのものの應へに於て現實にせられる。應へに對する應へ、反應に於て現實にせられるのである。從つて個々の事物の理とは、そのものの固有の反應の仕方に外ならないといふ事が出來る。反應の仕方を知ることが理を知ることである。從つてそれは行爲を通してのみ、應へることによつてのみ知られるものである。石が堅いのは直接に手をふれ、手に對するそれの反應によつて知られるのである。而もこの直接的に知られるものこそ、石をして石たらしめるものであり、呼びかけに於て、私に期待されてゐたものに他ならないのである。これらの事は、たゞ單に「もの」の呼びかけに就て言はれるのみではない。すべて私に呼びかける「こと」に就ても言はれる。

事物の言葉、理はたゞそれの私に對する反應によつてのみ知られるものであるならば、事物が私に呼びかけるのは、私が事物の言葉を理解する限りに於てゞある。事物の呼びかけを聽き得る爲には、私は事物の私に對する反應を知つてゐなければならぬ。その理を知つてゐなければならぬ。その言葉を知らない者には事物は呼びかけはしない。呼びかけは聽く耳を持つ者にのみさゝやく。然しながら、若しも呼びかけに於て事物の理が私に知られてゐるとすれば、現實にせられてゐるとすれば、それは私に期待されるものとはならない。私に期待されるものは未來的なものであり、未だ現實にせられないもの、不確實なものである。それは未だ蓋然性をしか持たないものである。この蓋然性に於てある理が、應へるといふ行爲を通して確實に現實的に證明せられる。期待が現實にせられるところに行爲の意味があるのである。期待は期待として外れることがあり得る。思ひがけない結果に逢著する事がある。從つて聽かれた言葉は、それを行爲によつて實現せられることによつて、始めて眞實にそれが事物の理として確實に保證せられるのである。然し乍ら、若しも應へることによつて、聽かれた事以上の事が知られないとすれば、行爲の發展はあり得ない。そこには只同じ平面に於ける循環があるのみである。繰返しがあるのみである。從つて、我々の行爲に發展があるとすれば、換言すれば、應へかたを是正するといふ事があり得るとすれば、語られた言葉が應へる事によつて現實にせられ、確實にせられるのみならず、それによつて今まで知らなかつた事が知られるといふ事がなければならぬ。行爲によつて聽かれた言葉が確實にせられると共に、未知のものに突進むこと、新なる理を發見するといふ事がなければならぬ。理を發見することは、より深く事物の言葉を聽くことを可能にする。言葉を深く聽くことによつて、我々の應へかたは改められ是正せられる。何故ならば我々は事物の理に從ふことによつてのみ、それに應へることが出來るからである。

幼い子供は何でも摑まへようとする。摑まへようとするのは、ものが摑まへよと呼ぶからである。子供は呼びかけにふさはしいやうに應へる。けれども子供には、燃えてゐる火も、遠い彼方の物體も摑まへよと呼びかけるのである。こゝに呼びかけにふさはしい樣に應へつゝ、而も非合目的に應へがなされるといふ矛盾が生れる。これ子供には事物の理がまだ明らかでないが爲である。自分の應へに對する事物の應へ、事物の反應が未だ知られてゐないからである。子供にはかうすればあゝなる、あゝすればかうなるといふ因果關係の知が缺けてゐる。子供が自分で自分の生存を維持し得ない重要な理由は、子供が未だ事物の理を辨へないといふ事に基くのである。從つて子供の應へかたを是正するところに敎育の課題があるとすれば、事物の理を明らかならしめるやうに導くといふ事が、敎育の根本課題とならなければならぬ。然し乍ら、それは子供が自ら應へる樣に導くことによつてのみなされる。事物の理は事物の呼びかけに自分で應へることによつて明らかにせられるものであるからである。それは應へに對する應へ、事物の反應として知られるものであるが爲である。

　呼びかけがなければ應へはない。應へがなければ反應もない。反應がなければものの呼びかけもない。「敢てする」こと、行爲によつて呼びかけを破ることがなかつたならば、行爲を改めることは出來ない。こゝに未知のもの、新しいものの子供に呼びかけることの神祕がある。子供は呼びかけに從つて火を捕へようとする。この冒險によつて火の熱い事が知られる。火が子供の應へに對して應へるからである。然しこの理はたゞ一度の行爲によつて明らかにせられはしない。

それが明らかにせられる爲には、二度三度と試みられなければならない。子供は始めて指を火に近づける事によつて、それを他のものに近づけた時と異つた反應を受ける。朧氣ながら火の理を知る。この朧氣に知られた理が微かな言葉として次の行爲を呼ぶ。微かな言葉に從つて子供は應へる。朧氣に聞かれた事物の言葉は自ら應へる事によつて確實にせられる。言葉は現實に保證せられる。微かなさゝやきが明瞭な言葉となる爲には、度重ねて應へる事が必要である。こゝに習ふことの意味が存する。習ふこと、重ねて習ふことによつて理は明らかにせられる。理が明らかにせられる事によつて行爲は改められる。

然し乍ら我々の問題になつてゐる事はたゞ單に、行爲を是正するといふ事ではない。歷史的社會の禮に從つて行爲するやうに導くことである。換言すれば、歷史的社會の禮に從つて行爲を是正することである。理を窮めるといふ事は、どうして歷史的社會の禮に從つて行爲を是正するといふ意味を持ち得るのであらうか。事物の理を窮めるといふ事は、特定の呼びかけに於て一般的なものを發見することゝ、特殊に於て普遍を見ることによつてゞあるといふ事が出來る。特殊に於て一般を窮めるところに事物の理を窮める事の意味があるが故に、事物の理を窮める事によつて行爲は是正せられるのである。換言すれば行爲は合目的となり合理的となるのである。然し乍ら、行爲を是正するといふ事は、たゞ單に行爲を合理的ならしめ、合目的ならしめる事をのみ意味するのではない。又理を窮めるといふ事は、決して只單に抽象的に考へられた事物の理、抽象の立場に於て見られる事物の理を窮める事をのみ意味するものではない。特殊に於て共通的なもの、一般的なものを發見するといふ事は、我々の行爲を合理化する爲に重要なことではあるけれども、それは決して理を窮めるといふ事の全體的意味を現すものではない。一體事物が我々に呼びかけるのは、特定の狀勢に於てゞある。現實的にはものの呼びかけは、他の個物との全體的關聯に於て呼びかけるのである。抽象的に考へられた個物が呼びかけるのではなく、全體に於けるものとしての個物が私に呼びかけるのである。我々はこれを他のものの呼びかけとの關聯に於て聽くのである。他のものの呼びかけとの關聯に於て聽くとは、それを全體的なものの呼びかけとして聽くことである。歴史的現實に於て、我々に迫つて應へを求める呼びかけとは、常にかうした全體的なものの呼びかけとして私に迫り來るのである。從つて歴史的現實に於ては事件は非常に錯雜し複雜である。我々が生起に對してどう應へてよいかわからない事があるのはこれが爲である。生起は私に對して問題を投げかけ、私を突放すことがある。呼びかけはするが、その言葉は私に如何になすべきかを語らないかの樣に見えることがある。現實の生活に於て、かうした場合が間々ある。この場合、問題を投げかけるものは言ふ迄もなく生起の言葉であり理である。してみれば、理は私に呼びかけはするけれども、應へかたを告げないのであらうか。一應さうも考へられる。けれども應へかたが私の問題となるのは、應へかたが何等かの意味に於て、私に知られてゐるが爲でなければならぬ。もしさうでないならば、始めからそれは問題にならないであらう。問題は問題の投げかけられ方に於て、それに對する應へかたが、假令漠然としてゞはあるにせよ、示されてゐなければならぬ。さうでなければ、それは實踐的に問題となる事は出來ない。其處に應への手蔓の一端が投げかけられるのでなければならぬ。その微かに投げかけられたものを便りにして、我々は問題に應へんとするのである。投げかけられた問題は、應へる爲の手掛りを同時に示すものでなければならぬ。それは應への手掛りとして、應へかたそのものでなければならぬ。從つてこの場合に於ても、呼びかけは如何になすべきかを告げてゐると言はなければならぬ。呼びかけに於て如何に應ふべきかゞ、漠然としてゞはあるにせよ告げられるが故に、我々は呼びかけに對して應へることが出來るのである。我々はこの聽かれるやうな而も又聽かれないやうな言葉、生起の默せる言葉に從ふことによつて、それに應へることが出來るのである。而もその默せる言葉に從つて應へる事によつて、默せる言葉は露はにせられ、知られなかつた事は知られ、蓋然的であつたものは實現せられるのである。事物の理を窮めるといふことも、かうした歷史的生起の全體の聲に從つて、應へる事によつてなされるのである。何故ならば、私に迫つて應へを求めるものは、全體から抽象せられた單なる事物ではなく、歷史的生起そのものであるからである。私は生起によつて投げかけられた問題に應へることによつてのみ、事物の理を窮めることが出來るのである。從つて現實的に應へるといふ事は、特定の呼びかけに應へる事によつて、全體に應へるといふ意味を持つてゐるのである。事物の理が窮められ實（マコト）にせられるのは、實にかゝる意味に於て、全體に應へる事によつてなされるのである。かうした現實的な呼びかけに應へる事によつて、特殊に於て一般を窮めるといふ事もなされるのであり、子供の行爲は是正せられるのである。然し乍ら、それは同時に全體的なものに應へる事によつてのみなされるものとして、仲間に應へるといふ意味を持つのである。仲間に應へるといふ意味を持つ限りに於て、仲間によつて是認せられるやうな仕方によつて應へること、歴史的社會の禮に從つて應へる事が要求せられる。從つて行爲を是正し合理的ならしめるといふ事は、歴史的社會の禮に從つてこれを是正する事以外の事ではあり得ないし、又あつてはならないのである。こゝに行爲を是正することの眞實の意味がある。（この點に就ては後に述べる。）

我々はこゝに於て、學校教育に於て教材は如何なる條件を充すものでなければならないかに就て一言しなければならぬ。教材とは、生徒をして歴史的社會の禮に從つて行爲するやうに導く爲の材料であり、教師がそれによつて生徒に話しかける言葉である。從つて、教材が生徒に呼びかけるものでなければならないといふ事は自明の事である。それは呼びかけるものとして、生徒の應へを求めるものでなければならぬ。この事から、教材は子供の應へ得るものでなければならぬといふ事が言はれる。この事は、應へ得るもののみ呼びかける事が出來るといふ事からも言へる。けれども教材は、たゞ單に消極的に子供の應へ得るものであるといふ事のみでは十分ではない。それは積極的に子供に呼びかけ、生き生きとした自己活動を呼ぶものでなければならぬ。新なる行爲を生むものでなければならぬ。應へが單なる繰返しではなく、それに應へる事によつて今迄漠然としてゐた事を明瞭にし、確實にし、今迄知らなかつた事物の理を發見し得るやうなものでなければならぬ。從つて敎材は、子供に呼びかける事によつて問題を投げかけ、それに應へんとの努力を呼ぶものでなければならぬ。換言すれば、如何に應ふべきかといふ事が子供の現實的問題となるやうなものでなければならぬ。現實的な問題となるとは、單なる氣まぐれとしてゞはなく、全體的なものの呼びかけとして、子供に迫り來る言葉となることに外ならない。生徒は、この敎材を通して敎師によつて投げかけられる問題に應へることによつて、全體に應へる事が出來るのである。然し敎材によつて投げかけられる問題が、子供の現實の問題となる爲には、敎材は敎室の外に於ける子供の現實の問題と關聯を持つものでなければならぬ。

人の眞實に知らんとする事、又眞實に知らなければならない事は直接に自分に呼びかける「こと」や「もの」や「ひと」に如何に應ふべきかといふ事である。人は生きる爲にこれを知らなければならぬ。何故ならば、我々の生存は、たゞそれに應へる事に於てあるものであるが爲である。從つて子供は先づ自分に呼びかける相手に對し、又呼びかける事物に對し、如何に應ふべきかを學ばなければならぬ。教材が生徒のかうした現實の問題と關聯を持つ時、我々は子供のそれに對する應へを期待する事が出來る。何故ならば、子供はそれに何等かの形に於て應へてゐるが爲である。從つて教材は子供自身の世界と關聯を持つ時、教材は子供の應へ得るものでなければならぬとの條件を滿たす事が出來る。更に又、子供自身の現實の問題と關聯を持つ時、教材は必然それに應へんとの子供の努力を呼び起すに違ひない。何故ならば、子供はそれに應へることによつて、自分自身の問題に應へる事が出來るからである。かくする事によつて、學校の教室に於てなされる事は、その抽象性をまぬがれ、現實性を持つ事が出來る。教材は子供の現實の世界と關聯を持たなければならないといふ事は、教材がそれに應へる事によつて、子供の應へかたを是正する意味を持つべきであること、それが子供の行爲に對する間接的導べの意味を持つ事から來る必然の要求である。教材は子供の現實と關聯を持つ時、始めて子供の行爲に對する導べの意味を持ち得るのであり、その限りに於て、教材はそれに應へる事が生徒にとつて務となり得るからである。これ大人の要求が子供の行爲に對する導べの意味を持つ限りに於て、それに從ふことが子供の務となる事、從つて導く爲には子供の現實に耳を傾けなければならないといふ要求に外ならない。たゞこゝに於ては、子供によつて問はれ求められる事が、敎師によつて直接的に應へられるのではなく、子供をして自ら應へしめる事によつてそれを學ばしめる事が要求せられるのみである。

然し乍ら、敎材の意圖するところの事は、社會が、長い歷史的過程を通つて發見せる禮を、生徒をして短い歲月の間に發見し體現せしめるといふ事である。若し敎材が子供の現實の問題と關聯を持つ限りに於て、敎材は子供に現實的に呼びかける言葉となり得るとすれば、學校は、敎材の意圖することを合理的に達成する爲には、歷史的社會の禮に從つて生徒が應へるやうに呼びかけるものを持たなければならぬ。然るに、この事はたゞ子供達自身の共同生活をその根本樣式に從つて、歷史的社會の生活樣式を反映せしめるやうに構成し、子供達自身の共同生活を出來得る限り深く歷史的社會に根ざすものたらしめる事によつてのみ可能である。何故ならば、禮は歷史的社會の固有の生活樣式と密接なる關聯を持つものであるからである。かくする事によつて、學校は始めてその傳へんとする應へかたを呼ぶやうな問題を子供に投げかける事が出來るであらう。かうした地盤に於て、敎師は始めて其課せられた務を果すことが出來る。子供達自身の生活樣式を整へるといふ事が、敎室に於てなされる事の先に來らなければならぬ。直接的導きの先に、間接的な導き、見えない導きが必要なのである。敎室に於てなされる事はこの見えない根の華である。

八

然しながら、如何にして歷史的社會の禮に從つて行爲するやうに子供を導くことが出來るかといふ事は、相手の呼びかけに應へるとは如何なる事であるかを明かにする事なくしては答へられない。何故ならば、歷史的社會の禮に從つて應へるといふ事は、仲間の呼びかけに應へる事であり、仲間の呼びかけは後に明かになる如く、相手の呼びかけに於て聽かれるものであるが爲である。それでは相手の呼びかけとは如何なるものであるか。我々がものの呼びかけに就て言つた事は、相手の呼びかけに就ても言はれる。相手の呼びかけとは、それによつて私が相手を知ることの出來る或ものであるからである。相手はたゞ呼びかけに於て呼びかけに卽して知られる。呼びかけに於て知られた相手、相手の人となりは、私の應へに對する相手の應へによつて明かにせられるからである。然し乍ら、相手の呼びかけは、元來私に對する相手の呼びかけとして、私の呼びかけに對する應へであるといふ事が出來る。然しその呼びかけに於て漠然として知られてゐた相手の人となりは、私が相手に應へ、相手がそれに應へ、かく相互に交渉の深まると共に明かに知られる樣になる。從つてこの場合に於ても、その人をしてその人たらしめるものは、たゞ反應に於てのみ明かにせられると言はなければならぬ。何故ならば、人とはたゞ應へるばかりのものであり、相手はたゞ應へに對する應へに於てのみ知られるものであるからである。一體相手を知る、相手の人となりを知るといふ事は、相手の人となるなり方を知ることである。人とはたゞ應へるばかりのものであり、應へる事に於て人となるのである。このなり方が應へに於て知られるのである。この應へに於て知られる相手の人となりが、私に如何に應ふべきかを示す。私達が或友には其友にふさはしいやうに、他の友にはその人にふさはしいやうに應へてゐるのは、相手の反應に於てその人の人となりが知られるからである。從つてこの場合に於ても、理を窮めることが行爲を改める所以だといふ事が出來る。

然し乍ら、たゞ單に相手の人となりを知るといふ事は、相手をかくかくの人として、かくかくの性格を持つ者として、私の應へに對する應へ、反應に於て知ることであり、それは結局事物の理を窮める事に外ならない。成程相手の人となりを知るといふことは、他の人の人となりと異つたものとして知る事であり、そこには相手を人として知るといふ事が含まれてゐる。更にそこには、自分と等しいものとして、たゞ應へかたを異にするものとして知るといふ意味も含まれてはゐやう。けれども、それにもかゝはらず、相手をたゞ私の應へに對する應へに於て知るといふ事は、事物の理を窮めるといふ事と異つたものではない。然しながら先にも述べたやうに、事物の理を窮めるといふ事は、それ自體に於てなされるのではなく、現實的には常に全體的なものの呼びかけに應へる事によつてのみ、なされるものであり、其故にのみ、それは實踐的行爲と呼ばれるのである。我々が呼びかけを聽くのは、我々が其處に於て行爲してゐるところの歴史的現實に於てゞある。呼びかけは、現實の私に迫り來る言葉として、回避し得ない運命の言葉として、私の應へを求めるのである。從つて、それに應へるといふ事は、抽象的に考へられた人に、「もの」に、或は「こと」に應へる事ではないのである。それは常に全體的なものに應へるといふ意味を持つのである。歴史的現實に應へるといふ意味を持つのである。我々は事物の理を窮めることによつて、そのものをしてそのものたらしめるものを知り、知ることによつて行爲を是正する事が出來るのであるが、歴史的現實に應へる事によつて我々は何物かになるのである。私はそれに人として應ふべきやうに應へる事によつて人となり、人として應ふべきやうに應へない事によつて、人でないもの「人でなし」になるのである。歴史的現實は私に人として人たるべきやうになすことを要求する。この現實の要求に從ふことによつて、人は人をして人たらしめるものとなる。私は私をして私たらしめるものとなる事が出來る。これが理を窮めるといふ事の眞實の意味である。私をして私たらしめるものとなるといふ事は、歴史的現實に對する私の務である。この務め、人としての人の務が歴史的現實によつて私共に課せられるのである。然しながら、人の呼びかけにせよ、事物の呼びかけにせよ、それに對する私の應へは、それが意味ある行爲である限りに於て、仲間に對する呼びかけとなるものであり、又仲間に對する呼びかけとなる限りに於て、歴史的社會の禮に從つてなす事が要求せられる。それに從つて行爲するといふ事は、歴史的社會に對する我々の務である。我々はこの歴史的社會の禮に從つて行爲することによつてのみ、人となる事が出來るのである。この意味に於て、人となるとは仲間の要求するもの、歷史的社會の要求する成員となることに外ならない。從つて人の人としての務とは、仲間に對する仲間としての務であると言はなければならぬ。これ我々が人であるのは、特定の歷史的社會に屬する者としてゞあり、歷史的社會の成員としてゞあるが爲である。我々が呼びかけに應へるのは、歷史的社會に於てゞあり、私は呼びかけに應へる事によつて仲間に應へるのである。從つて全體的なものに應へる歷史的現實に應へるといふ事は、勝義に於ては仲間に應へる、歷史的社會そのものに應へるといふ事でなければならぬ。

然しながら、仲間の要求は現實的には、私に呼びかける相手の呼びかけに於て聽かれる。私は相手の呼びかけに應へることによつてのみ、仲間に應へることが出來る。事物の呼びかけに對する我々の應へにしても、それが意味ある行爲である限りに於て、仲間に對する呼びかけとなるものである。然るに私の應へが、仲間に對する呼びかけとなるのは、現實的には仲間の中の誰かに對する呼びかけとなることに外ならない。然し私の應へが誰かに對する呼びかけとなるのは、それが誰かの呼びかけに對する應へであるが爲でなければならぬ。私の應へが誰かの呼びかけに對する應へであるが故に、誰かに對する呼びかけとなるのである。私共は誰かの呼びかけに於て、全體の要求、仲間の要求を聽き、その呼びかける相手に應へることによつて、仲間に應へる事が出來るのである。從つて事物の呼びかけに應へるといふ事も、相手の呼びかけに應へる事によつて應へられるものであると言はなければならぬ。著述家が著述するのは、事物の呼びかけを聽き、それに應へる事によつてゞあることは言ふ迄もない。けれども、それが意味ある行爲である限りに於て、仲間の呼びかけに應へてゐるのでなければならぬ。然し著述家が著述家として仲間に應へるのは讀者の呼びかけに應へる事によつてゞある。讀者の聲に於て彼は全體の要求を聽くのである。讀者が彼に著述家としての務を投げかけるのである。商人が商品の呼びかけに應へるのは、其處に買手の聲が聽かれるが爲であり、醫者が患者の患部の呼びかけに耳を傾けるのは、其處に患者の呼びかけが聽かれるが爲である。而も商人は買手に、醫者は患者に對して應へる事によつて仲間に應へる事が出來るのである。このやうに事物の呼びかけが、相手の呼びかけに於て聽かれるのは、我々が事物の呼びかけを聽くのは、仲間の呼びかけに於てゞあり、仲間の呼びかけは、相手の呼びかけに於て聽かれるものであるが爲である。我々は相手の呼びかけに於て、全體の要求、仲間の要求を聽き、我々に呼びかけるその相手に應へる事によつて、仲間に應へることが出來るのである。從つて、仲間に對する仲間としての務は、呼びかける相手によつて、私共に投げかけられるものであると言はなければならぬ。これ我々の仲間としての務が、單なる仲間としての務ではなく、仲間の中の誰かとしての務であり、從つて又、誰かに對する務であるが爲である。何故ならば、私が誰であるかを規定するものは、私に呼びかける相手であり、相手は又私が誰であるかによつて規定せられ呼びかける相手と私とは相互依存の關係に於てあるものであるが爲である。務はかうした切つても切れない關係に於てある相手によつて投げかけられるのである。

私を人に迄呼ぶものは、私に呼びかける相手である。相手の呼びかけが私に務を投げかけ、務に於て私は人としての自覺を持つのであるからである。親の呼びかけは私を子に迄呼び、妻の呼びかけは夫に迄呼び、子の呼びかけは親に迄呼び、友の呼びかけは友に迄呼び、それぞれ子としての務、夫としての務、親としての務、友としての務を私に投げかけるのである。私に呼びかける相手が誰であるかによつて、誰かとしての務が私に課せられるのである。相手の呼びかけが、相手に對する私の應へかた、仕へかたを規定するのである。　相手が私を誰かとして呼び、誰かとしての務を課するのである。　私はこの相手によつて投げかけられた務を果すことによつて、親に對しては子となり、妻に對しては夫となり、子に對しては親となる事が出來るのである。　然し乍ら、親の呼びかけには孝をもつて、妻の呼びかけには和をもつて、子の呼びかけには慈を以て、友の呼びかけには信をもつて應へるといふ事は、たゞ單に相手に對する務ではなく、また仲間に對する仲間としての務である。　我々は特定の歴史的社會の成員として、自分の屬する社會の禮に從つて相手に仕へる事が要求せられる。　禮に從つて應へるといふ事は、成員としての我々の務である。　從つてこの成員としての務が相手の呼びかけによつて投げかけられるのであると言はなければならぬ。　さればこそ、我々は自分に直接に呼びかける相手によつて投げかけられた務を果すことによつて、仲間に仕へることが出來るのである。　務を果すことによつて、人倫の理は窮められ實にせられる。　これを窮め實にすることによつて、人は人となる事が出來る。　人となるとは、全體的な歴史的社會の要求するものとなることに外ならない。

我々はこゝに於て、歴史的社會の禮を子供に體現せしめる上に於て、子供達自身の共同生活が如何なる意味を持つか、友を持つといふ事が如何に重要な役割を演ずるかに就て述べなければならぬ。

私の應へは、それが相手の呼びかけに對する應へであるにせよ、事物の呼びかけに對する應へであるにせよ、仲間に對する呼びかけとなる限りに於て、仲間としてなすべきやうな仕方で應へる事が要求せられる。禮とは、卽この仲間としてなすべき行爲の仕方、言行の規矩に外ならない。禮に從つてなすといふ事は、仲間としての我々の務である。我々が呼びかけに應ふべきやうに應へないといふ事は、仲間の呼びかけを無視することに基く。從つて歷史的社會の禮を體現する爲には、子供は仲間を尊重する事を學ばなければならぬ。然し仲間を尊重するといふ事がなされる爲には、全體に對する關係に於て自分を見出すことがなされなければならぬ。こゝに子供達自身の共同生活の重要なる敎育的意味がある。子供は友達との遊戲、或は學習に於て、共同の作業に從ふことによつて、自分と同じ事柄によつて呼びかけられ、それに應へんとする仲間を發見する。自分を仲間の間に發見する。自分も他のものも仲間の中の一人に過ぎない事を悟る。かくして全體の意識が生れる。子供は自分が全體の部分に過ぎない事を悟る。而もこの全體の意識、仲間の意識は仲間の一人一人と強く結ばれる事、相互に相愛し合ふ事によつて强められる。のみならず、仲間の間に於ては、仲間の承認し得るやうな行爲しか子供は正當に行爲することが出來ない。仲間の意志を尊重しないならば、彼は仲間はづれにされる。この現實が子供に仲間を尊重すべき事を敎へる。然し乍ら仲間を尊重する事は、直接に自分に呼びかける相手を尊重する事を通して學ばれるのであり、又學ばれなければならぬ。何故ならば我々は自分に呼びかける相手に應へる事によつてのみ、仲間に應へることが出來るのであるからである。子供は自分に直接に呼びかける相手を尊重する事を通して、仲間を尊重する事を學ばなければならぬ。相手を尊重するといふ事は、人の人として先づ第一に學ばなければならない事である。何故ならば相手の呼びかけを尊重するもののみ、人としての務を喜ばしき肯定に於て受容れる事が出來るからである。務を單なる務として受容れるのではなく、喜ばしき肯定に於てこれを受容れる爲には、相手を尊重するといふ事、相手を愛するといふ事がなければならぬ。愛する者にとつては、務は最早單なる務ではない。子の親に對する愛は、親の慈しみに對する應へとして呼びさまされる事は既に述べた。子は先づ親を愛する事を學ぶ。親の慈しみが子に愛する事を教へるのである。然し乍ら、親子の關係に於ては、子の親に對する愛は消極的であり、受身である。子の愛は親に從ふことに於て滿される。それは親の慈しみの導べに從ふことに於て滿されるのである。從つて不平等の承認が、その關係の根柢に横はつてゐる。從つて子供が大人になるべきであるならば、親子の關係は新しき光の下に於て、再び發見されなければならぬ。それは消極的な愛から積極的な孝とならなければならぬ。消極的な從順から積極的な孝となる爲には、親を人として自分と等しいものとして發見する事がなければならぬ。子を持つて知る親の恩といふ事が言はれるのは、親の心は親と等しきものとなつて始めて知られるからである。我々はこゝに於て、不平等を前提とする親子の關係に於ても、平等の自覺を通して全うせられるものであることを知る。それが人倫の理である限り、自分と同樣に相手を尊重するといふこと、自分を愛する樣に相手を愛するといふ事がなければならぬ。たゞこれによつてのみ人と人との關係は純化せられるからである。

かういふ事をすれば相手に迷惑を掛ける、あゝいふ事をすれば失禮にあたるといふことは、自分の行爲に對する相手の應へによつて知られる。勿論これが相手の迷惑になり、失禮にあたるといふ事は、自ら相手のさうした行爲によつて迷惑を感じ、腹立たしく感じたことのある者のみ知ることが出來る。然し我々は、相手の自分に對するさうした態度に對しては腹立たしく思ひつゝも、自分は又自分で相手に對して、さうした不愉快な態度を繰返してゐる。從つて、かういふ事をすれば相手に迷惑を掛けるといふ事、私の應へに對する相手の應へを知るのみでは、私共の行爲は是正せられはしない。かういふ事をすれば相手に迷惑をかけるから、さうした行爲を繰返してはならぬといふ事を知る爲には相手の生存を自分のそれと全く等しく尊重するといふ事がなければならぬ。相手を自分と同樣に尊重する者のみ、自分の應へに對する相手の應へに基いて、自分自身に立歸り自分の行爲を反省し、自分の行爲を改めることが出來る。一般に共同生活が可能である爲には、何程かの度合に於て、相手の生存を自分の生存と同樣に尊重するといふ事がなければならぬ。これなくしては、共同生活は成立たない。人の人としての生活は成立たない。何故ならば、仲間に對する愛敬は、直接に呼びかける相手に對する愛敬に於て、實にせらるべきであるからである。其故に、我々は先づ相手を愛敬することを學ばなければならぬ。相手を愛敬する事を學ぶ爲には先づ相手の生存は相手にとつて、私の生存が私にとつて可愛いゝものである樣に、可愛いゝものである事を學ばなければならぬ。相手に對する「思ひやり」は、いつも身の可愛いさによつて無視せられるものであるが爲である。我身の可愛いさを推して、相手の身の可愛いさを知らなければならぬ。これが人の先づ學ばなければならない事である。從つて、それは子供の先づ學ばなければならない事である。而もこの事を、直接に子供に敎へる者は其友達である。子供は友達との遊戯に於て、その子供らしい呼びかけに對して、同じやうな子供らしい應へをする相手を發見する。子供は自分と等しい相手を發見するのである。然し自分と等しい相手を發見することは、相手と等しい自分を發見する事に外ならない。然し相手と等しきものとしての自己に目覺めるのは、たゞ交友の間に於てゞある。相手を自分の友として呼ぶ事が出來る爲には、自分も又相手によつて友と呼ばれ得るものとならなければならないからである。この事が友としての務を彼に課するからである。こゝに於ては、親に對してのやうに自分勝手な事、無理を通さうとする事は許されない。自分の無理を通さうとする事は務を拒否する事であり、自ら交友の關係を絶つことであり、自ら友としての生存を否定する事である。若し自分が相手の友とならうとするならば、又相手を友として持たうとするならば、身の可愛いさを推して相手の身の相手にとつて可愛いゝものである事を知らなければならぬ。この現實に課せられた課題が、子供に相手の身になつて考へる事を教へる。自分のしてほしい事を、進んで自ら相手にしようとする友愛の心を子供に目覺す。其處に道德の大路に至る道が既に用意されてゐる。たゞ子供をしてこの道に進ましめる機緣を提供する事が、教師の課題として殘されてゐるのみである。こゝに教師の生徒に對する導べの重大な意味がある。然し乍ら、それは愛する事に對する導べとして、自ら愛することによつて示されなければならない。自ら生徒を愛する事なくして、生徒に相互に相愛せよと教へる事は出來ないからである。然し乍ら、教師の生徒に對する愛は、生徒に對する自分の務を果すこと、生徒に仕へる事によつて實にせられる。この相手に仕へんとの愛が、生徒の教師に對する愛敬の心を呼び、更に教師の實例に從つて、仲間の一人一人を自ら愛する事を學ぶ。愛が愛を呼ぶのである。愛こそ一切の教育を可能ならしめる源泉である。我々は先に子供を導く爲には、子供の現實に聽かなければならぬといひ、又教材は子供の現實と關聯を持たなければならないとも言つた。然しこの事を可能ならしめるものは子供に對する愛である。子供に對する愛が子供の現實に聽く耳を聰くする。愛のみが教育者を子供の現實に近づかしめる。愛が大人と子供との隔りを無くせしめるからである。

九

然し乍ら、我々は愛が敎育を可能ならしめるたゞ一つの源泉であるといふ事から、それを敎育者にのみ求めることが出來るであらうか。相手に對する愛敬なくしては、人倫の理を實にし、禮を體現する事は出來ないとするも、それは人である限りに於て、誰にも要求せられなければならぬ事である。のみならず敎師は、我々總ての成員を代表するものとして、我々に代つて生徒の前に立つてゐるのである。若し我々にして現實の生活に於て、相手に對する愛敬に於て、呼びかけに應へてゐないとすれば、我々に代つて立つ敎師が、生徒に對して必ずしも愛敬の心をもつて應へないとするも、それはたゞ敎師のみの責任ではないであらう。敎師の立つ地盤、敎師のなすことの背景に我々が立つてゐるのである。從つて若し我々が、子供に對して愛敬の心をもつて應へないとすれば、假令愛敬をもつて應へる事が人の人としての務であるにせよ、どうして教師のみにこれを求める事が出來よう。子供に歴史的社會の禮を體現せしめるやうに導くといふ事は、それが我々に於て體現せられてゐる限りに於て、我々はこれを教師に期待する事が出來る。我々が先に歴史的社會の禮を、子供に體得せしめるやうに導く爲の條件として、子供達自身の共同生活に、大人の社會の生活樣式を反映すべき事を述べたのもこれが爲である。子供達自身の共同生活に、大人の社會の生活樣式を反映せしめる限りに於て、子供をして歴史的社會の禮を體得し得るやうに導くことが出來るとすれば、歴史的社會の矛盾不合理も又これと共に傳へられることは否定出來ない。こゝに教育に於ける必然的な歴史的制約がある。然し乍ら、それは子供がこの世に現れるのは、その兩親の屬するところの歴史的社會に於てゞあり、子供が歴史的社會の要求する成員になるのは、その歴史的社會に於てゞあるといふことに基く必然的な制約である。

更に我々は、先に、子供は交友の關係に於て、道德をその本質性に於て學ぶことが出來ると述べたが、其處には其反對の事を學ぶ可能性も十分にある事を否定する事は出來ない。一體、相手が私の行爲を問題にし得るのは、私の行爲の外に現れるその現れかたである。相手は私の行爲の外的表現をのみ問題とする事が出來る。さうした行爲が如何なる動機によつてなされたかといふ事は、外的表現を通してのみ問題とする事が出來る。こゝに務がたゞ單に外的にのみ滿されるといふ危險がある。更に又善き心が善き心を呼ぶやうに、惡しき心は惡しき心を呼ぶことも否定出來ない。相手の利己的な氣持は、また利己的な氣持を呼ぶに違ひない。從つて子供の社會に於ても、假令それが大人の社會よりも低劣であるとは言へないにせよ、對抗關係は免れ得ないであらう。又我々は事實に於て、さうしたものを子供の社會に於ても認めざるを得ない。我々は子供同志のさうした關係を如何ともする事が出來ない。單なる敎訓は無力である。敎訓も子供がそれを自ら取り上げない限り、何の役にも立たない。それは子供自身の事として、子供自らによつて改められなければならぬ。子供も又人として自分の行爲に對して自分で其責任をとらなければならぬ。こゝに敎育の本質的限界がある。

一體呼びかけを聽くといふ事は、それを受容れる事である。受容れるとは、それに應へる事を是認し肯定する事である。我々の行爲は常にそれに對する是認肯定の下になされる。總ての行爲は自己肯定の所產である。それが自己の肯定の下になされるものであるが故に、我々は自己を辯解するのである。自己辯解とは自己の行爲の正當化である。行爲がかゝる肯定に於て生れるものであるが故に、それは自己主張となるのである。ともあれ、私の行爲は私によつて肯定せられた行爲として、その行爲に對する責任が私に歸せられる。私は自分の行爲に對して責任を有する。自分の行爲が自分の問題となるのは、それが自己の是認の下になされたものとして、私はそれに對して責任を有するからである。然し、それはたゞ單にその行爲の結果から來るのではなく、行爲を是認した事、その事から來るのである。過去の行爲は既に過去つたものとして、私の意志によつて左右する事は出來ない。從つて過去の行爲に對する責任は、現實に於て、現實の行爲に於て、償はれなければならない。この意味に於て、過去に對する悔恨は、現實の行爲に對する規制力となる事が要求せられる。從つて實踐的に私に問題となるのは、この現實の行爲のみである。それは私の是認によつて遂行せられ、否認によつて中止せられるものとして實踐的に問題にせられる。實踐的に問題とせられるのは、過去の行爲ではなく、現實の行爲、是認し肯定しつゝある行爲そのものである。

行爲は、それを是認する事によつて遂行せられ、否認する事によつて中止せられる。我々の行爲を變化せしめるものは、この是認否認の心である。それは行爲を變化せしめるものとして、眞實に實踐的行爲と呼ばるべきものである。何故ならば、行爲を變へるもの、行爲を遂行せしめ或は中止せしめるものこそ、行爲と呼ばるべきものであるが爲である。この事は必ずしも身體的行動を伴ふ場合のみには限らない。私共が食を思ふ時、それが外的行動となつて現はれないとするも、私共は心の中で行爲してゐる。かうした行爲もそれがなされる限り、かくする事は私によつて是認せられてゐる。私共が心の中で他人を非難し他人と爭ふ時、それが外的行爲となつて現れ、なくとも、既に私は心に於てそれを行つてゐるのであると言はれるのは、假令想像的に應へるにせよ、それは私の是認の下になされるが爲である。行爲は、たゞそれに對する自己の是認の下にのみなされ得る。然し人はよく惡いと知りつゝなしたと言ふ。けれどもそれは決して自分の行爲を否認したといふのではない。否認すべき行爲を、自ら善しと是認してなしたのである。若し否認したのであれば、行爲は中止せられた筈である。それが中止せられなかつたのは、それが是認せられたからである。かく我々の行爲が、自己の是認の下に於てなされ、而も必ずしも是認すべきものを是認せず、否認すべきものを否認しないとすれば、道徳の根本問題は、自分の應へかたが是認すべきものであればこれを遂行し、否認すべきものであれば中止するところにあると言はなければならぬ。ここに應へかたを是正することの眞實の意味がある。それが是認すべきであるか、否認すべきであるかを我々に告げるものは、全體の聲、仲間の聲である。この仲間の聲に從ふことによつて、人倫の理は窮められ、實にせられる。是認すべきを是認し、否認すべきを否認するといふ事は現實的に私に、たゞ私にのみ課せられた課題として、私自身によつて現實的に解かれなければならぬ。それは現に是認すべきを否認し、否認すべきを是認しつゝある私に直接に課せられた課題であるが故に、たゞ現實的行爲的に是認すべきを是認し、否認すべきを否認する實踐的行爲を通して果されなければならぬ。これが仲間に應へることの眞實の意味である。實踐的に行爲するとは、是認し否認することに他ならない。それは一切の行爲の根である。外的行爲はこの根から現れた枝葉である。實踐的に問題となるのはその根である。根が誤る時一切が誤るからである。

人が他人の行爲に於て問題となし得るのは、その見られる行爲、外的行爲である。然し、さうした行爲を生んだ內的行爲を人は知ることは出來ない。それを知る者は行爲する其人だけである。行爲はそれが外に現れるにせよ、現れないにせよ、心ひそかになされる私自身の是認肯定によつて導かれるのである。それはたゞ私のみに知られるものとして、私によつてのみ問題とせられる。而も、私はたゞ私のみに知られる獨知の地に於て、あれかこれかになるのである。實にこゝに於てなされる事が一切を決定するのである。實にそれは是非善惡の界頭である。實踐的に生きるか死ぬるかは、この源頭を正すか否かにある。これが我々の實踐的努力をなす事の出來る唯一の地である。獨知の地こそ唯一の道德の道場である。

實踐的に本質的に問題となるのは、人と共に知るところではなく、たゞ自分のみにしか知られないところにあるといふ事に、教育に於ける本質的限界がある。人に知られないところは、人の手を觸れることの出來ないところとして、常に教育者の力の及ばない領域として、我々に對して立つてゐる。本質的意味に於ける人格的教育の領域が、常に問題的なものとなつて殘されざるを得ないのはこれが爲である。たゞ我々に相手を教育する事の可能を約束するものは、人の行爲は呼びかけに對する應へであるといふ事のみである。この事が、相手の行爲を私の應へに對する應へとして、それに對する責任を私にとらしめるからである。この事が私共を教育的關係に立たしめたのである。けれども、それは相手の行爲がその應へに於て知られる限りに於てゞある。從つてそれは人に知られる地に於てゞあるといはなければならぬ。たゞ我々は人に知られる地に於て、知られない地に至る手蔓が發見せられる限りに於て、それに對して責任をとり得る。然しそこには必然的限界がある。責任の限界は同時に導きの限界、教育の可能性の限界である。

一〇

歴史的社會の禮を、子供をして體得し體現せしめるやうに導くといふ教育、の課題は、我々が一人前の成員としてこれを體得し體現してゐるといふ意味に於ては、如何なる社會に於ても現實的に果されてゐるといふ事が出來る。從つて若し禮を體現するといふ事が、歴史的社會の要求に隨順することによつてのみなされ得るとすれば、我々が歴史的社會の禮を體現してゐるのは、我々が歴史的社會の要求を滿してゐるが爲であると言はなければならぬ。然し我々は果して仲間の聲に從ひ相手に對する愛敬に基いて、歴史的社會の禮を體現してゐるであらうか。外面的形式的には我々は、仲間の要求に從つてゐる者かの樣に見える。けれども內面的には、必ずしも仲間の要求に隨順してゐるとは言へない。これ現實の事實である。我々が仲間の要求を聽くことが出來るのは、相手の要求に於てゞある。我は自分に呼びかける相手に應へることによつて、仲間に應へることが出來る。然るに、相手が我々の行爲を問題にし得るのは、その外に現れた行動のみである。行動を通してのみ、相手は私の行爲を問題にすることが出來る。こゝに務が外的に果されるといふ可能性が存する。仲間の要求、全體の要求に隨順することによつて、相手に對して愛敬の心から應へたか否かといふ事は、相手の問題にし得ない事である。それは常に其人自身の問題として殘されてゐる。こゝに我々が仲間の要求を滿して而も滿さないといふ矛盾が生れる。形式的には滿すが、實質的には滿さないといふ矛盾が生れる。それは我々が、歷史的社會の一人前の成員として、歷史的社會の要求する成員であるかの樣に見えながら、內的には眞實に歷史的社會の要求するものでないといふ矛盾である。それは我々が人であつて而も人でないといふ矛盾である。我々は大人であり、歷史的社會の一人前の成員でありながら、仲間の聲を聽いて而も聽かず、相手の呼びかけに應へるも愛敬を以て應へず、かへつて相手との對抗關係に立ち、相手に對する自分の務を拒否すること屢である。然し乍ら仲間の要求を拒否すること、相手に對する自分の務を拒否する事は、自分自身の仲間としての生存、人としての生存を否定することである。こゝにての人の悩みである。こゝに教育的關係が單に大人と子供、親と子、教師と生徒とらないといふこの現實の事實が、大人相互の間に於ても人を人に導く關係の存すべき事を示す。かゝる關係を教師と生徒との關係と區別して、師と弟子との關係と呼ぶのは妥當であらう。

我々の回避し得ない苦悶がある。それは人でありながら人になり得ない、人としの關係にのみ限られ得ない理由がある。我々が大人になつても必ずしも人にな

教育的關係とは、先にも述べた様に、委ねる者と委ねられる者との關係である。かゝる關係に於てのみ、委ねる者には導かれる事が、委ねられる者には導くことが務として課せられる。然るに大人と子供との關係に於ては、委す者と委される者との關係は、言はゞ自然的地盤の上に立ち、自然的關係に基いて實踐的に保證せられ基礎づけられてゐた。然るにこゝには、さうした自然的地盤は缺如してゐる。從つてこゝに於ては、關係は全く自己の決意によつて、一切を相手に委すことによつて確立せられ保證せられなければならぬ。從つてこの事が、この關係の教育的

關係としての特質を特徴づけるものでなければならぬ。從つて師と弟子との關係が如何なる關係であるかといふ事は、自分を相手に委すとは如何なる事であるかを明かにする事によつて、究明せられなければならぬ。

相手に自分を委すとは、自分の人になる事に對する導べを相手に仰ぐこと、それに就ての自分のあれやこれやと思ふ考を總て棄てゝ、たゞ相手の導きに從つて、相手によつて投げかけられた問題を果さうとする事である。然し人は一體何故かうした事を敢てしようとするのであるか。既に大人であり、獨立せる人として立つてゐながら、而も敢て自分自身を信頼せず、かへつて相手を自分自身よりも信頼せんとするのは何故であるか。人となるといふ事に對して、從つて人にとつて最も切實な問題に對して、自分ではなくして相手を信頼せんとするのは何故であるか。敢てかうした態度をとらなければならないやうに私を立至らしめたものは私が人であつて而も人でないといふ切實な現實である。而も私は自分が人であつて而も人でないといふ現實を、自分自身の力でどうにもなし得ないが爲である。私の努力が努力の甲斐もなく、如何に努力するも常に自分の欲する事と反對の事を私がしでかすといふ事が、私自身をして自分に失望せしめるからである。私は自分を信頼せんとするも信頼する事が出來ないのである。相手を愛しなければならないといふ事は、頭ではわかるが心情がそれを肯定しないのである。愛によつて保證せらるべき關係が、爭によつて常に破壞せられてゐる。この現實が私をじて自分自身に對して失望せしめるのである。一言で言へば、私が人であつて而も人でないといふ現實の事實が、自分の信頼し得ない事、自分の努力の甲斐なき事を私に告げるのである。この遁れんとして遁れ得ない者、無意味な呻吟に苦しめられてゐる者に對して、救ひの手を差しのべて吳れる者が師である。師の救ひの手は、遁れんとの私の努力に對する慈悲の應へである。師は私にたゞ其救ひの手に縋れと呼びかけるのである。その救ひの手が卽師の導べである。人をして人に迄導く道導べである。然し私共が其救ひの手、導べに頼らんとするのは、換言すれば、無意味な自己の努力を捨てゝ、たゞそれにのみ頼らんとするのは、相手の導べに從ふことによつて、この苦悶から遁れ得ること、人となる事が出來ると信ずるからである。私は未だ、さうした導べに從つた事がないから、事實それが果して、私を人に迄導いてくれるかどうか私にはわからない。それは全く疑はしい事である。けれども敢て私がそれを信ずるのは、師その人が人としてあるべき人であることが私に信ぜられるが爲でなければならぬ。私が私自身を信頼出來ないのは、私が人であつて而も人でないが爲であるとすれば、又この事が敢て私をして相手を信ぜしめんとするのであれば、師が私に信頼せられるのは、師が人として、あるべき人であるが爲でなければならぬ。從つて私が師を信ずるのは、師に於て、人としてあるべき人が見られるが爲でなければならぬ。信ぜられるのはたゞそれのみである。私は自分自身ですら、人としてあるべき人でないが故に信ぜられないのである。人としてあるべき人は、人としてなるべき人として、人の到達すべき最高の理想である。この理想が師に於て見られるのである。從つて師の生存は、私にとつて唯一の希望となる。然し乍ら、師の生存が私の希望となる爲には、その導きに從ふことによつて、私も又人となる事が出來ると信ぜられるのでなければならぬ。否、たゞ單に私がその導きに從ふことによつて人となる事が出來るのではなく、人である限り誰でも、その導きに從ふ事によつて人となる事が出來ると信ぜられなければならぬ。何故ならば、自分が人であつて而も人でないといふ切實なる現實、自分自身を信頼し得ない者に對して、それが希望となる爲には、如何なる人であるにせよ、人である限り、人となる事が出來るのでなければならないからである。そこに若し例外があれば、自分こそ、その例外でなければならないであらうから。何故ならば、私は自分自身でさへ愛想をつかさゞるを得ないものであるが爲である。それではかうした信仰はどうして生れるか。自己に對する失望から希望への轉換は如何にしてなされるか。暗黑から光明への轉換は如何にしてなされるか。それはたゞ人を見ることによつてゞある。師に於て人が見られるからである。人としてあるべき人が見られるからである。この師に於て見られる人が、暗黑に呻吟する私にとつて希望の光となるのである。從つて信せられるのはあくまでも人である。然るに私は人であつて而も人でない。この內的矛盾が私に人を求めしめるのである。從つて人はたゞ信ぜられなければならぬ。然し乍ら私に、私が人であつて而も人でないことを告げるものは、人である、相手の呼びかけに於て聽かれる仲間の聲である。然るに私は相手の呼びかけに於て、仲間の聲を聽いて而も聽かない。仲間の聲は私によつて拒否せられてゐる。これが私をして自分自身を見限らしめたのである。然るに師は、私に、一切の私意を捨てゝ相手の呼びかけを其儘に受容れる事の如何に喜ばしき事であるかを自らの行爲に於て示す仲間の聲を一定の條件の下に受容れんとしたものにとつて、これは一の驚異である。この驚異が私の惰眠を目覺すのである。私は今始めて人を見たのである。仲間の聲に一切の私意を捨てゝ無條件的に隨順する者、人として人の止るべき至善の地に止る者を師に於て見たのである。從つて師の生存は私にとつて唯一の希望となり、師がかくあるといふ事が、私もかくなり得ることを示す激勵の言葉となるのである。師が理想的者であるといふ事が、私の將來性を示すものとして見られるのでなければ、師弟の關係は生れない。師に於て私の將來なるべきものが見られる。私は未だ達せずして、何時か達するであらうところのものを相手に於て見るが故に、相手の生存自體が、私にとつて生きた激勵の言葉となるのである。こゝに人はたゞ人によつてのみ、人となることの出來る所以がある。こゝに教育に於ける師の不可缺性がある。然しさうした師がこの現實の世界に發見せられるかといふ問ひも可能である。けれども私はかうした問ひに對しては、たゞそれが歴史的に生存した事があつたと人によつて信ぜられてゐる事、現實に於てもまた生存してゐる事が信ぜられ得るであらうこと、また信ずる事は信ずる者の側にあることをいふに止めたい。

從つて我々の問題としてゐる最後の教育的關係、師と弟子との關係が宗教的な關係であることはおのづから領づかれるであらう。教育的關係は師と弟子との宗教的關係に於て極限に達する。こゝに於ては、教育の可能性は信仰に基いて無限に擴大せられる。それは信せられる限りに於て可能である。其處には何等の限界もない。たゞ不信のみが自ら限界を立てる。自ら自らの人となる事に對して制限するのである。自ら自らを見限る者のみ制限を見る。勿論、其處にも導く者の側からは、自分の意志するやうに相手が求めないといふ事に基く限界は見られはしやう。けれども、これすらも、この關係が求める者によつて、求める者の求めに應へる事に基いて生れた關係として、この關係が關係として確立せられ保證せられる限りに於て絕對的に可能であると言へる。

（一九三七・三・二七）

彙報

哲學科講義題目　昭和十二年度

（括弧内の數字は毎週時數）

東洋哲學

東洋哲學史概説　日本儒學史概説（二）　後藤助教授

講讀及演習　焦循、孟子正義（二）　後藤助教授

西洋哲學

哲學概論（二）　岡野教授

西洋哲學史概説　西洋近世哲學史（二）　淡野助教授

特殊講義　時間・空間及辨證法　岡野教授

講讀及演習

Hegel, Encyklopädie der philosophischen Wissenschaften im Grundrisse.（二）　岡野教授

Malebranche : La Recherche de la Vérité　淡野助教授

倫理學

東洋倫理學概論（二）　今村教授

倫理學概論（二）　世良教授

西洋倫理學史　近世倫理學史（二）　柳田助教授

特殊講義　コーヘンの倫理學研究（二）　世良教授

講讀及演習

Aristoteles, Ethica Nicomachea, tr. by Ross. (二)　世良教授

M. Scheler, Der Formalismus in der Ethik und die materiale Wertethik. (二)　柳田助教授

心理學

心理學概論(二)　飯沼教授

講讀及演習

Ch. Bühler, Kleinkinder Tests.　飯沼教授

心理學實驗(四)　飯沼教授

教育學

教育學概論(二)　伊藤教授

教育史概說(二)　福島助教授

特殊講義　各科教材の哲學的前提(二)　伊藤教授

講讀及演習

A Summary Account of the Logical Development of Modern Pedagogics. (二)　伊藤教授

Grisebach, E., Die Grenzen des Erziehers und seine Verantwortung (二)　福島助教授

社會學

社會學概論(二)　岡田講師

Annual Bulletin
of
The Department of Philosophy

Vol. IV 1937

CONTENTS

ARTICLES :

Published
by
The Faculty of Literature and Politics
Taihoku Imperial University
Formosa, Japan.

June, 1937.

昭和十二年九月一日印刷
昭和十二年九月五日發行

哲學科研究年報〔第四輯〕

編輯兼發行者　臺北帝國大學文政學部

印刷者　白井赫太郎
東京市神田區錦町三丁目十一番地

發賣所　巖松堂書店
東京市神田區神保町二丁目
電話九段(33)〔四一三五　四一三六
四一三七　四一三八〕
振替口座東京六五五六